Postres

Cocinar mejor que nunca

Postres

El gran libro de cocina ilustrado a todo color

Con las mejores recetas creadas por Elke Alsen, Marieluise Christl-Licosa, Marey Kurz, Hannelore Mähl-Strenge, Bernd Schiansky, Brigitta Stuber y Annette Wolter

Dirección editorial
Annette Wolter

Fotografías en color
Rolf Feuz y Karin Messerli

E̲DITORIAL E̲VEREST, S. A.

MADRID • LEON • BARCELONA • SEVILLA • GRANADA • VALENCIA
ZARAGOZA • LAS PALMAS DE GRAN CANARIA • LA CORUÑA
PALMA DE MALLORCA • ALICANTE – MEXICO • BUENOS AIRES

En este libro encontrará

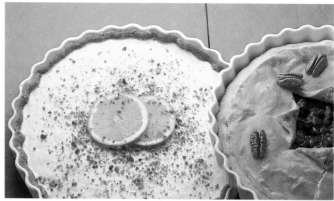

Postres con tradición
Páginas 70-95

Exquisiteces heladas
Páginas 96-127

Los ingredientes más importantes para los postres
Páginas 128-133

Todo sobre la preparación de los helados
Páginas 134-135

Índice general de la A a la Z
Páginas 136-138

Las recetas ordenadas por ingredientes

Sobre este libro

Los exquisitos postres son siempre el cierre que corona una comida exitosa. Eran, son y seguirán siendo el broche no sólo de los menús festivos, sino también de las comida diarias, que normalmente requieren menos tiempo. En el primer bloque de recetas de este gran libro de cocina ilustrado, encontrará aquellas apropiadas para todos los días. Los autores se han encargado del desarrollo de las nuevas recetas, de utilizar ingredientes fisiológicamente valiosos para la alimentación como la fruta fresca o los productos lácteos, de la forma más natural posible y con la debida precaución. Todas las recetas son fáciles de preparar y están descritas claramente. Los resultados pueden verse en fotos inéditas en color, exclusivas para este libro. Un banquete visual para todos los aficionados a los postres.

Precediendo a las recetas encontrará descrito mediante fotos, paso a paso y en color, las diferentes técnicas necesarias para la preparación de los postres. En ellas le enseñamos cómo se pela correctamente una piña o cómo emplear correctamente la gelatina. Si sigue exactamente nuestros consejos, preparará fácilmente, los postres más delicados. Las claras de huevo batidas a punto de nieve tienen que brillar como la seda (como se muestra en las fotos de trabajo auxiliares). Preparar uno mismo el caramelo no es ningún arte con la amplia y clara descripción que se ofrece. También damos, con texto e imágenes, consejos llenos de ideas para la decoración y adorno. Las indicaciones en negrita de cada receta señalan a primera vista si el postre es una receta integral, si es fácil o si puede prepararse rápidamente. Obtendrá también la información de si los ingredientes necesarios son económicos o de coste medio, o si se trata de una receta clásica, como por ejemplo los flanes al caramelo, el sabayón o la tarta Tatín.

Las indicaciones sobre el valor nutritivo le indican cuántos kJ/kcal tiene el postre. Al hojear este libro observará que además de los abundantes postres para sibaritas, se han tenido también en cuenta maravillosas creaciones ligeras, como los limones escarchados, granizados de melón y sandía, sorbetes exclusivos, arroz con orejones o diferentes gelatinas. Todos los postres aquí citados son apropiados como cierre del menú más opulento. Pero, si lo que desea es obsequiar a su familia o a su círculo de amigos con unas tortitas o unas crepes deliciosamente rellenas, precédalas tan sólo de un plato completo.

Para que pueda planificar las recetas convenientemente, se citan los tiempos de preparación, cocción, horneado y refrigeración necesarios, así por ejemplo, en los postres a base de gelatina se indica el tiempo de refrigeración necesario para que cuajen. Los postres que tienen que refrigerarse tienen la ventaja de que pueden prepararse con antelación.

El primer capítulo, titulado «Un postre para cada día», le ofrece propuestas que completan el menú diario durante todo el año. La preparación de estas exquisiteces no resulta necesariamente difícil. En el segundo capítulo, titulado «Postres calientes», encontrará dulces flameados, gratinados y horneados. Naturalmente no podían faltar los «Postres con tradición», como la Carlota real o las lionesas. Por último, descubrirá en las «Exquisiteces heladas» sorpresas que rara vez pueden comprarse en las heladerías o confiterías; creaciones llenas de fantasía que tienen que prepararse en casa. «Parfaits» helados, sorbetes y granizados, así como tartas heladas festivas que le van a entusiasmar.

Finalmente encontrará valiosas informaciones sobre los ingredientes para los postres, sobre las frutas del país, las exóticas y las aromáticas especias. Con ardientes sugerencias para postres helados, entraremos detalladamente en la preparación de los helados mostrándoles las heladoras que le ayudarán en la preparación de los mismos. Si desea preparar un postre con una fruta determinada o por ejemplo con mucha crema de leche o huevos, encontrará en las páginas 6 y 7, las recetas ordenadas según sus ingredientes principales. Hallará además un apartado titulado «Las recetas integrales de un vistazo» bajo el que están recopiladas las recetas correspondientes. El amplio índice de recetas y materias al final del libro le ayudará también a encontrar rápidamente la receta deseada.

Deseamos que disfrute en la preparación y degustación de todos estos exquisitos postres.

Atentamente
Annette Wolter
y
todos los colaboradores

Cuando no se indica otra cosa, las recetas están calculadas para cuatro personas.
Las abreviaturas kJ y kcal en las recetas significan, respectivamente, kilojulios y kilocalorías.

El valor de los postres

Con frecuencia se censura el postre como «dulce pecado». Si bien es cierto que muchos postres estimados no son precisamente pobres en calorías, otros se preparan con frutas frescas y productos lácteos, proporcionando sustancias nutritivas de mucho valor que completan el sabor de una comida. El «pecado» se encuentra sólo en la falsa medida. Y para ello no se pueden citar reglas obligatorias.

Su importancia en el menú

El tipo y la cantidad de postre a servir debería equilibrarse siempre con el resto de los platos de la comida. Si desea comer con moderación, encontrará ayuda en las indicaciones de los valores nutritivos de cada receta para la planificación del menú. Si desea permitirse un postre, puede degustar porciones más pequeñas, o precederlo tan sólo de una sopa de verduras ligera, una ensalada mixta o una entrada a base de pescado o marisco, carne magra o ave, eliminando las guarniciones ricas en calorías. En cualquier caso, las recetas de este libro no han sido configuradas bajo el lema de la prohibición, sino exclusivamente según el lema de está permitido lo que sabe bien. Después de todo, el postre debe ser el cierre que corona el menú y sobre todo una ocasión para gozar.

Fruta fresca

Para gozar de una alimentación equilibrada hay que tener en cuenta ciertos aspectos importantes. Así por ejemplo, la fruta juega un papel dominante cuando se trata de los postres. Normalmente se emplea cruda o ligeramente cocida. Todos los postres hechos con fruta tienen su propia temporada, así en estas preparaciones es conveniente emplear la fruta fresca de cultivo local al aire libre. Únicamente en el caso de las frutas exóticas hay que contentarse

con las vías de transporte más largas. No obstante, los expertos confirman que las condiciones propicias de cosecha y transporte garantizan también para las frutas exóticas una parte elevada de materias nutritivas importantes.

Otros ingredientes fundamentales

Además de la fruta, otros productos de gran valor nutritivo, como el yogur, el queso fresco de cualquier tipo, el requesón, la leche, la crema de leche y los huevos se cuentan también entre los ingredientes más frecuentes de los platos dulces, tanto si se sirven fríos en forma de helado o sorbete, o calientes. Las cremas y las bases de helado constan frecuentemente de una base de azúcar y yemas. La clara de huevo batida a punto de nieve, incorporada con cuidado, garantiza una preparación espumosa ligera y delicada. Los huevos tienen que ser totalmente frescos para poder separar cuidadosamente las yemas de las claras. Un pequeño resto de clara en la yema crea hilos, cuando por ejemplo se mezcla leche caliente con las yemas. Un poco de yema con las claras impiden montar éstas a punto de nieve. A ser posible, bata firmemente la crema de leche espesa justo antes de utilizarla o servirla. No obstante, si la crema montada tiene que mante-

na como producto natural en vez de los medios sintéticos. En las fotos paso a paso con textos explicativos de las páginas 10 y 11, nerse firme durante bastante tiempo, es preferible utilizar gelatidescribimos cómo se utiliza la gelatina.

Azúcar y otras alternativas

Muchas de nuestras ideas para postres son recetas integrales, lo que demuestra que los dulces pueden cumplir totalmente los postulados de la nutrición moderna. Si ya está un poco familiarizado con esta tendencia, seguro que no le resultará difícil preparar postres tradicionales, conocidos y apreciados con otros medios edulcorantes distintos del azúcar refinado. El azúcar, tomado en grandes cantidades, es verdaderamente un factor perjudicial para la alimentación sana. No obstante, hay que recalcar que frente al azúcar como condimento, es decir, razonablemente dosificado, hay muy poco bueno donde elegir. Una alternativa aceptable para el azúcar refinado son los productos edulcorantes de alto valor nutritivo como la miel pura de abeja, el jarabe de arce, el zumo de manzana o pera concentrado, así como el azúcar de caña granulado y el zumo de la caña de azúcar, conocidos bajo su de-

nominación comercial de edulcorantes, que se puede obtener en los establecimientos naturistas y tiendas de productos dietéticos. El valor combustible (equiparable al contenido calórico) de estos edulcorantes sin refinar no se encuentra básicamente por debajo del que tiene el azúcar refinado, pero su contenido en minerales y vitaminas de función importantes es mucho más alto.

Acerca del grano entero

En las recetas integrales de este libro descubrirá que la flor de harina se puede sustituir también por cereales con mayor cantidad de valores nutritivos, como la harina integral. En el germen y las capas superficiales del grano se encuentran los agentes activos más valiosos, es decir, el aceite de germen, proteínas, casi todas las vitaminas del complejo B, las vitaminas D y E, además de minerales y oligoelementos. En el caso de la flor de harina refinada sólo se muele finamente la parte interior del grano.

El postre como diversión del comilón

Por último, el valor de un postre no se determina sólo por sus ingredientes, sino también en gran medida por la experiencia de compartirlo, que hace de cada comida un ejercicio social. Las creaciones máximas más importantes entre los postres no están concebidas en cualquier caso para las comidas diarias; deberían mantenerse reservadas para las ocasiones especiales, en las que se desea gozar por una vez sin límites calóricos. Los adornos llenos de amor y la decoración, así como la presentación elegante con frutas frescas y otros ingredientes aromáticos, son de gran importancia tanto en los postres diarios como en los postres festivos especiales.

Las claras a punto de nieve

Si va a utilizar para una receta claras de huevo batidas a punto de nieve y abrillantadas por la adición de azúcar, lo mejor es que proceda según los consejos e imágenes adjuntas. Importante: las claras tienen que estar frías y el cuenco, la batidora de varillas o la batidora eléctrica absolutamente limpios de grasa. Se aconseja batir primero las claras y reservarlas en el frigorífico antes de utilizar la batidora para otras mezclas.

Al separar las yemas de las claras tenga cuidado de que no caiga nada de yema en las claras. Sobre un cuenco pase la yema varias veces de una mitad de cáscara a la otra, al hacerlo quite con el pulgar el cordoncillo; la clara caerá en el cuenco.

Cómo tratar la crema de leche

Al igual que las claras batidas, la crema de leche batida adicionada a las cremas y purés de frutas los convierte en esponjosos y les proporciona una consistencia elástica. Unos toques, rosetas o guirnaldas hechos con crema montada puesta en una manga pastelera con boquilla y trazados sobre papel de aluminio son fáciles de congelar y se pueden utilizar posteriormente como decoración para postres y pasteles. Si la crema montada se va a endulzar con azúcar, agregue éste a la crema de leche aún líquida, para que se pueda disolver mientras se bate.

Bata la crema de leche, a ser posible fría, con la batidora de varillas eléctrica a velocidad media, en ningún caso alta, hasta que empiece a estar cremosa. Después siga batiéndola lentamente hasta que consiga una crema montada firme.

Cómo hacer caramelo

Este popular jarabe de azúcar concentrado se utiliza con frecuencia en los postres finos. Con él se adornan frutas, se bañan moldes o se vierte finamente en forma de hilo en una fuente untada con grasa y se deja endurecer para obtener un cabello de ángel con el que se adornan muchos postres.

Deje hervir en el agua a borbotones la cantidad de azúcar indicada en la receta, removiendo constantemente, hasta que el azúcar se haya disuelto del todo. Reduzca después el fuego y deje cocer la mezcla, sin remover, en el cazo sin tapar, hasta que se haya evaporado más de la mitad del agua y el jarabe se coloree.

Cómo utilizar la gelatina

La gelatina es un producto natural, de sabor neutro, que se ofrece en forma de hojas y en polvo (en sobres de 10 ó 12 g), incolora y de color rojo; 1 sobre de gelatina en polvo equivale a 6 hojas de gelatina. Los postres que se cuajan con gelatina, salen sin problemas, si se siguen las reglas básicas concretas. Las instrucciones e imágenes paso a paso le ayudarán a evitar errores en su aplicación.

Las hojas de gelatina tienen que remojarse en gran cantidad de agua fría el tiempo necesario hasta que estén realmente blandas. La gelatina en polvo se remoja cubierta con un poco de agua fría y se deshace al cabo de 5 minutos en la misma agua en un cazo a fuego muy lento y removiéndola hasta que esté líquida.

Bata las claras con 1 pizca de sal o un poco de zumo de limón a punto de nieve, de forma que puedan formar una punta hacia arriba y ésta se mantenga vertical. Si va a añadir azúcar a las claras montadas inicialmente, bata las claras suavemente, espolvoréelas con azúcar y siga batiéndolas hasta que estén brillantes.

Vierta las claras batidas sobre la crema o la preparación y levántelas con una cuchara de madera, hasta que ambas preparaciones se hayan mezclado bien. No remueva nunca las claras montadas enérgicamente, ya que perderían volumen y esponjosidad.

Mezcle bien la crema de leche montada y las claras batidas a la preparación, o bien introdúzcala en una manga pastelera con boquilla rizada para decorar. Agarre la manga con una mano encerrando el relleno y dirija la punta con la otra como si fuera un lápiz.

Con la boquilla del tamaño correspondiente se obtienen copos, rosetas o guirnaldas. Puede adornar éstos con bayas, hojitas o bien espolvorearlos con nueces picadas o con cacao en polvo tamizado.

El caramelo no debe quedar demasiado oscuro, ya que tendría un gusto amargo. Para probar el tono de color correcto, deje gotear un poco de caramelo sobre un plato blanco. Aparte del fuego el caramelo que haya adquirido un color de miel oscura y proceda según la receta en cada caso.

Para los flanes se suele cubrir sólo la base del molde con una capa de caramelo. Para otros postres deben revestirse los moldes totalmente con caramelo. Para ello eche en cada molde una parte del caramelo y moviéndolo e inclinándolo bañe con él todas las superficies interiores.

Escurra las hojas de gelatina una vez remojadas y disuélvalas removiéndolas en el líquido caliente a cuajar, en ningún caso hirviendo. Proceda igual con la gelatina en polvo ya licuada. Deje cuajar en el frigorífico la preparación ligeramente enfriada; según la consistencia deseada, de ½ a 4 horas.

Para cuajar una preparación fría como un puré o crema de leche montada, ponga la gelatina remojada y escurrida en un cucharón con un poco de líquido y déjela disolver en él removiéndola al baño maría caliente. Mezcle la gelatina aún caliente primero con 3 cucharadas de la preparación fría y luego poco a poco con el resto de la misma.

Filetear cítricos

Para decorar cremas, sorbetes y postres especialmente festivos, se utilizan gajos de cítricos fileteados; para ello, después de pelar el fruto, se retira a los gajos las pielecillas finas que los unen y que separan la carne del fruto entre sí. Este proceso de trabajo requiere un poco de tiempo, pero resulta fácil, si se procede de la siguiente manera.

Pele como una manzana la naranja o el pomelo utilizando un cuchillo afilado de hoja fina, quite también al mismo tiempo completamente la membrana blanca inferior.

La delicada juliana

Estas tiras, cortadas tan finas como hilos, de frutas, cortezas de frutas y verduras se denominan en el lenguaje culinario francés *julienne* (juliana). Se utilizan para decorar y adornar, al mismo tiempo son también muy aromáticas. En el caso de los postres se trata normalmente de tiras de la corteza de frutos cítricos, naturalmente sin exprimir, que antes de ser utilizados se lavan con agua caliente y se secan. En el siguiente ejemplo le mostramos el mejor método de cortar un limón en juliana.

Pele primero el limón lavado en tiras a lo largo de unos 2 cm de ancho. Dé la vuelta a las tiras, sujételas con la punta de los dedos y elimine cuidadosamente con un cuchillo afilado de hoja fina todas las membranas blancas internas. Las tiras deberían salir enteras a ser posible.

Cómo pelar una piña

Desde que nos suministran durante todo el año piñas frescas de diferentes países exóticos a un precio relativamente económico, se aprecian cada vez menos los frutos enlatados. En cualquier caso, a veces presenta dificultades el separar la aromática carne del fruto de su cáscara espinosa. Inténtelo siguiendo nuestras propuestas en las imágenes y explicaciones.

Recorte primero el penacho junto con un trozo pequeño de piña. Pele después el fruto en forma de espiral.

Cáscaras de melón vaciadas para servir

Las cáscaras de frutas vaciadas son especialmente apropiadas para servir postres o ensaladas. Para ocasiones festivas vale la pena el esfuerzo de partir los frutos por la mitad con el corte en forma de zig-zag, ya que las mitades aparecerán con un borde dentado y tendrán un aspecto especialmente decorativo. Todos los frutos cítricos son apropiados para ello, pero lo más sencillo es hacerlo con melones.

Lave los melones con agua caliente, séquelos y trace con un cuchillo una línea central horizontal. Con la hoja del cuchillo colocada transversalmente, entalle el fruto hacia abajo y hacia arriba hasta el centro. Separe las mitades cortadas de este modo.

Ponga el fruto entero sobre un plato y corte con un cuchillo afilado de hoja fina, gajo por gajo, separándolos de la pielecilla. Tiene que probar si le resulta mejor trabajar sobre una base fija o si prefiere sujetar el fruto con la mano.

Separe cuidadosamente los gajos pelados y elimine con el cuchillo las pepitas. Conserve los gajos enteros. Exprima el fruto vacío y utilice el zumo para el postre, junto con el que se haya derramado sobre la superficie de trabajo.

Ponga las tiras de corteza con la parte brillante mirando hacia arriba sobre una superficie de corte y córtelas a lo largo en juliana de 1 mm de ancho. Corte todas las tiras igual de finas y tenga cuidado de que no se partan.

Utilice la juliana tal como indique la receta. Si es para decorar se cuece de 3 a 4 minutos en un jarabe de azúcar, ya que de lo contrario se secaría rápidamente. Entonces toma el aspecto de la fruta confitada, especialmente si se espolvorea con azúcar glas tamizado.

Quite los ojos a la piña pelada con un cuchillo grande afilado colocado transversalmente en forma de cuña. De este modo se consigue además un borde dentado muy bonito. Corte el fruto en rodajas iguales de 1 cm de grosor.

Con un vaciador punzante redondo de unos 3 cm de diámetro saque el centro leñoso o recorte un círculo del mismo tamaño con un cuchillo afilado. Proceda con las rodajas de piña según se indique en cada receta. Utilice el penacho como decoración si lo desea.

Saque las pepitas de las mitades de melón con una cuchara de canto afilado. Recójalas en un tamiz dispuesto sobre una ensaladera para poder utilizar el zumo escurrido en el postre.

Saque la carne de las mitades de melón con un vaciador redondo, o con una cucharadita de moca. En la cáscara debe quedar una capa de carne de unos 2 cm de grosor. Recorte una base fina en las partes inferiores de las mitades para que no se vuelquen.

El baño maría

Las yemas de huevo, la gelatina o la crema de leche, aunque sensibles al fuego, tienen que calentarse con frecuencia para obtener la consistencia deseada. Por ello se baten en un cazo o cuenco al baño maría caliente. A ser posible, el recipiente debe ser buen conductor del calor evitándose que éste toque la base de la cazuela y que el agua que ésta contiene hierva a borbotones. Sin embargo, si una preparación caliente debe enfriarse tan rápido como sea posible, se removerá entonces en un baño maría frío con muchos cubitos de hielo.

En primer lugar prepare un cazo o un cuenco del tamaño apropiado para una cazuela metálica. El cazo sólo debe rozar con la base el nivel del agua, pero no hundirse en el recipiente que lo contiene. O suspenda un cazo más pequeño en uno más grande y mida la cantidad de agua, de forma que al remover no se derrame agua en la crema.

Moldes refractarios para suflés

Para los postres se utilizan frecuentemente molde pequeños. Al comprarlos, exija que sean refractarios, éstos pueden calentarse a altas temperaturas, pero pueden utilizarse también en la preparación de platos fríos. Una buena medida son los moldes de 2 dl de capacidad, aunque no siempre se llenen hasta el borde. Se recomiendan además los moldes altos y estrechos, ya que la mezcla de suflé sube mucho al cocerse.

Unte los moldes con mantequilla y espolvoréelos después con azúcar blanquilla: esparza 1 cucharada de azúcar en cada molde y muévalo hacia todos los lados, hasta que el azúcar forre todas las paredes interiores. Retire el azúcar sobrante.

Postres volcados

Los budines, las gelatinas, las cremas o los postres helados se sirven frecuentemente volcados. Naturalmente, la receta tiene que tener previsto de antemano el volcado del postre, ya que la consistencia necesaria sólo se puede conseguir mediante una cantidad apropiada de espesantes como gelatina o maicena, o una combinación de ingredientes que al cocerse adquieran una consistencia lo suficientemente firme para ser volcados. En las imágenes contiguas se muestra cómo volcar con éxito los postres.

Deje enfriar en el molde el budín caliente. Independientemente de si el postre se tiene que volcar de un molde grande o de varios pequeños, hay que separar con un cuchillo fino y afilado el borde del postre del molde en cuestión.

Postres flameados

Los postres adquieren mediante el flameado el aroma de los licores utilizados, que tienen que tener el sabor apropiado para armonizar con los ingredientes fundamentales. Se puede flamear con calvados, coñac, kirsch, aguardiente de frambuesa o ron con un contenido en alcohol del 38 %. La fruta flameada, servida sobre un helado, es una verdadera delicia, pero también lo son las crepes, los buñuelos y los budines flameados.

Si desea flamear el postre ya sentado a la mesa, necesitará para ello un hornillo, una sartén especial para flamear y un cucharón con pico. Para los postres se cuece normalmente en la sartén dispuesta sobre el hornillo una salsa almibarada con fruta y azúcar.

Ponga a hervir el agua en la cacerola grande, coloque sobre ella el cazo con la preparación a batir y regule el fuego de forma que el agua sólo se agite ligeramente. Bata la preparación el tiempo necesario, hasta conseguir la consistencia deseada. El agua sólo puede hervir a borbotones si el cuenco o cazo no se hunde en ella.

En el caso del baño maría frío es más fácil encontrar los recipientes adecuados. Aquí también es importante que no caiga agua en la preparación a enfriar. Cuantos más cubitos de hielo se añadan al baño maría, más rápidamente se enfriará la preparación.

Si los moldes para el suflé son demasiado pequeños o demasiado bajos, recorte un trozo de papel sulfurizado doblado en tiras que tengan unos 4 cm más de altura que los moldes. Coloque las tiras de papel alrededor de los moldes y átelas con un bramante en el borde superior.

Si dispone de pocos moldes puede ampliar sus existencias con papel de aluminio extrafuerte: doble un trozo suficientemente grande de papel y presiónelo bien alrededor de un molde, pase un bramante por el borde, doble los bordes de aluminio hacia afuera y saque el modelo.

Si se trata de helados o cremas heladas, hunda la base del molde en agua fría; en el caso de los postres cuajados en el frigorífico, sumerja el molde en agua caliente.

En el caso de moldes grandes, ponga la fuente en la que haya de volcarse el postre sobre la parte abierta del molde, rodee el molde y la fuente con un lienzo y dé vuelta a ambos. Los postres contenidos en moldes pequeños se vuelcan directamente en los platos de postre.

A continuación se calientan brevemente en la salsa los frutos o crepes a flamear, se les da vuelta por lo menos una vez y se rocían con la salsa. El licor utilizado se calienta un poco en un cucharón sobre la llama de una vela.

Vierta el licor a un lado de la sartén y caliéntelo brevemente. Prenda fuego al alcohol, déjelo flamear brevemente y sirva el postre aún en llamas en platos. Vierta la salsa por encima.

Decoraciones y adornos

Chocolate para decorar

El chocolate para decorar puede adquirir forma de fideos, granos de moca, volutas o raspaduras de chocolate.

1 Corte el chocolate de tableta con el rallador en volutas o raspaduras finas.

2 Para obtener volutas del chocolate de cobertura deje derretir éste hasta que quede como un líquido espeso, extiéndalo sobre una superficie lisa casi tan fino como el papel, y una vez endurecido, ráspelo.

3 Para hacer hojitas derrita el chocolate en un cazo al baño maría caliente, extiéndalo con un pincel fino sobre unas hojas y déjelo endurecer en el congelador durante unos 20 minutos. Pele las hojas del chocolate.

4 Para salsas calientes ponga a derretir el chocolate con un poco de crema de leche, mézclelo con daditos de frutas confitadas y vierta la salsa sobre un helado.

Salsas con diseño

Una salsa fina ennoblece muchos postres. Los postres volcados, presentados con una salsa de bonito diseño, ofrecen un deleite especial para los ojos.

1 Vierta en forma de círculo una salsa clara sobre otra más oscura. Mezcle ambas cosas con un palillo o broqueta fina de madera.

2 Con una manga pastelera provista de boquilla lisa deje caer unos copos de puré de frutas rojo en forma de círculo sobre una salsa clara. Tire líneas finas con una broqueta de madera de un punto al otro.

3 Con una manga pastelera provista de boquilla lisa pequeña forme unos círculos concéntricos de puré de frutas. Con una broqueta de madera tire líneas de dentro hacia fuera.

4 Deje verter de dos salseras al mismo tiempo una salsa clara y otra oscura sobre el plato.

Frutas como adorno

Para los postres de frutas deje enfriar aparte algunas para la decoración. También las cremas, platos de queso fresco y postres helados quedan más atractivos decorados con frutas.

1 Pase pequeños racimitos de grosellas recién lavados, y aún húmedos, por azúcar blanquilla y métalos en el congelador.

2 Practique un corte hasta la mitad a finas rodajas de cítricos sin exprimir y engánchelas en el borde de una copa o gírelas en forma de espiral.

3 Sumerja parcialmente bayas de cualquier tipo con su rabillo en un glaseado de azúcar. Para el glaseado, mezcle azúcar lustre tamizado con vino blanco caliente.

4 Corte frutas confitadas de diferentes colores en tiras, redondeles, flores o medialunas; o trocee las frutas y espárzalas sobre rosetas de crema batida.

Guirlache crujiente

Se puede comprar ya preparado, pero fíjese en la fecha de caducidad, ya que almacenado demasiado tiempo es fácil que sepa a rancio. Preparado en casa es como mejor sabe.

1 Derrita 2 cucharadas de mantequilla, agregue 100 g de azúcar y 100 g de almendras o nueces picadas y caliéntelo todo dándole vueltas, hasta que el guirlache adquiera un color marrón claro.

2 Esparza el guirlache caliente inmediatamente sobre un trozo grande de papel de aluminio engrasado y desmigájelo con una cuchara.

3 Deje enfriar el guirlache y antes de servir el postre espárzalo sobre adornos de crema batida o simplemente cremas.

4 Puede adornar las cremas no heladas y sin cuajar alternándolas en copas de postre con el guirlache y terminando con una capa del mismo.

Un postre para cada día

Exquisitas preparaciones
con frutas, productos lácteos
y postres integrales
para aquellos interesados
en la nutrición

Apreciados postres con fruta

Puede elegir las frutas según las posibilidades de la temporada

Cóctel de frutas con crema

A la izquierda de la foto

2 kiwis
1 mango
250 g de moras
250 g de grosellas rojas
3 yemas de huevo
50 g de azúcar glas
½ vaina de vainilla
2 cucharadas de licor de huevo
2 dl de crema de leche espesa

Coste medio • Rápida

Por persona, unos 2 100 kJ/
500 kcal · 16 g de proteínas
41 g de grasas · 41 g de hidratos
de carbono

Tiempo de preparación: 30
minutos

Pele finamente los kiwis, córtelos por la mitad a lo largo y
luego en rodajitas. • Pele el mango y corte la pulpa deshuesada en
rodajas. • Lave las moras y déjelas escurrir. • Lave las grosellas y
deje aparte un racimo para decoración. Separe el resto de las grosellas de los racimos. • Guarde
también aparte algunas moras,
unas rodajitas de kiwi y 1 rodaja
de mango. • Bata a fondo las yemas de huevo al baño maría con
el azúcar glas. • Abra la vaina de
vainilla a lo largo, raspe su contenido y mézclelo con el licor de
huevo y la crema. • Bata la crema de leche hasta que espese y
mézclela con la crema. • Llene
cuatro copas de postre con las
frutas, cubra éstas con la crema y
decore las porciones con la fruta
reservada. • Mantenga el postre
en el frigorífico hasta el momento
de servirlo.

«Tutti frutti»

A la derecha de la foto

1 melocotón grande
1 cucharada de zumo de limón
4 cucharadas de azúcar
150 g de frambuesas
250 g de uvas espinas maduras
2 huevos
½ l de leche
4 cucharadas de maicena
1 vaina de vainilla
8 bizcochos de soletilla

Fácil • Económica

Por persona, unos 1 500 kJ/
360 kcal · 14 g de proteínas
12 g de grasas · 47 g de hidratos
de carbono

Tiempo de preparación: 30
minutos
Tiempo de refrigeración: 1 hora

Escalde el melocotón en agua
hirviendo, pélelo, córtelo por
la mitad, quítele el hueso, corte
las mitades en rodajas, rocíelas
con el zumo de limón y espolvoréelas con 2 cucharadas de
azúcar. • Prepare las frambuesas,
límpielas, déjelas escurrir, mézclelas con las rodajas de melocotón
y déjelas aparte tapadas. • Separe las yemas de las claras. • Coja
6 cucharadas de la leche y bátala
con las yemas de huevo y la
maicena. • Corte la vaina de vainilla a lo largo, raspe su contenido
y añádalo a la leche junto con las
mitades de vainilla y el resto del
azúcar. • Llévela a ebullición removiendo, mézclela con la maicena desleída en la leche, déle un
hervor, apártela del fuego y retire
la vainilla de la leche. • Bata las
claras a punto de nieve y mézclelas con la crema entibiada. • Desmenuce los bizcochos y póngalos
en un cuenco alternándolos por
capas con la fruta y la crema de
vainilla. Ponga el postre en el frigorífico hasta el momento de servirlo.

Crema con frutas

Utilice melocotones y fresas en su punto justo de madurez

Crema de vainilla con fresas

A la izquierda de la foto

¼ l de leche	
2 cucharadas de maicena	
1 pizca de sal	
2 cucharadas de azúcar	
1 yema de huevo	
400 g de fresas	
2 dl de crema de leche espesa	
4 cucharaditas de vainilla	

Económica • Fácil

Por persona, unos 1 600 kJ/ 380 kcal · 8 g de proteínas 27 g de grasas · 26 g de hidratos de carbono

Tiempo de preparación: 40 minutos

Tiempo de refrigeración: 50 minutos

Aparte 5 cucharadas de la leche, deslía en ella la maicena y bátala con la sal, el azúcar y la yema de huevo. • Ponga a hervir el resto de la leche y apártela del fuego. Vierta la mezcla de yema en la leche caliente e hierva de nuevo, removiendo constantemente. • Ponga la crema a enfriar en un baño de agua con cubitos de hielo y déle vueltas varias veces para que no se forme una capa de nata. • Lave las fresas, déjelas escurrir, aparte 8 fresas, quíteles a las demás los pedúnculos y cuartéelas. • Bata la crema con la vainilla hasta que esté espesa y reserve ⅓ en el frigorífico. Mezcle el resto de la crema montada con la crema fría. • Vierta la mitad de la crema en una fuente, reparta las fresas por encima y cúbrala con el resto de la crema. • Decore la crema con la crema de leche montada y las fresas enteras antes de servirla.

Corona de melocotones

A la derecha de la foto

Ingredientes para 1 molde en forma de corona:	
3 huevos	
¼ l de zumo de melocotón	
3,5 dl de vino blanco seco	
2 cucharadas de vainilla	
2 cucharadas de azúcar	
50 g de maicena	
500 g de melocotones amarillos	
Para el molde: mantequilla	

Elaborada

Cortada en porciones, cada una contiene unos 780 kJ/ 190 kcal · 5 g de proteínas · 6 g de grasas · 21 g de hidratos de carbono

Tiempo de preparación: 30 min

Tiempo de refrigeración: 2 horas

Separe las claras de las yemas. Bata las claras a punto de nieve. • Ponga a hervir el zumo de melocotón con el vino blanco, la vainilla y el azúcar. • Deslía la maicena en 4 cucharadas de agua fría y mézclela con el líquido. Dé un hervor, retire la mezcla del fuego y mezcle 2 cucharadas de la misma con las yemas de huevo, luego agregue éstas al líquido espesado. Mezcle con cuidado las claras batidas con la preparación anterior entibiada. • Escalde uno tras otro los melocotones en agua hirviendo, pélelos, pártalos por la mitad y deshuéselos. • Unte ligeramente el molde en forma de corona con mantequilla y coloque en él las mitades de melocotón con la parte redonda hacia abajo. • Vierta la mezcla de zumo y vino sobre los melocotones y déjela cuajar en el frigorífico. • Separe el borde de la crema del molde con un cuchillo, introduzca brevemente el molde en agua caliente y vuelque la corona sobre una fuente.

Ruibarbo a la crema

Ideal para aquellos que gustan de los postres no demasiado dulces

4 hojas de gelatina
⅛ l de agua
500 g de ruibarbo
250 g de fresas
2 cucharadas de vino blanco
3 cucharadas de azúcar
2 cucharaditas de vainilla
El zumo y la corteza rallada de 1 limón
1 dl de crema de leche espesa

Económica • Fácil

Por persona, unos 890 kJ/
210 kcal · 4 g de proteínas
12 g de grasas · 20 g de hidratos
de carbono

Tiempo de preparación: 30
minutos
Tiempo de refrigeración: 45
minutos

Ponga a remojar la gelatina en el agua. • Lave el ruibarbo, séquelo, recorte un poco los extremos de la raíz y quítele de arriba a abajo los filamentos duros. • Corte el ruibarbo en dados. • Lave las fresas, déjelas escurrir, elimine los pedúnculos y, según su tamaño, pártalas por la mitad o cuartéelas. • Cueza ligeramente el ruibarbo con el vino, el azúcar, la vainilla, el zumo y la ralladura de limón 5 minutos con el recipiente tapado. Pasados 2 minutos, añada las fresas. • Aparte el cazo del fuego y deje enfriar un poco la fruta. • Escurra la gelatina y deslíala en la fruta caliente. • Vierta la mezcla de fresas y ruibarbo en una fuente de servir o en cuencos individuales y déjela cuajar en el frigorífico. • Bata la crema de leche y viértala sobre el postre antes de servirlo.

Postre de ruibarbo

Con el ruibarbo puede obtener dulces sorpresas

600 g de ruibarbo
⅛ l de vino blanco seco
¼ l de agua
El zumo de 1 limón
100 g de azúcar
50 g de maicena
2 cucharadas de vainilla
100 g de bizcochos de soletilla duros
1 cucharada de azúcar
1 pizca de canela molida
2 dl de crema de leche espesa

Económica • Rápida

Por persona, unos 2 200 kJ/
520 kcal · 8 g de proteínas
19 g de grasas · 76 g de hidratos
de carbono

Tiempo de preparación: 25 min
Tiempo de refrigeración: 1 hora

Corte los extremos de la raíz de los tallos de ruibarbo y quíteles los filamentos duros de arriba a abajo. • Lave el ruibarbo y córtelo en trozos de 1 cm. • Mezcle el vino con el agua, el zumo de limón y el azúcar; agregue el ruibarbo y déjelo cocer suavemente y tapado durante 5 minutos. • Deslía la maicena en 4 cucharadas de agua fría y mézclala con la vainilla y el ruibarbo, dé un hervor y aparte la mezcla del fuego. • Vierta el postre en un cuenco de servir enjuagado con agua fría o en cuencos individuales y déjelo enfriar en el frigorífico. • Aplaste los bizcochos envueltos en papel de aluminio con el rodillo. • Mezcle el azúcar con la canela y la crema de leche. Bata la crema hasta que esté firme. • Distribuya la crema batida sobre el postre y espolvoree las migas de bizcocho por encima.

Kiwis con crema de granadina

¡Los kiwis contienen aproximadamente el doble de vitamina|C que las naranjas o los limones!

5 kiwis muy maduros
1 pomelo
3,5 dl de vino blanco suave
75 g de azúcar
40 g de maicena
½ cucharadita de jengibre molido
1 kiwi un poco verde
1 pomelo rosa
2 dl de crema de leche espesa
6 cucharadas de jarabe de granadina

Fácil • Coste medio

Por persona, unos 2 100 kJ/ 500 kcal · 4 g de proteínas 20 g de grasa · 66 g de hidratos de carbono

Tiempo de preparación: 40 minutos
Tiempo de refrigeración: 1 hora

Pele los kiwis maduros finamente; en los frutos maduros se puede tirar con frecuencia de la piel con un cuchillo. • Cuartee los kiwis y córtelos en rodajas. • Exprima el pomelo. • Ponga a hervir el vino con el azúcar. • Deslía la maicena en el zumo de pomelo y el jengibre en polvo, vierta la mezcla en el vino, déle otro hervor y apártelo del fuego. Mezcle las rodajas de kiwi con la preparación de vino entibiada, vierta la mezcla en cuatro cuencos de postre o en una ensaladera y métala en el frigorífico. • Pele el kiwi maduro y córtelo en rodajas finas. Pele con cuidado el pomelo y separe los gajos. • Bata la crema de leche con el jarabe de granadina. • Adorne la preparación con las rodajas de kiwi y los gajos de pomelo antes de servirla y cúbrala con la crema de granadina.

Nuestra sugerencia: Si hay niños participando de la comida, sustituya el vino por zumo de manzana o piña. Si desea un postre más ligero, emplee sólo la mitad de la crema de leche o sustituya ésta por yogur cremoso batido.

Postres con suero de mantequilla y yogur

Postres ricos en proteínas que proporcionan a la vez, gran cantidad de vitaminas

Gelatina de suero de mantequilla

A la izquierda de la foto

500 g de fresas
6 hojas de gelatina incolora
2 hojas de gelatina roja
¼ l de agua
½ l de suero de mantequilla
2 cucharadas de zumo de limón
½ cucharadita de corteza de limón rallada
3 cucharadas de azúcar
1 cucharadita de aceite

Económica • Elaborada

Por persona, unos 640 kJ/ 150 kcal · 10 g de proteínas 3 g de grasas · 22 g de hidratos de carbono

Tiempo de preparación: 30 min
Tiempo de refrigeración: 4 horas

Lave la mitad de las fresas, quíteles los pedúnculos y redúzcalas a puré. • Conserve la otra mitad tapada en el frigorífico. • Remoje todas las hojas de gelatina en el agua. • Mezcle el suero de mantequilla con el puré de fresas, el zumo de limón, la ralladura de limón y el azúcar. • Escurra la gelatina y deslíala en un cazo pequeño al baño maría, removiendo constantemente. • Agregue un cuarto del suero de fresas a la gelatina y bata ésta después con todo el suero de fresas. • Unte cuatro flaneros individuales con el aceite, vierta en ellos la gelatina y déjela cuajar en el frigorífico. Antes de servirla lave el resto de las fresas y quíteles los pedúnculos. • Para volcar la gelatina pase un cuchillo alrededor del borde del molde, sumerja éste brevemente en agua caliente y vuélquelo sobre un plato. Adorne cada porción con fresas.

Postre de yogur y naranjas

A la derecha de la foto

9 hojas de gelatina
¼ l de agua · 600 g de yogur
4 cucharadas de azúcar
3 cucharaditas de vainillina
4 naranjas sanguinas
¼ l de crema de leche espesa
1 cucharadita de aceite
2 cucharadas de pistachos picados

Económica • Elaborada

Por persona, unos 1 900 kJ/ 450 kcal · 13 g de proteínas 30 g de grasas · 34 g de hidratos de carbono

Tiempo de preparación: 40 min
Tiempo de refrigeración: 4 horas

Ponga a remojar la gelatina en el agua fría. • Mezcle el yogur con el azúcar, la vainillina y el zumo de 2 naranjas. • Escurra la gelatina, póngala en una ensaladera pequeña y ponga ésta en agua caliente. Disuelva la gelatina, removiendo constantemente. • Mezcle un cuarto de la preparación de yogur con la gelatina. Incorpore ahora el líquido gelatinoso a todo el yogur. • Bata la crema de leche hasta que esté espesa y póngala en el frigorífico. • En cuanto el yogur empiece a cuajar añádale la crema batida. • Unte cuatro moldes individuales con el aceite, vierta en ellos el postre y déjelos cuajar en el frigorífico. • Pele las dos naranjas restantes con un cuchillo afilado, quíteles también las membranas blancas y filetee los gajos. • Para volcar el postre pase un cuchillo por el borde de los moldes. Sumerja los moldecitos brevemente en agua caliente y vuelque la gelatina sobre un plato. Distribuya los filetes de naranja alrededor de cada porción y esparza por encima los pistachos.

Postres refrescantes con gelatina de frutas

Un sorprendente placer en invierno ya que las gelatinas se pueden congelar fácilmente

Gelatina de bayas

A la izquierda de la foto

250 g de moras
250 g de frambuesas
250 g de grosellas rojas
2 cucharadas de maicena
¼ l de zumo de grosellas negras
2 cucharadas de azúcar

Fácil • Receta clásica

Por persona, unos 660 kJ/
160 kcal · 3 g de proteínas
1 g de grasas · 34 g de hidratos
de carbono

Tiempo de preparación: 30
minutos
Tiempo de refrigeración: 1 hora

Lave las moras y las frambuesas varias veces. • Lave las grosellas y arránquelas de los racimos. Deje escurrir todas las bayas. • Deslía la maicena en 4 cucharadas de mosto de grosella. • Mezcle el resto del mosto con el azúcar en un cazo, póngalo a hervir y añádale las bayas. Agregue la maicena y dé un hervor, removiendo constantemente. • Vierta la gelatina en una ensaladera o en cuencos individuales y déjela enfriar en el frigorífico. • Si lo desea sirva la gelatina con crema de leche y acompáñela con almendrados o barquillos.

Nuestra sugerencia: También es muy sabrosa la gelatina verde de uvas espinas. En cualquier caso las uvas espinas se tienen que cocer antes para que se ablanden, pero no deben quedar reducidas a puré. En vez de maicena, utilice entonces ½ sobre de polvos de flan de vainilla y aumente un poco la cantidad de azúcar.

Gelatina de ciruelas

A la derecha de la foto

750 g de ciruelas maduras
⅛ l de vino tinto
⅛ l de agua
5 cucharadas de azúcar
½ rama de canela
1 trozo pequeño de corteza de limón
2 cucharadas de maicena

Económica • Fácil

Por persona, unos 910 kJ/
220 kcal · 2 g de proteínas
0 g de grasas · 46 g de hidratos
de carbono

Lave las ciruelas, séquelas, cuartéelas y deshuéselas. • Mezcle el vino tinto con el agua, el azúcar, la canela y la corteza de limón y llévelo a ebullición. • Agregue las ciruelas a la mezcla de vino y llévelo de nuevo a ebullición. • Deslía la maicena en 4 cucharadas de agua, mézclela con las ciruelas y déle un hervor. Retire la canela y la corteza de limón. • Vierta la gelatina en una ensaladera o en cuatro cuencos individuales y, una vez enfriada, póngala en el frigorífico para que cuaje. • Acompáñela con crema de leche aromatizada con vainilla.

Mijo con crema de fresas silvestres

Un placer para los amantes de la alimentación integral

| ½ l de leche |
| ½ cucharadita de vainilla molida |
| 100 g de azúcar de caña granulado |
| 150 g de mijo |
| 150 g de fresas silvestres |
| 1 cucharada de zumo de limón |
| ½ cucharadita de corteza de limón rallada |
| 2 cucharaditas de gelatina en polvo |
| 200 g de requesón magro |
| 2 huevos |
| ⅛ l de crema de leche espesa |

Receta integral • Elaborada

Por persona, unos 2 200 kJ/ 520 kcal · 23 g de proteínas 21 g de grasas · 62 g de hidratos de carbono

Tiempo de preparación: 40 min
Tiempo de cocción: 50 min

Cueza la leche con la vainilla, 30 g de azúcar de caña y el mijo durante 20 minutos, a fuego lento. Deje reposar el mijo después otros 30 minutos tapado. • Lave las fresas con agua fría, déjelas escurrir, mézclelas con el zumo de limón, la corteza de limón y 20 g de azúcar de caña y déjelas macerar tapadas como mínimo durante 30 minutos. • Mezcle la gelatina con 2 cucharadas de agua en un cuenco y déjela reposar 10 minutos. • Deje enfriar el mijo y échelo en una fuente de servicio. • Reduzca a puré ⅔ partes de las fresas y bátalas con el requesón. • Disuelva la gelatina en un cazo al baño maría removiendo constantemente y mézclela con la crema de queso y fresas. • Bata las yemas con el resto del azúcar de caña. • Bata la crema de leche. Mezcle la crema montada y la crema de huevo con la preparación de fresas, vierta sobre el mijo, adorne con las fresas restantes y guarde el postre en el frigorífico hasta el momento de servirlo.

Postres con frutas y cereales

Son de mayor valor nutritivo si el cereal se usa recién triturado

Manzanas rellenas al jengibre

A la izquierda de la foto

2 manzanas ácidas grandes
3,5 dl de agua · 50 g de miel
El zumo y la corteza rallada de ½ limón
1 pizca de vainilla en polvo
60 g de arroz integral triturado
20 g de pasas de Corinto
1 cucharada de jengibre confitado
20 g de almendras molidas
1 dl de crema de leche espesa

Receta integral · Económica

Por persona, unos 1 200 kJ/
290 kcal · 3 g de proteínas
11 g de grasas · 40 g de hidratos
de carbono

Tiempo de preparación: 1 hora

Lave las manzanas, córtelas por la mitad, pélelas finamente y quíteles el corazón. • Vierta el agua con la corteza de limón, el zumo de limón y la vainilla en una cazuela plana. • Ponga en ella las manzanas con la superficie cortada hacia arriba unas al lado de otras y déjelas cocer tapadas de 5 a 10 minutos (según el tipo de manzana) a fuego lento. • Saque las mitades de manzana del recipiente con la espumadera y póngalas en platos de postre con la superficie cortada hacia arriba. • Ponga a hervir de nuevo el líquido de cocción de las manzanas, incorpore lentamente el arroz triturado removiendo con la batidora de varillas. Deje cocer lentamente el arroz unos 5 minutos a fuego lento; después déjelo reposar 5 minutos con el fuego apagado. • Lave las pasas con agua caliente y déjelas escurrir. Pique el jengibre muy fino. • Deje escurrir el arroz en un tamiz; mézclelo con las pasas, ²/₃ del jengibre, las almendras y la miel y déjelo enfriar. • Bata la crema hasta que esté espesa, remuévala con la mezcla de arroz y repártalo sobre las mitades de manzana. Esparza el resto del jengibre por encima.

Tres cereales con guindas

A la derecha de la foto

20 g de trigo, 20 g de centeno y 20 g de cebada, todos ellos triturados semigruesos
30 g de almendras picadas
3 cucharadas de azúcar de caña granulado
2 cucharaditas de cacao en polvo
2 pizcas de canela molida
500 g de guindas
2 dl de crema de leche espesa

Receta integral • Fácil

Por persona, unos 1 500 kJ/
360 kcal · 6 g de proteínas
21 g de grasas · 36 g de hidratos
de carbono

Tiempo de preparación: 30 min

Dore los cereales triturados y las almendras en una sartén de fondo grueso sin grasa y a fuego moderado removiendo constantemente, hasta que la masa haya adquirido un color más oscuro y despida un buen aroma. • Aparte la sartén del fuego, añada a la mezcla de cereales triturados 1 cucharada de azúcar de caña, el cacao en polvo y 1 pizca de canela y déjelo enfriar. • Lave las guindas, séquelas y deshuéselas. Mezcle el resto del azúcar de caña con las guindas. • Bata la crema de leche hasta que esté espesa y reserve en el frigorífico 4 cucharadas de la misma para adornar. Mezcle las guindas, el resto de la crema montada y la mezcla de cereales triturados; si es necesario agregue un poco más de azúcar de caña. • Sirva sobre cada porción 1 cucharada de crema montada y espolvoree por encima la canela restante. • Sirva el postre lo antes posible.

Seductoras combinaciones de frutas

Postres finos que aguantan bien un breve tiempo de espera en el frigorífico

Crema de fresas

A la izquierda de la foto

4 hojas de gelatina
⅛ l de agua
500 g de fresas
3 huevos
½ limón
100 g de azúcar
2 dl de crema de leche espesa
25 g de chocolate amargo

Fácil • Rápida

Por persona, unos 1 900 kJ/
450 kcal · 14 g de proteínas
27 g de grasas · 40 g de hidratos
de carbono

Tiempo de preparación: 30 min

Ponga la gelatina a remojar en el agua. • Lave las fresas, déjelas escurrir y aparte las 8 más bonitas para el adorno. • Al resto de las fresas quíteles los pedúnculos y macháquelas con un tene-

dor. • Separe las yemas de las claras. • Lave el limón con agua caliente, séquelo, ralle la corteza y exprima el zumo. • Bata las yemas de huevo con el azúcar al baño maría caliente hasta que éste se haya disuelto completamente. Mezcle con ello la corteza de limón y, cucharada a cucharada, el puré de fresa. • Caliente el zumo de limón, escurra la gelatina y disuélvala en el mismo. • Mezcle primero 2 cucharadas y después toda la crema de fresas con la gelatina. • Deje enfriar la crema en el frigorífico. • Bata la crema de leche y las claras a punto de nieve por separado. • Reserve la mitad de la crema batida en el frigorífico. Remueva con cuidado el resto de la misma con las claras y la crema de fresas. • Vierta la crema en un cuenco de cristal y adórnela con las fresas reservadas, la crema batida y el chocolate rallado. • Ponga el postre en el frigorífico hasta el momento de llevarlo a la mesa.

Corona de yogur con nectarinas

A la derecha de la foto

Ingredientes para 1 molde en forma de corona:
9 hojas de gelatina
¼ l de agua
1 limón sin exprimir
1 vaina de vainilla
4 cucharadas de azúcar
1 kg de yogur natural
¼ l de crema de leche espesa
5 nectarinas
2 cucharadas de azúcar granulado
1 cucharada de licor de naranja
50 g de pistachos picados

Elaborada

Cortada en 8 porciones, cada una contiene unos 1 260 kJ/
300 kcal · 9 g de proteínas
19 g de grasas · 23 g de hidratos
de carbono

Tiempo de preparación: 45 minutos
Tiempo de refrigeración: 4 horas

Ponga a remojar la gelatina en el agua. • Ralle la corteza del limón y exprima el zumo. • Abra la vaina de vainilla a lo largo, raspe el contenido y mézclelo con el azúcar, la corteza y el zumo de limón y el yogur. • Caliente 3 cucharadas de agua, disuelva en ella la gelatina y vaya añadiendo poco a poco la mezcla de yogur. • Bata la crema de leche hasta que esté firme y agréguela. • Enjuague el molde con agua fría, vierta en él la mezcla de yogur y déjela cuajar en el frigorífico. • Escalde las nectarinas en agua hirviendo, pélelas, pártalas por la mitad, deshuéselas y córtelas en trozos. • Mezcle las nectarinas con el azúcar granulado, el licor y los pistachos y déjelas macerar en el frigorífico. • Vuelque la corona de yogur en una fuente y rellene el hueco del centro con las nectarinas.

Macedonia de bayas

Con requesón se obtiene un postre rico en proteínas y sustancias nutritivas

Crema de grosellas

Pueden utilizarse grosellas rojas y negras

250 g de fresas	
200 g de grosellas	
125 g de arándanos	
125 g de frambuesas	
5 cucharadas de azúcar	
½ cucharadita de vainilla	
1 limón	
⅛ dl de crema de leche espesa	
500 g de requesón descremado	

Fácil • Elaborada

Por persona, unos 1 500 kJ/ 360 kcal · 20 g de proteínas 16 g de grasas · 31 g de hidratos de carbono

Tiempo de preparación: 30 minutos
Tiempo de refrigeración: 6 horas

L ave las fresas y las grosellas, déjelas escurrir y retire los tallos. • Lave las frambuesas y los arándanos varias veces en agua y después déjelos escurrir. • Mezcle todas las bayas con 4 cucharadas de azúcar y déjelas macerar 6 horas en el frigorífico. • Corte la vaina de vainilla a lo largo y raspe su contenido. • Lave el limón con agua caliente, séquelo y ralle la corteza. • Bata la crema de leche hasta que esté firme con la vainilla y el resto del azúcar y añádale la corteza de limón. • Bata el requesón y mézclelo con la crema montada. Sirva el postre en una fuente o en platos de postre individuales; vierta las bayas sobre el requesón.

250 g de grosellas rojas y negras	
6 hojas de gelatina	
¼ l de agua	
3 huevos	
⅛ l de leche	
2 cucharadas de azúcar vainillado	
100 g de azúcar	
2 dl de crema de leche espesa	
2 cucharadas de licor de huevo	

Fácil

Por persona, unos 2 100 kJ/ 500 kcal · 16 g de proteínas 26 g de grasa · 47 g de hidratos de carbono

Tiempo de preparación: 30 minutos
Tiempo de refrigeración: 1 hora

L ave las grosellas, déjelas escurrir y aparte unos racimitos bonitos para el adorno • Separe el resto de las bayas de los racimos y páselas por un tamiz. • Ponga la gelatina a remojar en el agua. • Separe las yemas de las claras. • Hierva la leche. • Bata las yemas con la vainilla y 75 g de azúcar al baño maría. Agregue la leche hirviendo en un chorrito fino, removiendo constantemente, y bata la crema al baño maría 5 minutos. Escurra las hojas de gelatina y disuélvalas en la crema caliente. • Mezcle con ella el puré de bayas cucharada a cucharada. Ponga la crema de frutas a enfriar. • Bata las claras a punto de nieve. • Bata la crema con el resto del azúcar hasta que esté espesa pero no firme del todo. Mezcle la mitad de la crema montada y las claras batidas con la crema de frutas cuando ésta empiece a cuajar. Vierta la crema en 4 copas y déjela cuajar del todo en el frigorífico. • Mezcle la crema montada restante con el licor de huevo y viértala sobre el postre; ponga encima las grosellas reservas.

29

Fresas servidas de forma refinada

Cuando mejor saben estos postres es en el momento de la recolección local de la fruta

Mousse de fresas

A la izquierda de la foto

4 hojas de gelatina
⅛ l de agua
400 g de fresas
⅛ l de leche
1 pizca de canela molida
2 huevos
50 g de azúcar
1 cucharadita de zumo de limón
2 dl de crema de leche espesa
2 cucharadas de almendras picadas
4 hojitas de toronjil

Elaborada

Por persona, unos 1 600 kJ/ 380 kcal · 12 g de proteínas 26 g de grasas · 24 g de hidratos de carbono

Tiempo de preparación: 40 minutos
Tiempo de refrigeración: 3 horas

Ponga la gelatina a remojar en el agua. • Lave las fresas, déjelas escurrir, quíteles los pedúnculos y aparte 12 para adornar y resérvelas tapadas en el frigorífico. Pase el resto de las fresas por un tamiz. • Deje hervir la leche con la canela y apártela del fuego. • Separe las yemas de las claras. • Bata las yemas con el azúcar hasta que blanqueen y añádales en un chorrito fino la leche caliente. • Escurra las hojas de gelatina y disuélvalas removiéndolas en el líquido aún caliente. • Bata la mezcla hasta que esté cremosa. • Bata las claras a punto de nieve con el zumo de limón. • Bata también la crema de leche hasta que espese. Ponga ⅓ de la crema batida en el frigorífico. Mezcle el resto de la misma con las claras batidas y el puré de fresas con la crema mezclada con la gelatina. • Vierta la mousse en una ensaladera y déjela cuajar en el frigorífico. • Adorne la mousse con la crema batida reservada, las fresas, las almendras picadas y las hojitas de toronjil antes de llevarlo a la mesa.

Nuestra sugerencia: Si desea volcar la mousse sobre una fuente tendrá que utilizar entonces 6 hojas de gelatina y dejar enfriar el postre como mínimo 4 horas.

Copa de fresas

A la derecha de la foto

4 dl de leche
4 cucharadas de azúcar
100 g de arroz de grano redondo
500 g de fresas
2 dl de crema de leche espesa
3 cucharaditas de azúcar vainillado
La corteza de 1 limón rallada

Económica • Fácil

Por persona, unos 1 700 kJ/ 400 kcal · 8 g de proteínas 21 g de grasas · 49 g de hidratos de carbono

Tiempo de preparación: 1 hora
Tiempo de refrigeración: 1 hora

Ponga la leche a hervir con 1 cucharada de azúcar. Agregue el arroz a la leche y déjelo cocer destapado 40 minutos a fuego muy lento; remuévalo de vez en cuando, ya que el arroz con leche se quema fácilmente. • Entretanto, lave las fresas, déjelas escurrir, quíteles los pedúnculos, cuartéelas y espolvoréelas con el resto del azúcar. Reserve las fresas tapadas en el frigorífico. • Ponga el arroz con leche cocido sobre un recipiente con cubitos de hielo y remuévalo con frecuencia para que se enfríe rápidamente. Reserve el arroz enfriado otros 30 minutos en el frigorífico. • Bata la crema de leche con el azúcar vainillado hasta que esté espesa. Distribuya el arroz con leche en 4 copas, ponga las fresas sobre el arroz y cúbralas con la crema montada. Adorne cada porción con la corteza de limón.

Gelatina de frutas con crema de vainilla

Un postre original de bayas con melocotón y albaricoques

4 hojas de gelatina
⅛ l de agua
½ vaina de vainilla
⅛ l de leche
300 g de bayas maduras variadas (fresas, frambuesas, grosellas, etc.)
1 melocotón
2 albaricoques
4 cucharadas de azúcar
¼ l de vino blanco suave
2 yemas de huevo
3 cucharadas de azúcar

Elaborada •
Requiere algún tiempo

Por persona, unos 1 500 kJ/
360 kcal · 12 g de proteínas
18 g de grasas · 35 g de hidratos
de carbono

Tiempo de preparación: 45
minutos
Tiempo de refrigeración: 4 horas

Ponga la gelatina a remojar en el agua. • Abra la vaina de vainilla por la mitad a lo largo, raspe el contenido, póngalo a hervir junto con la vaina en la leche y apártela del fuego. • Lave las bayas y déjelas escurrir. • Escalde el melocotón en agua hirviendo, pélelo, pártalo por la mitad y deshuéselo. • Lave los albaricoques, séquelos, pártalos por la mitad, deshuéselos y trocéelos con el melocotón. • Mezcle los trozos de frutas con las bayas y el azúcar. • Caliente el vino blanco. Escurra las hojas de gelatina y deslíalas en el vino. • Ponga un poco de fruta en el fondo de un molde, cúbrala con un poco del líquido gelatinoso y deje cuajar en el frigorífico. • Mezcle el resto de la gelatina con la fruta, viértala sobre el molde y déjela cuajar de nuevo en el frigorífico. • Saque la vaina de vainilla de la leche y póngala de nuevo a hervir. • Bata las yemas de huevo con el azúcar. Vaya añadiendo poco a poco la leche caliente en forma de chorrito fino y remueva a fuego lento hasta que espese; en cualquier caso no deje que hierva. Ponga la crema de vainilla a enfriar. • Vuelque la gelatina en una fuente y sirva la crema de vainilla aparte.

Manzanas acarameladas al calvados

En vez de calvados puede utilizar licor de naranja

Plato frío de melón

Un tentempié refrescante para días calurosos

4 manzanas ácidas
2 cucharaditas de zumo de limón
150 g de azúcar
1 clavo
⅛ l de agua mineral sin gas
2 cl de calvados (1 copita)
3 cucharadas de agua mineral sin gas

Receta clásica

Por persona, unos 980 kJ/
230 kcal · 1 g de proteínas
1 g de grasas · 54 g de hidratos
de carbono

Tiempo de preparación: 40 min
Tiempo de maceración: 1 hora

Pele las manzanas y pártalas en 4 trozos. Quíteles el corazón, corte los cuartos de nuevo por la mitad a lo largo y rocíelos con el zumo de limón. • En un cazo caliente 100 g de azúcar, el clavo y el agua mineral, removiendo constantemente hasta que el azúcar se haya disuelto totalmente. •

Ponga los trozos de manzana en el líquido azucarado y déjelos cocer tapados y a fuego lento 15 minutos, póngalos después en una fuente plana. • Elimine el clavo. Deje cocer un poco el líquido azucarado con el recipiente destapado y removiéndolo, retírelo del fuego, mézclelo con el calvados y viértalo sobre la manzana. • Deje enfriar un poco las manzanas y déjelas macerar tapadas en el frigorífico. • Disuelva el resto del azúcar con el agua mineral en una sartén, removiéndolo constantemente déjelo dar un hervor y siga removiendo hasta que el azúcar se haya convertido en caramelo. • Vierta el caramelo sobre las manzanas en forma de hilitos.

2 hojas de gelatina
⅛ l de agua
1 melón de carne blanca y otro naranja de 750 g cada uno
2 naranjas
100 g de azúcar de caña
1 limón
2 cucharadas de licor de naranja
1 ramita de toronjil
Unos cubitos de hielo

Receta integral • Fácil

Por persona, unos 990 kJ/
240 kcal · 5 g de proteínas
0 g de grasas · 52 g de hidratos
de carbono

Tiempo de preparación: 20 min
Tiempo de refrigeración: 1 hora

Ponga a remojar la gelatina en el agua fría. • Corte los melones en 4 trozos y quíteles las semillas. Coja un cuarto de cada uno de los melones y saque bolitas de la carne con el vaciador. •

Quíteles la cáscara a los otros cuartos de melón. • Exprima el zumo de las naranjas, añádalo al melón junto con el azúcar de caña y redúzcalo todo a puré. • Lave el limón con agua caliente, séquelo y pélelo finamente. Corte la cáscara del limón en tiritas muy finas (juliana). • Exprima el zumo del limón y caliéntelo. • Escurra las hojas de gelatina, disuélvalas en el zumo de limón y mezcle con el licor de naranja y el puré de frutas. • Agregue las bolitas de melón a la preparación y póngala en el frigorífico hasta la hora de servirlo. • Lave el toronjil con agua templada, séquelo, separe las hojas y espárzalas con los cubitos de hielo triturados sobre el plato frío.

Postres de frutas estacionales

Para estos menús dulces no deberían utilizarse frutas en conserva

Crema de moras

A la izquierda de la foto

4 hojas de gelatina roja
¼ l de agua
500 g de moras
100 g de azúcar granulado de caña
8 cucharadas de zumo de manzana
1 manzana
2 cucharaditas de zumo de limón
⅛ l de crema de leche espesa
2 claras de huevo
1 pizca de sal

Receta integral • Rápida

Por persona, unos 1 300 kJ/
310 kcal · 9 g de proteínas
13 g de grasas · 42 g de hidratos
de carbono

Tiempo de preparación: 30 min
Tiempo de refrigeración: 1 hora

Ponga la gelatina en el agua fría. • Lave las moras, déjelas escurrir en un colador, elija las 20 más bonitas y resérvelas. • Ponga el resto de las moras a cocer con el azúcar de caña y el zumo de manzana con el recipiente tapado y a fuego lento durante 10 minutos; tamice la mezcla y vuélvala a calentar, pero sin dejarla hervir. • Escurra las hojas de gelatina, disuélvalas en puré de moras y deje cuajar en el frigorífico. • Lave la manzana, séquela bien y rállela. Mezcle la manzana rallada con el zumo de limón y el puré de moras. • Bata la crema de leche hasta que esté espesa. Bata las claras a punto de nieve con la sal. • Cuando la gelatina de frutas empiece a cuajar, añádale con cuidado la crema montada y las claras firmes y reserve en el frigorífico. • Decore el postre con las moras reservadas.

Higos a la crema de Oporto

A la derecha de la foto

500 g de higos frescos
2 cucharadas de miel
3 cucharadas de zumo de limón
⅛ l de vino de Oporto
2 dl de crema de leche espesa
1 plátano

Fácil • Coste medio

Por persona, unos 1 500 kJ/
360 kcal · 4 g de proteínas
16 g de grasas · 42 g de hidratos
de carbono

Tiempo de preparación: 30
minutos
Tiempo de refrigeración: 30
minutos

Lave los higos, séquelos y córteles los rabos. • Tire de la piel con un cuchillo trozo por trozo. Corte los higos en rodajas y póngalos en un plato. • Caliente la miel con el zumo de limón removiéndola a fuego lento hasta que la miel y el zumo queden bien ligados. • Vierta la mezcla con el vino de Oporto sobre los higos y reserve éstos tapados en el frigorífico durante 30 minutos. Bata la crema de leche hasta que esté espesa. • Pele el plátano, aparte algunas rodajitas, corte el resto en dados pequeños y páselos por el pasapurés, luego mézclelos con la crema. • Vierta la crema sobre los higos y mezcle cuidadosamente con dos tenedores. Adorne el postre con las rodajas de plátano.

Nuestra sugerencia: Este postre no se recomienda para niños. En caso de que haya niños, macere los higos en vez del vino Oporto en zumo de naranja recién exprimido. Bata la crema con los dados de plátano y 2 cucharadas de avellanas molinas.

Apreciados postres de frutas

Ricos en proteínas y con muchas vitaminas

Copa de frutas con queso fresco

A la izquierda de la foto

2 dl de crema de leche espesa

2 claras de huevo · 1 pizca de sal

250 g de queso Mascarpone, o en su lugar queso crema

3 cucharadas de leche

4 cucharadas de azúcar

1 cucharada de vainilla

250 g de arándanos

3 kiwis maduros

250 g de albaricoques maduros

1 cucharada de confitura de albaricoque y licor de albaricoque

2 cucharadas de almendras fileteadas

Rápida · Fácil

Por persona, unos 2 500 kJ/ 600 kcal · 17 g de proteínas 39 g de grasas · 42 g de hidratos de carbono

Tiempo de preparación: 30 min

Bata la crema hasta que esté firme. • Bata las claras con la sal a punto de nieve. • Mezcle el queso con la leche, 3 cucharadas de azúcar y vainilla. • Mezcle cuidadosamente la crema batida y las claras con la masa de queso. • Lave los arándanos varias veces y déjelos escurrir. Redúzcalos a puré con el azúcar restante. • Pele los kiwis, córtelos en trocitos y aplástelos con un tenedor. • Lave los albaricoques, séquelos, pártalos por la mitad, deshuéselos y redúzcalos también a puré. • Mezcle la confitura y el licor con el puré de albaricoques. • Divida la crema de queso en 4 partes, mezcle cada parte con uno de los purés de fruta y vierta éstos por capas en copas de postre. • Esparza las almendras por encima.

Ensalada gratinada de frutas

A la derecha de la foto

200 g de uvas blancas y negras

2 manzanas ácidas

2 peras

2 plátanos

2 cucharaditas de zumo de limón

150 g de azúcar

100 g de almendras

2 claras de huevo

1 cucharadita de canela molida

Fácil

Por persona, unos 2 500 kJ/ 600 kcal · 13 g de proteínas 15 g de grasas · 100 g de hidratos de carbono

Tiempo de preparación: 30 minutos
Tiempo de gratinado: 10 minutos, aproximadamente

Lave la fruta, déjela escurrir o séquela. • Corte las uvas por la mitad y quíteles las pepitas. • Pele las manzanas y las peras, cuartéelas, quíteles el corazón y córtelas en trozos pequeños. • Pele los plátanos, córtelos en rodajas y rocíelas con 1 cucharadita de zumo de limón. • Mezcle la fruta en una fuente refractaria con 2 cucharadas de azúcar y tápela. • Precaliente el horno a 250°. • Escalde las almendras en agua hirviendo, escúrralas y quíteles la piel marrón. Muela las almendras. • Bata las claras a punto de nieve, añadiéndoles lentamente el azúcar restante. • Incorpore la canela, las almendras y el resto del zumo de limón al merengue, repártalo sobre la fruta y con una cuchara levante pequeñas puntas de la masa de merengue. • Gratine la ensalada de frutas en el piso superior del horno hasta que esté doradita.

Postres otoñales

Emplee nueces y membrillos recién recolectados

Naranjas rellenas

A la izquierda de la foto

---

4 naranjas enteras

50 g de nueces peladas

1 plátano

100 g de chocolate negro extrafino

¼ l de crema de leche espesa

1 cucharada de cacao en polvo

1 cucharada de miel de azahar

Receta integral

Por persona, unos 2 200 kJ/ 520 kcal · 7 g de proteínas 36 g de grasas · 46 g de hidratos de carbono

Tiempo de preparación: 50 minutos

Lave las naranjas con agua caliente, séquelas y córtelas por la mitad transversalmente. Saque toda la carne del fruto con una cucharadita de canto afilado y déjelas escurrir sobre un tamiz. • Aparte las semillas. • Saque las pielecillas que se hayan quedado en las naranjas y corte una rodaja fina en la base de cada corteza para que se sostengan de pie. • Ponga 2 mitades en cada plato de postre. • Pique las nueces y dórelas en una sartén seca dándoles vueltas hasta que estén más oscuras y despidan un aroma agradable. • Pele el plátano, pártalo por la mitad a lo largo y córtelo en rodajas. • Trocee el chocolate, deslíalo en 1 dl de crema de leche al baño maría caliente y mézclelo con el cacao en polvo. • Reserve la mitad de la mezcla al baño maría. • Mezcle el resto del chocolate con las rodajas de plátano, las nueces, la miel y la pulpa de naranja. • Bata la crema restante hasta que esté firme, mézclela con la preparación de naranja, reparta la crema en las cáscaras y vierta por encima de las mitades de naranja el chocolate reservado.

Mousse de membrillo

A la derecha de la foto

---

2 hojas de gelatina

5 dl de agua

300 g de membrillos y manzanas

½ rama de vainilla

1 trozo de canela en rama

¼ de cucharadita de semillas de coriandro

70 g de miel de flores de azahar

2 dl de crema de leche espesa

2 cucharadas de licor de naranja

40 g de nueces peladas

Receta integral • Elaborada

Por persona, unos 1 600 kJ/ 380 kcal · 4 g de proteínas 23 g de grasas · 38 g de hidratos de carbono

Tiempo de preparación: 50 min
Tiempo de refrigeración: 1 hora

Ponga la gelatina en el agua fría. • Lave bien los membrillos y las manzanas y córtelos en trozos pequeños con cáscara y todo. • Abra el trozo de rama de vainilla por la mitad a lo largo, raspe su contenido y ponga éste a cocer junto con los trozos de vainilla, la fruta troceada, la canela en rama, el coriandro y el agua, todo tapado y a fuego moderado unos 20 minutos. • Saque después los trozos de vainilla y la rama de canela. • Pase la fruta por un tamiz. • Escurra las hojas de gelatina y disuélvalas en el puré de frutas caliente. Mezcle el puré con la miel y déjelo enfriar. • Bata la crema hasta que esté firme y mézclela con el licor de naranja. • Pique las nueces. • Mezcle ⅔ de la crema batida con el puré de frutas, viértalo en 4 copas de postre o en una fuente de servicio y reserve en el frigorífico. • Adorne el postre antes de servirlo con el resto de la crema batida y las nueces picadas.

Crema de queso Mascarpone

Un postre italiano muy original

500 g de frambuesas

4 cucharadas de azúcar glas

3 cucharadas de aguardiente de frambuesas

2 huevos

250 g de queso Mascarpone (queso crema fresco italiano)

1 dl de crema de leche espesa

2 bizcochos de soletilla

Fácil · Coste medio

Por persona, unos 1 800 kJ/ 430 kcal · 11 g de proteínas 29 g de grasas · 26 g de hidratos de carbono

Tiempo de preparación: 30 min
Tiempo de refrigeración: 2 horas

Lave las frambuesas varias veces y elimine todas las partes sucias de la superficie. • Déjelas escurrir y mézclelas con cuidado en una ensaladera con 2 cucharadas de azúcar glas tamizado y el aguardiente. • Separe las claras de las yemas. Bata las yemas con el resto del azúcar glas. • Añada poco a poco el queso fresco a las yemas y siga removiendo hasta obtener una crema espesa. • Bata las claras a punto de nieve. Bata también la crema de leche y mézclela con las claras y la crema de queso Mascarpone. Alterne la crema con las frambuesas en 4 copas de postre, termine con una capa de crema. Ponga el postre en el frigorífico. • Machaque con el rodillo los bizcochos envueltos en papel de aluminio y esparza las migas sobre la crema antes de servirla.

Crema a la vainilla con cerezas

Si desea un postre menos dulce puede hacerlo con guindas

¼ l de leche

½ sobre de budín de vainilla

1 cucharada de azúcar

5 cucharadas de leche

400 g de cerezas negras

2 dl de crema de leche espesa

1 cucharada de azúcar vainillado

2 cucharadas de kirsch

Económica · Fácil

Por persona, unos 1 400 kJ/ 330 kcal · 5 g de proteínas 19 g de grasas · 33 g de hidratos de carbono

Tiempo de preparación: 40 minutos
Tiempo de refrigeración: 30 minutos

Ponga la leche a hervir. Bata los polvos de budín de vainilla con el azúcar y las 5 cucharadas de leche. • Aparte la leche hirviendo del fuego y viértala sobre la mezcla anterior. • Vuelva a hervir la leche. • Ponga la preparación en un baño maría frío con cubitos de hielo y remuévala con frecuencia para que no se forme ninguna película y la crema se enfríe rápidamente. • Lave las cerezas, séquelas y deshuéselas. • Bata la crema espesa con el azúcar vainillado. Ponga ⅓ de la crema batida en una manga pastelera con boquilla de estrella y déjela en el frigorífico. • Mezcle el resto de la crema de leche con el kirsch y la crema de vainilla y reserve también en el frigorífico. • Vierta la mitad de la crema en una fuente de servicio o en 4 copas de postre, reparta las cerezas por encima y cubra con la otra mitad de la crema. Decore el postre con copos de crema de leche batida.

Nuestra sugerencia: Si hay niños en la comida es mejor que elimine el kirsch. Si lo desea puede esparcir semillas de girasol picadas sobre la crema batida.

Piña rellena con salsa de yogur

Un postre muy especial para el domingo

1 piña mediana madura
2 plátanos
3 kiwis
1 papaya madura
2 cucharadas de azúcar vainillado
el zumo de 1 limón
1,2 dl de crema de leche espesa
500 g de yogur
1 cucharada de azúcar
½ cucharadita de jengibre molido
1 cucharadita de toronjil finamente picado

Coste medio • Elaborada

Por persona, unos 2 500 kJ/ 600 kcal · 10 g de proteínas 16 g de grasas · 100 g de hidratos de carbono

Tiempo de preparación: 40 min
Tiempo de refrigeración: 1 hora

Lave la piña con agua tibia y séquela. Corte a lo largo de la piña una tapa de unos 3 cm de grosor. Corte un poco la base del lado opuesto para que el fruto relleno se sostenga bien. • Separe la carne de la piña tanto de la tapa como de la parte inferior, córtela en dados y quítele las partes leñosas (el tronco central). • Pele los plátanos y córtelos en rodajas. • Pele los kiwis y la papaya. Parta la papaya por la mitad, quítele las semillas negras y corte toda la fruta en trozos. • Mezcle la fruta con la vainilla y el zumo de limón, échela dentro de la piña, envuelva ésta en papel de aluminio y déjela macerar en el frigorífico. • Bata la crema de leche hasta que esté espesa. • Bata el yogur con el azúcar, el jengibre y el toronjil, añádale la crema batida y sirva esta salsa en una salsera. • Ponga la tapa de la piña sobre la ensalada de frutas y sirva la salsa aparte.

Delicadas cremas de nubes de merengue

Populares en Francia como «oeufs à la neige» y apreciadas en todas partes en sus distintas variantes

Nubes de merengue sobre crema de chocolate

A la izquierda de la foto

4 huevos
3 cucharadas de azúcar
¾ l de leche
150 g de chocolate moca extrafino
1 cucharadita de café instantáneo
2 cucharadas de cacao en polvo

Elaborada • Económica

Por persona, unos 2 100 kJ/ 500 kcal · 21 g de proteínas 30 g de grasas · 38 g de hidratos de carbono

Tiempo de preparación: 40 minutos

Separe las yemas de las claras. Bata las claras a punto de nieve con 1 cucharada de azúcar. • Caliente la leche en una cazuela plana. • Forme las nubes de las claras montadas con la ayuda de dos cucharillas y déjelas cocer a fuego muy lento 1 minuto en la leche caliente, deles la vuelta a la mitad del tiempo de cocción. Saque las nubes de la leche con la ayuda de una espumadera y déjelas aparte. • Bata las yemas con el resto del azúcar al baño maría hasta que blanqueen. • Trocee el chocolate y derrítalo con la mezcla de yemas. • Mezcle el café en polvo y el cacao con unas cucharadas de leche y bátalo con la crema de chocolate. • Vierta despacio la leche hirviendo en forma de chorrito fino sobre la crema y bata con la batidora de varillas unos pocos minutos más al baño maría. • Eche la crema de chocolate en 4 platos llanos de postre, ponga las nubes por encima y espolvoréelas con un poco de cacao en polvo.

Huevos a la nieve

A la derecha de la foto

1 rama de vainilla · ½ l de leche
1 pizca de sal · 120 g de azúcar
3 cucharadas de azúcar

Elaborada • Económica

Por persona, unos 1 800 kJ/ 430 kcal · 17 g de proteínas 16 g de grasas · 52 g de hidratos de carbono

Tiempo de preparación: 40 min
Tiempo de refrigeración: 1 a 2 h

Abra la rama de vainilla por la mitad a lo largo, raspe su contenido y eche las mitades de rama y el polvo de vainilla en la leche. • Separe las yemas de las claras. • Bata las claras con sal a punto de nieve. Agregue 50 g de azúcar a las claras montadas y bátalas. • Bata las yemas con el azúcar restante hasta que estén espumosas. • Caliente la leche con la vainilla en una cazuela plana, removiendo hasta antes del punto de ebullición. • Forme con 2 cucharadas a partir de las claras montadas 5 nubes, póngalas en la leche hirviendo y déjelas cocer 1 minuto por lado. Deje escurrir las nubes en un plato. Siga el mismo proceso con todas las claras montadas. • Tamice la leche vainillada, añádala a la mezcla de yemas y caliente la preparación removiendo hasta antes del punto de ebullición; apártela del fuego, déjela enfriar, póngala en un baño con cubitos de hielo y remuévala para que se enfríe. • Vierta la crema en un cuenco. • Deje enfriar la crema y las nubes de merengue en el frigorífico. • Prepare un caramelo con las 3 cucharadas de azúcar y 1 cucharada de agua a fuego lento. • Ponga las nubes sobre la crema de huevo y vierta el caramelo por encima, antes de servir.

Postres con requesón y frutas

Ambos pueden prepararse con requesón muy fresco

Budín de sémola con arándanos

A la izquierda de la foto

½ l de leche
7 cucharadas de azúcar
65 g de sémola
1 huevo
125 g de requesón
2 cucharadas de zumo de limón
1 cucharadita de ralladura de limón
1 pizca de sal
250 g de arándanos

Fácil • Económica

Por persona, unos 1 400 kJ/ 330 kcal de grasas · 13 g de proteínas · 11 g de grasas 45 g de hidratos de carbono

Tiempo de preparación: 30 min
Tiempo de refrigeración: 2 horas

Ponga a hervir la leche con 5 cucharadas de azúcar. Agregue poco a poco la sémola, removiendo constantemente, dé un hervor y deje cocer a fuego muy lento durante 5 minutos. • Separe la yema de la clara. • Bata el requesón con la yema, 1 cucharada del zumo y la ralladura de limón y mezcle con la pasta de sémola aún caliente. • Bata la clara a punto de nieve con la sal y añádala con cuidado a la mezcla un poco enfriada. • Enjuague 4 flaneros con agua fría, vierta en ellos la mezcla y déjelos cuajar en el frigorífico. • Lave los arándanos en agua. Mezcle las bayas escurridas con el zumo de limón restante y el azúcar y póngalas en el frigorífico tapadas. • Vuelque el budín en platos y decore cada porción con los arándanos.

Queso fresco con frutas

A la derecha de la foto

4 cucharadas de zumo de limón
4 cucharadas de miel líquida
1 manzana
1 naranja
1 plátano
400 g de requesón
5 cucharadas de leche
4 cucharaditas de azúcar vainillado
1 cucharada de avellanas peladas
1 cucharada de semillas de girasol peladas

Rápida • Económica

Por persona, unos 1 300 kJ/ 310 kcal · 10 g de proteínas 11 g de grasas · 39 g de hidratos de carbono

Tiempo de preparación: 30 min

Mezcle en una ensaladera 2 cucharadas de zumo de limón con 2 cucharadas de miel. • Pele la manzana, la naranja y el plátano. • Cuartee la manzana y quítele el corazón. Corte los cuartos de manzana en trocitos. • Separe la naranja en gajos, cuartee éstos, quite las pepitas y recoja el zumo que suelten. • Parta el plátano por la mitad a lo largo y córtelo en rodajitas. • Mezcle la fruta con la mezcla de limón y miel. • Bata el queso con la leche, el azúcar vainillado, el zumo de naranja, el zumo de limón restante y la miel hasta que quede cremoso y agréguele ¾ de la fruta. • Reparta la crema de queso con frutas en 4 cuencos de postre y eche el resto de la fruta por encima. • Corte las avellanas en rodajitas y dórelas con las semillas de girasol en una sartén seca, removiéndolas constantemente. Deje enfriar un poco la mezcla y espárzala después sobre las frutas.

Mousse de arándanos

Con la batidora tiene un postre listo para servir en un santiamén

Doncella enmascarada

Un postre nacional escandinavo

400 g de arándanos
4 cucharadas de azúcar
1 cucharadita de zumo de limón
¼ l de crema de leche espesa
2 sobres para espesar
3 cucharaditas de azúcar vainillado

Fácil • Rápida

Por persona, unos 1 300 kJ/
310 kcal · 6 g de proteínas
20 g de grasas · 31 g de hidratos
de carbono

Tiempo de preparación: 20
minutos

Lave los arándanos varias veces y elimine todas las impurezas de la superficie. Tire las bayas estropeadas. • Deje escurrir después las bayas en un colador. • Mezcle ⅔ de las mismas con 2 cucharadas de azúcar. Pase al resto de las bayas por un tamiz. • Mezcle el puré de bayas con el zumo de limón y la crema enfriada en una ensaladera también fría; bata con la batidora eléctrica 30 segundos a velocidad mínima, consiguiendo que quede espumoso. • Mezcle el espesante de nata con el resto del azúcar y el azúcar vainillado y, sin parar de batir, añadiéndolo poco a poco a la crema de leche. Bata entonces a velocidad máxima hasta que la mezcla quede bien firme. • Reserve aproximadamente 1 cucharada de los arándanos azucarados. Reparta el resto en 4 platos de postre. • Ponga la mousse de arándanos en una manga pastelera con boquilla estrellada y forme rosetas sobre las bayas. Decore cada porción con las bayas reservadas.

Nuestra sugerencia: Si va a preparar el postre justo antes de servirlo puede prescindir del espesante.

500 g de manzanas
⅛ l de agua
6 cucharadas de azúcar
1 cucharada de zumo de limón
2 cucharadas de mantequilla
8 cucharadas de copos de avena integrales
1 pizca de canela en polvo
¼ l de crema de leche espesa
4 cucharaditas de jalea de grosellas

Fácil • Económica

Por persona, unos 1 900 kJ/
450 kcal · 7 g de proteínas
26 g de grasas · 47 g de hidratos
de carbono

Tiempo de preparación: 40 min
Tiempo de refrigeración: 1 hora

Lave las manzanas, séquelas, cuartéelas, quíteles el corazón y cuézalas en el agua tapadas y a fuego lento hasta que estén blandas. • Pase las manzanas después por un tamiz, bata el puré con 4 cucharadas de azúcar y el zumo de limón y déjelo enfriar tapado. • Derrita la mantequilla en una sartén. Caramelice el resto del azúcar y los copos de avena en la mantequilla, removiendo constantemente hasta que se forme un caramelo ligero. Añádale la canela, vuelque la preparación en un plato y déjela enfriar. • Bata la crema de leche hasta que esté espesa. • Llene una fuente honda o 4 copas de postre con la mousse de manzana, la crema y los copos de avena formando capas. La capa superior deberá ser de copos de avena. • Decore el postre con rosetones de crema de leche con la jalea batida.

Nuestra sugerencia: En vez de los copos de avena puede utilizar pan de centeno duro rallado con mantequilla y azúcar.

Budín de chocolate

Un postre casero especialmente sabroso

50 g de harina de arroz, preferentemente recién molida
1 cucharada colmada de cacao en polvo
1 pizca de canela en polvo y vainilla molida
1 cucharadita de ralladura de naranja
3,5 dl de leche
1 plátano grande
50 g de almendras peladas
80 g de miel
2 huevos

Receta integral • Económica

Por persona, unos 1 500 kJ/ 360 kcal · 13 g de proteínas 15 g de grasas · 44 g de hidratos de carbono

Tiempo de preparación: 20 min
Tiempo de refrigeración: 1 hora

Mezcle la harina de arroz con el cacao, la canela, la vainilla, la ralladura de naranja y 1 dl de leche. • Pele el plátano, pártalo por la mitad a lo largo y córtelo en rodajas. • Muela las almendras y caliéntelas en un cazo pequeño junto con la miel. • Agregue el resto de la leche removiendo y dé un hervor. • Vierta la mezcla de harina de arroz sobre la leche caliente y, removiendo constantemente, déjela cocer a fuego lento otros 5 minutos. • Mezcle las rodajas de plátano con la mezcla anterior y aparte el cazo del fuego. • Separe las yemas de las claras. Primero bata las yemas con 2 cucharadas del budín caliente y después con el resto del mismo. • Bata las claras a punto de nieve y añádalas al budín. • Vierta éste en un flanero enjuagado con agua fría y déjelo cuajar en el frigorífico.

Nuestra sugerencia: Si lo desea adorne el budín con rosetones de crema batida y almendras fileteadas.

Crema de guindas

Prepare este postre con guindas de la temporada

Ingredientes para 6 personas:
1 kg de guindas
100 g de azúcar
½ l de vino tinto
½ rama de canela
1 limón
2 cucharadas de maicena
250 g de queso Mascarpone
(queso crema fresco italiano)
o queso crema
2 dl de crema de leche espesa
1 cucharada de azúcar vainillado

Fácil

Por persona, unos 1 900 kJ/
450 kcal · 18 g de proteínas
17 g de grasas · 50 g de hidratos
de carbono

Tiempo de preparación: 40
minutos
Tiempo de refrigeración: 1 hora

Lave las guindas, séquelas, deshuéselas y échelas en un cazo con el azúcar, el vino tinto y la rama de canela. • Lave el limón con agua caliente, séquelo, ralle la corteza y añádala a las guindas. • Deje cocer éstas a fuego lento y tapadas 5 minutos. • Exprima el limón, deslía la maicena con el zumo de limón, mezcle con la compota de guindas y dé un hervor. • Eche la mezcla en una fuente de cristal enjuagada con agua fría. Aparte la canela. Deje enfriar la crema. • Bata el queso fresco con la crema agria y el azúcar vainillado que esté cremoso, échelo sobre la crema aún sin cuajar y remuévala ligeramente con un tenedor. • Ponga la crema en el frigorífico hasta el momento de servirla.

Nuestra sugerencia: El postre resultará menos sustancioso, pero ya no tan tentador, si prescinde del queso y la crema agria y utiliza en su lugar 200 g de yogur.

Postres con nombre propio

Unos dulces inolvidables

Postre de los Güelfos

A la izquierda de la foto

Para la crema:

4 cucharadas de maicena

½ l de leche · 1 pizca de sal

1 vaina de vainilla

4 cucharadas de azúcar

3 claras de huevo

Para la salsa:

3 yemas de huevo

5 cucharadas de azúcar

1 cucharada de maicena

¼ l de vino blanco

1 cucharada de zumo de limón

Elaborada

Por persona, unos 1 600 kJ/ 380 kcal · 14 g de proteínas 13 g de grasas · 44 g de hidratos de carbono

Tiempo de preparación: 1 hora
Tiempo de refrigeración: 2 horas

Deslía la maicena en 6 cucharadas de leche. ● Abra la vaina de vainilla por la mitad a lo largo y raspe su contenido. ● Ponga a cocer la vainilla, el polvo y el azúcar con el resto de la leche, removiendo constantemente. ● Vierta la maicena desleída en la leche y siga removiendo, dé un hervor, aparte la crema del fuego y quite la vaina de vainilla. ● Bata las claras de huevo con la sal a punto de nieve y mézclelas con cuidado con la crema. ● Vierta la crema en 4 cuencos de cristal y déjela enfriar. ● Para la salsa bata las yemas con el azúcar, la maicena, el vino blanco y el zumo de limón y deje cocer la mezcla a fuego lento hasta que cuaje. Aparte la salsa del fuego, siga batiéndola aproximadamente otros 2 minutos para que se enfríe rápidamente. ● Vierta la salsa sobre la crema y deje enfriar el postre en el frigorífico.

Crema diplomática

A la derecha de la foto

Ingredientes para 8 personas:

4 hojas de gelatina · ⅛ l de agua

100 g de pasas sultanas

3 cucharadas de ron

50 g de limón y naranja confitados · 4 huevos

50 g de nueces peladas

100 g de chocolate rallado

1 vaina de vainilla · ¼ l de leche

3 cucharadas de azúcar

2 dl de crema de leche espesa

100 g de bizcochos de soletilla

1 tacita de café expreso frío

4 cl de Amaretto

Especialidad

Por persona, unos 1 700 kJ/ 405 kcal · 11 g de proteínas 32 g de grasas · 35 g de hidratos de carbono

Tiempo de preparación: 1 hora
Tiempo de refrigeración: 1 hora

Ponga a remojar la gelatina. ● Ponga las pasas a remojar en el ron. ● Pique el limón, la naranja y las nueces y mézclelos con la mitad del chocolate. ● Abra la vaina de vainilla y póngala a calentar en la leche. ● Separe las yemas de las claras. ● Bata las yemas con el azúcar al baño maría. ● Saque la vaina de la leche y vierta ésta a las yemas. Bata la crema 4 minutos más al baño maría. ● Bata la crema de leche y las claras hasta que estén firmes. ● Escurra las hojas de gelatina y mézclelas con la crema de yema, la crema montada y las claras batidas. ● Vierta la mitad de la crema en una fuente. Reparta por encima los bizcochos empapados en el café expreso y el Amaretto (licor de almendras italiano). Esparza por encima las pasas y la mezcla de chocolate. Vierta la crema restante y espolvoree el resto del chocolate por encima.

Postres calientes

Dulces clásicos y nuevas creaciones
de horno y sartén, fritos, flameados...
con frutas y salsas refinadas
presentados seductoramente

«Clafoutis»

Un postre esponjoso de guindas de la comarca de Limoges

75 g de harina	
3 huevos	
0,2 dl de leche	
2 cucharadas de mantequilla	
500 g de guindas	
1 pizca de sal	
4 cuharadas de azúcar	
Para el molde: mantequilla	

**Especialidad francesa ●
Receta clásica**

Por persona, unos 2 000 kJ/
480 kcal · 15 g de proteínas
22 g de grasas · 54 g de hidratos
de carbono

Tiempo de preparación: 1 hora
Tiempo de refrigeración: 45
minutos

Eche la harina en un cazuela.
● Separe la yema de la clara
de 1 huevo. ● Agregue la yema
con el resto de los huevos a la harina y amáselo todo formando
una pasta lisa a la que añadirá
poco a poco la leche. ● Derrita la
mantequilla e incorpórela gota a
gota a la pasta anterior. ● Deje reposar ésta tapada a temperatura
ambiente durante 30 minutos. ●
Lave las guindas y séquelas. ●
Unte con mantequilla un molde
refractario plano. Precaliente el
horno a 190 °C. ● Bata la clara
con la sal a punto de nieve y mézclela con la pasta. ● Viértala en el
molde, reparta las guindas por
encima y déjelas hundir un poco.
● Hornee el «Clafoutis» en el centro del horno durante 20 minutos.
● Espolvoréelo después con el
azúcar y déjelo hornear otros 20
minutos. ● Déjelo reposar luego
otros 5 minutos en el horno apagado.

Postres fritos

Junto con una sopa de verduras, constituye una comida integral completa

Tortitas de zanahoria

A la izquierda de la foto

Para las tortitas:

50 g de avellanas peladas

200 g de zanahorias

50 g de harina de trigo integral

3 huevos

50 g de miel

⅛ l de leche

El zumo y la ralladura
de ½ limón

Para freír:

2 cucharadas de mantequilla

Para la salsa:

100 g de requesón descremado

1 dl de crema de leche espesa

1 cucharada de miel de azahar

1 pizca de clavo molida

1 cucharadita de ralladura
de naranja

2 naranjas

Receta integral • Económica

Por persona, unos 2 100 kJ/
500 kcal · 19 g de proteínas
30 g de grasas · 39 g de hidratos
de carbono

Tiempo de preparación: 1 ¼ h

Dore las avellanas en una sartén seca, déjelas enfriar, aparte las pieles y píquelas finamente. • Lave las zanahorias, pélelas, rállelas y bátalas con la harina, las avellanas, los huevos, la miel y la leche. • Deje reposar la pasta 10 minutos, después mézclela con el zumo y la ralladura de limón. • Precaliente el horno a 50 °C. • Derrita la mantequilla en una sartén pequeña por pequeñas cantidades y fría 8 tortitas de la pasta preparada 3 minutos por lado, luego manténgalas calientes en el horno. • Bata el requesón con la crema, la miel, el clavo y la ralladura de naranja. • Pele las naranjas y filetéelas. • Sirva la salsa con los filetes de naranja acompañando a las tortitas.

Tortillitas de mijo esponjosas

A la derecha de la foto

80 g de mijo

¼ l de agua

80 g de crema de leche espesa

3 cucharadas de miel

1 cucharada de mantequilla

1 cucharadita de ralladura
de limón

1 pizca de vainilla en polvo

3 huevos

4 cucharadas de jarabe de arce
o miel

Para freír:

2 cucharadas de mantequilla

Receta integral

Por persona, unos 1 400 kJ/
330 kcal · 13 g de proteínas
19 g de grasas · 32 g de hidratos
de carbono

Tiempo de preparación: 30 min
Tiempo de cocción: 1 hora

Cueza lentamente el mijo tapado en el agua durante 22 minutos, déjelo reposar después otros 10 minutos. • Deje escurrir el mijo, mézclelo con la crema y déjelo reposar otros 10 minutos sin ningún tipo de calor. • Agregue 2 cucharadas de miel, la mantequilla, la ralladura de limón y la vainilla al mijo. • Separe las yemas de las claras. • Mezcle las yemas con el mijo. Bata las claras a punto de nieve con el resto de la miel y añádalas al mijo. • Precaliente el horno a 50 °C. • Derrita la mantequilla en una sartén con tapadera. Forme 4 tortillitas de la masa de mijo y reparta las frambuesas por encima. Deje cocer las tortillitas tapadas y a fuego lento unos 10 minutos. • Conserve las tortillitas terminadas al calor en el horno. • Rocíe las tortillitas con el jarabe de arce o la miel.

Pudines tradicionales

Para su preparación necesitará un molde de pudín con tapa de cierre hermético

Pudín de chocolate

A la izquierda de la foto

Ingredientes para 10 personas:

200 g de almendras

250 g de chocolate amargo

½ vaina de vainilla

75 g de mantequilla ablandada

200 g de azúcar

8 huevos

3 cucharadas de pan rallado

1 cucharadita de canela molida

Para el molde: mantequilla

Coste medio

Por persona, unos 2 400 kJ/ 570 kcal · 17 g de proteínas 36 g de grasas · 46 g de hidratos de carbono

Tiempo de preparación: 40 min
Tiempo de cocción: 1 ½ horas

Escalde las almendras en agua hirviendo, escúrralas y quíteles la piel marrón. • Después muela las almendras. • Pique finamente el chocolate. Abra la vaina de vainilla por la mitad a lo largo y raspe su contenido. • Bata la mantequilla con el azúcar hasta que esté espumosa. • Separe las yemas de las claras. Incorpore las yemas poco a poco a la mezcla de mantequilla y azúcar. • Bata las claras a punto de nieve e incorpórelas también. • Unte el molde con mantequilla y llénelo con la mezcla de chocolate. • Cierre el molde herméticamente y póngalo en una cazuela con agua hirviendo; el agua debe llegar 5 cm por debajo de la tapadera. • Cueza el pudín en el agua agitándose ligeramente durante 1 ½ horas. • Vuelque el pudín entibiado y sírvalo aún caliente con la salsa de vainilla aparte.

Pudín de pan

A la derecha de la foto

Ingredientes para 6 personas:

8 panecillos duros o 400 g

de pan blanco

¼ l de leche

6 huevos

100 g de azúcar

150 g de mantequilla ablandada

150 g de pasas

1 limón

50 g de cidra confitada

100 g de almendras molidas

1 cucharadita de canela molida

2 cucharadas de sémola

Para el molde: mantequilla

Económica

Por persona, unos 3 100 kJ/ 740 kcal · 17 g de proteínas 44 g de grasas · 78 g de hidratos de carbono

Tiempo de preparación: 30 min
Tiempo de cocción: 1 ½ horas

Corte los panecillos en trozos y déjelos remojar en la leche. • Separe las yemas de las claras. Bata las yemas con el azúcar y la mantequilla hasta que blanqueen. • Escurra el pan y mézclelo con la crema de yemas. • Lave el limón, séquelo y ralle la corteza. • Lave las pasas. • Trocee la cidra confitada. • Mezcle la ralladura de limón, las pasas, los trocitos de cidra confitada, las almendras, la canela y la sémola con la masa de pan. • Bata las claras a punto de nieve y añádalas a la masa de pudín. • Unte el molde con mantequilla, llene ¾ de éste con la masa de pudín y ciérrelo herméticamente. • Ponga el molde en una cazuela con agua hirviendo, la cual debe llegar a 5 cm por debajo de la tapadera. • Deje cocer el pudín en agua hirviendo durante 1 ½ horas. • Vuelque el pudín y sírvalo aún caliente con una salsa sabayón al vino (receta página 88).

Suflé de Salzburgo

Un placer que se deshace en la boca

Budín de arroz y manzanas

Con un primer plato a base de ensalada constituye una comida completa

3 huevos
2 claras de huevo
1 pizca de sal
3 cucharadas de azúcar
y 3 de harina
La ralladura de ½ limón
sin exprimir
1 cucharada de azúcar vainillado
2 cucharadas de mantequilla
5 cucharadas de leche

Especialidad austríaca •
Económica

Por persona, unos 1 200 kJ/
290 kcal · 16 g de proteínas
15 g de grasas • 17 g de
hidratos de carbono

Tiempo de preparación: 15
minutos
Tiempo de horneado: 5 minutos

Precaliente el horno a 220 °C.
• Separe las yemas de las claras. Bata las claras a punto de
nieve con la sal y vaya añadiendo despacio el azúcar. • Bata las yemas, mézclelas con la harina tamizada, la ralladura de limón y el azúcar vainillado e incorpórelas a las claras montadas, removiendo cuidadosamente con una cuchara de madera. Ponga a derretir la mantequilla en una fuente de gratinar plana ovalada y vierta en ella la leche. Tome con una espátula cuatro partes de la mezcla de claras montadas y póngalas una junto a la otra en la fuente. Cada una debería tener una punta pequeña señalando hacia arriba. Introduzca la fuente en el centro del horno y hornee el suflé unos 5 minutos hasta que las puntas estén ligeramente doradas. • Sírvalo inmediatamente, ya que pierde volumen en seguida.

Ingredientes para 6 personas:
½ l de leche · 1 pizca de sal
150 g de arroz de grano redondo
4 cucharadas de pasas
1 cucharadita de ron · 3 huevos
100 g de mantequilla ablandada
100 g de azúcar
1 cucharadita de ralladura
de limón
2 cucharaditas de azúcar
vainillado
3 manzanas medianas
1 cucharadita de zumo de limón
6 cucharaditas de confitura
de frambuesa
Para el molde: mantequilla

Fácil

Por persona, unos 2 000 kJ/
470 kcal · 11 g de proteínas
22 g de grasas · 58 g de hidratos
de carbono

Tiempo de preparación: 1 hora
Tiempo de horneado: 45
minutos

Ponga a hervir la leche con la
sal. Eche el arroz a la leche,
remuévalo y déjelo cocer a fuego
lento 15 minutos; después déjelo
reposar 15 minutos con el fuego
apagado; por último póngalo a
enfriar en un baño maría frío. •
Lave las pasas con agua templada, séquelas y rocíelas con el ron.
• Separe las yemas de las claras.
Bata las yemas con la mantequilla, el azúcar, la ralladura de limón
y el azúcar vainillado. • Mezcle
con ello el arroz y las pasas. • Bata las claras a punto de nieve y
añádalas al arroz con leche. •
Precaliente el horno a 200 °C.
Unte un molde con mantequilla y
eche en él el arroz. • Lave las
manzanas, pártalas por la mitad,
quíteles el corazón, rocíelas con el
zumo de limón y póngalas sobre
la mezcla de arroz. • Cueza el budín en el centro del horno 45 minutos. • Antes de servirlo vierta la
confitura sobre las manzanas.

Postres de sartén

Dos buenas invenciones

Tortilla imperial a la vienesa

A la izquierda de la foto

Ingredientes para 6 personas:
4 huevos
250 g de harina
¼ l de leche
1 cucharada colmada de azúcar
1 cucharada de azúcar vainillado
100 g de pasas
100 g de mantequilla
50 g de azúcar glas

Especialidad austríaca

Por persona, unos 2 330 kJ/ 500 kcal · 14 g de proteínas 23 g de grasas · 57 g de hidratos de carbono

Tiempo de preparación: 30 min

Separe las yemas de las claras. • Bata la harina con las yemas y la leche. • Bata las claras a punto de nieve con la sal, el azúcar y el azúcar vainillado y añádalas a la mesa. • Lave las pasas con agua caliente y séquelas. • Derrita la mitad de la mantequilla en una sartén grande, eche en ella la masa y agregue las pasas. • Cuando la masa esté dorada por debajo, pero aún líquida en la superficie, déle la vuelta y eche el resto de la mantequilla debajo. • Cuando se haya dorado también la otra cara separe la tortilla en trozos con 2 tenedores. • Deje cocer la tortilla durante otros 5 minutos a fuego lento, dándole vuelta. • Sirva la tortilla en una fuente precalentada y espolvoréela con el azúcar glas. • En Viena se acompaña con confitura de ciruelas, una compota espesa de ciruelas, cocida en un poco de vino blanco con canela.

Tortitas de cerezas

A la derecha de la foto

⅛ l de leche
2 huevos
1 cucharada de azúcar vainillado
1 pizca de sal
75 g de azúcar
125 g de harina
300 g de guindas
2 dl de crema de leche espesa
½ vaina de vainilla
2 cucharadas de mantequilla derretida
4 cucharadas de marrasquino (licor de guindas)
2 cucharadas de azúcar glas

Elaborada

Por persona, unos 2 500 kJ/ 600 kcal · 13 g de proteínas 27 g de grasas · 66 g de hidratos de carbono

Tiempo de preparación: 1 ¼ horas

Bata la leche con los huevos, el azúcar vainillado, la sal y 50 g de azúcar. • Espolvoree por encima la harina y mezcle bien. Deje reposar la masa tapada durante 30 minutos. • Lave las guindas y deshuéselas. • Bata la crema de leche hasta que esté firme. • Abra la vaina de vainilla por la mitad a lo largo, raspe su contenido, mézclelo con el azúcar restante y remuévalo con la crema. Bátalo de nuevo para que espese más y póngalo en el frigorífico. • Precaliente el horno a 50 °C. • Ponga la mantequilla derretida en una sartén pequeña y déjela derretir poco a poco. Mezcle las guindas con la masa y fría 8 tortitas en ella. • Mantenga las tortitas calientes en el horno una vez terminadas. • Sirva las tortitas, rocíelas con el licor y espolvoréelas con el azúcar glas. Acompáñelas con la crema vainillada y si lo desea sirva con helado de pistacho.

Exquisitas tortitas

Existen innumerables posibilidades como variantes, todo depende de su propia fantasía

Tortitas de limón

A la izquierda de la foto

3 huevos · 1 pizca de sal
3 cucharadas de azúcar
vainillado · 75 g de azúcar
75 g de harina y maicena
1 limón
¼ l de crema de leche espesa
125 g de azúcar glas

Fácil • Rápida

Por persona, unos 2 900 kJ/
690 kcal · 15 g de proteínas
29 g de grasas · 90 g de hidratos
de carbono

Tiempo de preparación: 40 min

Precaliente el horno a 180 °C. • Separe las yemas de las claras. Bata las claras a punto de nieve con la sal y 50 g de azúcar. • Bata las yemas con 1 cucharada de agua caliente, el resto del azúcar y el azúcar vainillado. •

Tamice la harina con la maicena sobre la crema de yemas, remueva bien y agregue las claras batidas removiendo para que no pierdan volumen. • Forre una fuente de hornear con papel sulfurizado engrasado, reparta la masa por encima y deje cocer el bizcocho de 12 a 15 minutos, hasta que esté doradito. • Lave el limón séquelo, pélelo y corte la corteza en tiritas muy finas (juliana). Exprima el zumo del limón. • Vuelque la lámina de bizcocho sobre un lienzo espolvoreado con azúcar y quítele el papel. • Recorte 4 círculos de 14 cm de diámetro, doble las tortitas y cúbralas con un lienzo húmedo. • Bata la crema de leche hasta que esté firme con 100 g de azúcar glas y el zumo del limón. Mezcle con ello las tiritas de corteza de limón. • Ponga la crema de limón en una manga pastelera provista de boquilla estrellada y rellene con ella las tortitas. Espolvoree las tortitas con el resto del azúcar glas.

Tortitas con confitura

A la derecha de la foto

2 cucharaditas de mantequilla
5 huevos
3 cucharadas de azúcar
2 cucharadas de azúcar vainillado
4 cucharadas de harina
2 cucharaditas de corteza de limón · 1 pizca de sal
4 cucharadas de confitura de albaricoque
3 cucharadas de licor de naranjas
Para espolvorear:
2 cucharada de azúcar glas

Fácil • Económica

Por persona, unos 1 500 kJ/
360 kcal · 17 g de proteínas
17 g de grasas · 32 g de hidratos
de carbono

Tiempo de preparación: 35 min

Precaliente el horno a 180 °C. Derrita la mantequilla en una tartera de 30 cm de diámetro y déjela repartirse por igual por el fondo. • Separe las claras de las yemas. Bata las claras a punto de nieve. Mezcle el azúcar y el azúcar vainillado y, sin dejar de batir ni un momento, espolvoréelo sobre las claras batidas. • Agregue a las claras batidas las yemas de huevo, la harina, la ralladura de limón y la sal y remueva todo con cuidado con un cucharón. • Eche la masa de bizcocho en el molde, dejando los bordes un poco más gruesos que el centro. • Cueza la tortita en el centro del horno durante unos 15 minutos, hasta que esté dorada. • Caliente la confitura de albaricoque con el licor, removiendo. • Vuelque la tortita sobre un plato, cubra la mitad con la confitura y doble la otra mitad por encima. Espolvoréela con el azúcar glas y córtela en 4 trozos.

Las crepes más populares

En vez de mandarinas puede utilizar naranjas y confitura de limón en vez de la de naranja

Crepes «Suzette»

A la izquierda de la foto

Para la pasta:

3 cucharadas de mantequilla

125 g de harina · 1 huevo

1 yema · 1 cucharada de azúcar

1 pizca de sal · ¼ l de leche

Para el relleno:

75 g de mantequilla ablandada

1 cucharada colmada
de azúcar glas

3 mandarinas

1 cucharada de azúcar

4 cucharadas de curaçao

2 cucharadas de coñac

Para freír: 3 cucharadas
de mantequilla derretida

Receta clásica • Elaborada

Por persona, unos 2 800 kJ/
670 kcal · 13 g de proteínas
42 g de grasas · 49 g de hidratos
de carbono

Tiempo de preparación: 1½ h

D errita la mantequilla. • Bata la harina con el huevo, la yema, el azúcar, la sal, la leche y la mantequilla. • Precaliente el horno a 50 ºC. • En una sartén derrita la mantequilla, fría 12 crepes y manténgalas en el horno. • Bata la mantequilla con el azúcar glas hasta que esté espumosa. • Lave las mandarinas y ralle la corteza. • Exprima el zumo. • Bata la mitad de la corteza y del zumo de mandarina con la mantequilla espumosa. • Mezcle el resto del zumo y de la ralladura con el azúcar y reserve. • Mezcle el curaçao con el coñac. • Unte las crepes con la mantequilla aromatizada, dóblelas en cuartos y póngalas en una sartén para flamear. • Vierta la mezcla de zumo reservada sobre las crepes y caliéntelas sobre un hornillo, dejando correr el zumo por debajo. • En cuanto el zumo se haya reducido un poco, añada el alcohol, flaméelo y sirva las crepes aún flameando.

Crepes con confitura de naranja

A la derecha de la foto

100 g de mantequilla

100 g de harina

¼ l de leche

1 pizca de sal

1 cucharada de azúcar

2 huevos

1 pizca de canela molida

La corteza de ½ naranja

200 g de confitura de naranja
amarga

1 cucharada de licor de naranja

Especialidad francesa

Por persona, unos 2 300 kJ/
550 kcal · 11 g de proteínas
29 g de grasas · 58 g de hidratos
de carbono

Tiempo de preparación: 1 ¼
horas

C aliente ¼ de la mantequilla y déjela enfriar de nuevo. • Bata la harina con la leche, la sal, la mantequilla derretida y el azúcar. • Bata los huevos con la canela y agréguelos a la mezcla anterior. • Deje reposar la pasta para crepes durante 30 minutos. • Lave la naranja con agua caliente, séquela, pélela muy finamente y corte la confitura en tiritas finas. • Mezcle la confitura con el licor. • Derrita por porciones el resto de la mantequilla en una sartén para crepes o en una sartén pequeña y fría 8 crepes finísimas. Para dar la vuelta a las crepes, vuélquelas sobre una tapadera, déjelas caer de nuevo en la sartén y fríalas unos 2 minutos por lado de forma que queden doradas. • Precaliente el horno a 50 ºC. • Cubra las crepes con la confitura, dóblelas dos veces y manténgalas calientes en el horno. • Sirva las crepes con la corteza de naranja esparcida por encima.

Crepes especiales

Las crepes pueden variar una y otra vez de sabor con cualquier fruta fresca

Crepes flameadas al calvados

A la izquierda de la foto

Para la pasta:

100 g de harina · ⅛ l de leche

1 pizca de sal · 3 cucharadas de crema de leche espesa

1 cucharada de azúcar vainillado

2 huevos · La corteza de ½ limón

Para el relleno:

500 g de manzanas ácidas

El zumo de ½ limón

1 cucharada de mantequilla

2 cucharadas de azúcar

½ cucharadita de canela molida

6 cucharadas de calvados

1 cucharadita de maicena

50 g de avellanas picadas

Para freír:

6 cucharadas de mantequilla

Especialidad francesa

Por persona, unos 2 200 kJ/ 520 kcal · 13 g de proteínas

28 g de grasas · 48 g de hidratos de carbono

Tiempo de preparación: 1½ h

Bata todos los ingredientes para la pasta y déjela reposar tapada durante 30 minutos. • Precaliente el horno a 50 °C. • Lave las manzanas, córtelas en rodajas y rocíelas con el zumo de limón. • Derrita la mantequilla en una sartén, rehogue en ella las manzanas con el azúcar, la canela y 4 cucharadas de calvados durante 5 minutos. • Deslía la maicena en agua, mézclela con las manzanas y déles otro hervor. Aparte las manzanas del fuego y espolvoréelas con las avellanas. • Derrita la mantequilla y fría 12 crepes pequeñas. • Rellene las crepes fritas con las manzanas, ciérrelas y manténgalas calientes en el horno. • Ponga el calvados restante en un cucharón y caliéntelo, viértalo sobre las crepes, flaméelas y sírvalas.

Crepes con crema de fresas

A la derecha de la foto

125 g de harina · 2 huevos

2 dl de leche

2 cucharadas de aceite

1 cucharada de azúcar vainillado

1 pizca de sal

300 g de fresas

El zumo de ½ limón

1 dl de crema de leche espesa

2 cucharadas de azúcar

1 cucharada de azúcar vainillado

3 cucharadas de mantequilla derretida

2 cucharadas de azúcar glas

Elaborada

Por persona, unos 2 220 kJ/ 530 kcal · 13 g de proteínas

31 g de grasas · 48 g de hidratos de carbono

Tiempo de preparación: 1½ horas

Mezcle a fondo la harina con los huevos, la leche, el aceite, el azúcar vainillado y la sal, y deje reposar la pasta tapada durante 30 minutos. • Lave las fresas, déjelas escurrir y quíteles los rabos. • Corte un tercio de las fresas en rodajas finas, pase el resto por un tamiz y mézclas con el zumo de limón. • Bata la crema hasta que esté firme con el azúcar y el azúcar vainillado, mézclela con el puré y las rodajas de fresas y reserve en el frigorífico. • Precaliente el horno a 50 °C. • Caliente por porciones la mantequilla derretida en una sartén y fría 8 crepes finísimas. • Para darles la vuelta, vuélquelas sobre una tapadera, déjelas deslizar de nuevo en la sartén y fríalas doraditas unos 2 minutos por lado. Mantenga las crepes calientes en el horno. • Reparta la crema de fresas sobre las crepes, dóblelas en 4 y espolvoréelas con el azúcar glas por encima.

Tortitas de requesón

Estas crepes son uno de los postres más deliciosos

Tortitas con crema de avellanas

Una variante especialmente refinada

Tortitas de requesón

Para la pasta:
125 g de harina · 1 pizca de sal
2 huevos · 1 cucharada de aceite
¼ l de leche · 1 cucharadita de azúcar vainillado
Para el relleno:
250 g de requesón 50 g de mantequilla ablandada
2 yemas de huevo
½ cucharadita de corteza de limón rallado
5 cucharadas de crema de leche
75 g de pasas · 50 g de azúcar
3 claras de huevo
1 cucharada de azúcar vainillado
Para el glaseado: ⅛ l de leche
1 yema de huevo
1 cucharadita de azúcar
Para freír y para el molde:
100 g de mantequilla
Para espolvorear:
2 cucharadas de azúcar
½ cucharadita de canela molida

Especialidad austríaca

Por persona, unos 3 700 kJ/
880 kcal · 32 g de proteínas
53 g de grasas · 66 g de hidratos
de carbono

Tiempo de preparación: 1 ¼ h
Tiempo de cocción: 30 min

Bata todos los ingredientes para la pasta y déjela reposar 30 minutos. • Bata la mantequilla con el azúcar hasta que esté espumosa. Agréguele las yemas de huevo, la corteza de limón, el requesón, la crema agria y las pasas. • Bata las claras a punto de nieve con el azúcar vainillado y mézclelas con requesón. • Derrita la mantequilla y fría 8 tortitas. • Precaliente el horno a 180 °C. Unte un molde refractario con mantequilla. • Extienda la masa de queso sobre las tortitas, enróllelas, córtelas por la mitad y colóquelas en el molde. • Bata la leche con la yema de huevo y el azúcar y viértalo sobre las tortitas. Gratínelas 30 minutos y espolvoréelas con azúcar glas.

Tortitas con crema de avellanas

Para la pasta:
150 g de harina
1 pizca de sal
2 huevos
1 yema de huevo
¼ l de leche
Para el relleno:
100 g de chocolate amargo
2 dl de crema de leche espesa
1 clara de huevo
1 cucharada de azúcar vainillado
1 cucharada de ron
150 g de avellanas peladas
Para freír: 75 g de mantequilla

Especialidad austríaca

Por persona, unos 3 600 kJ/
860 kcal · 24 g de proteínas
59 g de grasas · 54 g de hidratos
de carbono

Tiempo de preparación: 1 hora

Bata la harina con la sal, los huevos, la yema de huevo y la leche. Deje reposar la pasta tapada durante 30 minutos. • Entre tanto deje derretir el chocolate al baño maría caliente y mézclelo con 5 cucharadas de crema de leche. • Bata el resto de la crema hasta que esté firme. • Bata la clara a punto de nieve con el azúcar vainillado y mézclela con el ron y las avellanas picadas. • Mezcle la mitad de la crema montada con la masa de avellana. • Precaliente el horno a 50 °C. • Derrita por tandas la mantequilla en una sartén y fría en ella 8 tortitas finas de 2 a 3 minutos por lado a fuego lento, de forma que queden doradas. • Mantenga las tortitas calientes dentro del horno hasta que haya utilizado toda la pasta. • Unte las tortitas con el chocolate líquido, reparta la masa de avellanas por encima y enróllelas. • Adorne las tortitas con el resto de la crema y sírvalas en platos precalentados.

Flanes de ruibarbo con salsa de mango

El flan cuenta entre los postres más apreciados

Ingredientes para 4 flaneros pequeños:
250 g de ruibarbo rojo
La ralladura de ½ limón
75 g de azúcar
½ cucharadita de jengibre molido
8 bizcochos de soletilla
75 g de avellanas molidas
3 huevos
1 mango maduro
El zumo de ½ limón
⅛ l de jarabe de mango o zumo
Para los flaneros: mantequilla

Receta clásica • Elaborada

Por persona, unos 2 300 kJ/ 550 kcal · 15 g de proteínas 32 g de grasas · 51 g de hidratos de carbono

Tiempo de preparación: 1½ horas
Tiempo de cocción: 35 min

Lave el ruibarbo, séquelo y elimine las nervaduras. • Corte los tallos en trozos de 2 cm de largo, mézclelos con la ralladura de limón, la mitad del azúcar y el jengibre y déjelos reposar tapados durante 1 hora a temperatura ambiente. • Aplaste con el rodillo los bizcochos de soletilla envueltos en papel de aluminio y mézclelos con las avellanas. • Precaliente el horno a 180 °C. Unte los moldecitos con mantequilla y espolvoréelos con aproximadamente un cuarto de la mezcla de bizcocho y avellana. • Separe las yemas de las claras. Bata las claras a punto de nieve, agrégueles el resto del azúcar y el jengibre y siga batiendo otros 2 minutos. • Deje escurrir el ruibarbo. Mezcle las yemas de huevo, el ruibarbo y el resto de la mezcla de bizcocho y avellanas con las claras batidas, vierta en los moldes y cueza los flanes en el centro del horno y al baño maría durante unos 35 minutos. • Pele el mango. Corte la pulpa en tiras, separándola del hueso, y redúzcala a puré en la batidora con el zumo de limón y el jarabe. Acompañe la salsa con los flanes.

Buñuelos de cerezas con salsa de vainilla

Un postre noble en la temporada de las cerezas

Para los buñuelos:

1 huevo
150 g de harina
½ sobre de levadura en polvo
⅛ l de cerveza a temperatura ambiente
1 pizca de sal
1 cucharadita de canela molida
1 cucharada colmada de azúcar
250 g de cerezas con rabo

Para la salsa:

½ vaina de vainilla
2 dl de crema de leche espesa
3 huevos
1 cucharada colmada de azúcar
1 pizca de sal
3 cucharadas de ron

Para freír:

500 g de aceite de semillas

Elaborada

Por persona, unos 3 300 kJ/ 790 kcal · 19 g de proteínas 53 g de grasas · 51 g de hidratos de carbono

Tiempo de preparación: 1½ horas

Separe la yema de la clara. • Mezcle la harina con la levadura, la cerveza, la sal, la canela, el azúcar y la yema de huevo. • Bata la clara de huevo a punto de nieve, añádala a la pasta y déjela reposar tapada durante 1 hora. • Lave las cerezas, séquelas, pero sin quitarles los rabos. • Junte cada vez 3 cerezas con los rabos. • Abra la vaina de vainilla por la mitad a lo largo, raspe su contenido y déjelo cocer brevemente junto con las mitades de la vaina en la crema de leche. • Bata los huevos con el azúcar y la sal hasta que blanqueen. • Cuele la crema de leche, lentamente sobre los huevos removiendo bien y caliente hasta que la salsa esté espesa. • Mezcle la salsa de vainilla con el ron y manténgala caliente. • Caliente el aceite para freír a 180 °C. • Pase los hatillos de cerezas por la pasta para freír y déjelos dorar en la grasa caliente. • Sirva la salsa acompañando a los buñuelos de cereza.

Fruta envuelta en pasta fina

Especialmente atractiva en invierno

Piña frita

A la izquierda de la foto

150 g de harina
2 huevos · 1 pizca de sal
⅛ l de leche
1 cucharada de agua de rosas
1 cucharada de azúcar vainillado
1 piña pequeña
Para freír:
1 l de aceite de semillas
Para espolvorear:
3 cucharadas de azúcar
½ cucharadita de canela molida

Fácil

Por persona, unos 2 700 kJ/
640 kcal · 13 g de proteínas
32 g de grasas · 73 g de hidratos
de carbono

Tiempo de preparación: 1 hora

Para la pasta bata la harina con
los huevos, la sal, la leche, el
agua de rosas y el azúcar vainillado. • Deje reposar la pasta tapada durante 30 minutos. • Pele la
piña, córtela en rodajas de 1 cm
de grosor y quíteles a cada una
de ellas el corazón fibroso central.
• Caliente el aceite en la freidora
o en una sartén a 180 °C. • Remueva de nuevo la pasta. Pase
las rodajas de piña por la pasta
con ayuda de un tenedor, déjelas
escurrir un poco y fríalas por tandas en el aceite caliente por ambos lados hasta que estén doraditas. • Conecte el horno a 50 °C y
mantenga en él calientes las rodajas de piña terminadas hasta
que todas las rodajas estén fritas.
• Mezcle el azúcar con la canela y
espolvoree la mezcla sobre los fritos antes de servirlos.

Nuestra sugerencia: Este postre
resulta aún más rico, pero especialmente delicado, si en vez de la
mezcla de azúcar y canela rocía
las rodajas de piña con 1 dl de
crema de leche espesa batida con
licor de huevos.

Buñuelos de manzana flameados

A la derecha de la foto

100 g de harina
2 huevos
1 pizca de sal
2 cucharaditas de azúcar vainillado
4-5 cucharadas de leche
3 manzanas medianas
2 cucharaditas de mantequilla
2 cucharadas de azúcar
2 pizcas de canela molida
4 cucharadas de ron
Para freír:
1 l de aceite de semillas

Elaborada • Receta clásica

Por persona, unos 2 200 kJ/
520 kcal · 10 g de proteínas
34 g de grasas · 40 g de hidratos
de carbono

Tiempo de preparación: 1 hora

Bata la harina con los huevos,
la sal y el azúcar vainillado y
añada tanta leche como haga fal-
ta para conseguir una pasta líquida espesa • Caliente el aceite para freír en la freidora o en una
sartén a 175 °C. • Pele las manzanas, quíteles el corazón con el
descorazonador y corte cada una
en 4 rodajas gruesas. • Pase los
aros de manzana por la pasta con
ayuda de un tenedor y fría de 3 a
4 anillos en cada tanda, hasta que
estén dorados, dándoles la vuelta
una vez. • Deje escurrir los buñuelos terminados sobre papel de
cocina. • Derrita la mantequilla
en 2 sartenes, mézclela con el
azúcar y la canela y fría los buñuelos de manzana en ella por
ambos lados hasta que el azúcar
esté ligeramente quemado. Vierta
el ron sobre los buñuelos y fla-
méelos. Sirva los buñuelos en seguida.

«Strudel» vienés de manzanas

Toda mujer vienesa está orgullosa de su «Strudel»; nuestra receta procede de un antiguo libro de cocina vienés

Ingredientes para 8 personas:

Para la pasta:

250 g de harina

2 cucharaditas de aceite

1 pizca de sal

1 huevo pequeño

1 dl de agua templada

Para el relleno:

50 g de mantequilla

2 cucharadas de pan rallado

2 kg de manzanas ácidas

El zumo de ½ limón

75 g de pasas de Corinto

100 g de almendras

75 g de azúcar

1 pizca de canela molida

Para la placa del horno:

100 g de mantequilla derretida

**Especialidad austríaca ●
Elaborada**

Por persona, unos 2 200 kJ/
520 kcal · 9 g de proteínas
26 g de grasas · 64 g de hidratos
de carbono

Tiempo de preparación: 1½ h
Tiempo de horneado: 40 min

Tamice la harina sobre la superficie de trabajo, haga un hueco en el centro y eche en él el aceite, la sal y el huevo; agregue a la mezcla tanta agua templada como sea necesaria para que al amasar quede suelta y tersa. ● Amase la pasta hasta que se separe bien de la superficie de trabajo y brille como la seda; esto le llevará unos 10 minutos. Forme luego una bola con la pasta, amásela de nuevo y vuelva a formar una bola, pincélela con un poco de aceite y déjela reposar bajo una fuente vuelta boca abajo no más de 30 minutos. ● Entretanto derrita la mantequilla, dore en ella el pan rallado y déjelo aparte. ● Cuartee las manzanas, pélelas, quíteles el corazón, córtelas en rodajitas y rocíelas con el zumo de limón. ● Lave las pasas de Corinto con agua caliente y déjelas escurrir. ● Escalde las almendras en

agua hirviendo, quíteles la piel y píquelas. ● Mezcle el azúcar con la canela. ● Extienda un lienzo de 120 × 80 cm de tamaño sobre la mesa y espolvoréelo con harina. ● Extienda la pasta sobre el lienzo formando un rectángulo ancho y úntelo con aceite. ● Estire la pasta desde el centro hacia todos los lados, dejándola muy fina; recorte los bordes gruesos que pueda haber. ● Precaliente el horno a 200 ºC. Unte una placa del horno con mantequilla derretida. ● Reparta las migas de pan sobre la pasta, dejando libre un margen de unos 10 cm de ancho en uno de los lados alargados. ● Esparza las manzanas sobre las migas de pan y por encima las pasas y las almendras picadas. Espolvoree la mezcla de azúcar y canela por encima. ● Enrolle la pasta sobre sí misma con ayuda del lienzo y colóquela en forma de «U» con la unión hacia abajo sobre la placa del horno. ● Unte el «Strudel» con mantequilla derretida y pón-

galo a cocer en el centro del horno durante 40 minutos, hasta que esté dorado. Pincele la pasta varias veces con la mantequilla derretida durante el tiempo de cocción. ● Cubra el «Strudel» caliente con un lienzo antes de cortarlo. ● Divídalo aún caliente en porciones. Puede acompañarlo con crema de leche ligeramente batida endulzada con azúcar vainillado.

Nuestra sugerencia: El «Strudel» de manzana sabe bien también frío, acompañando al café. Si no lo encuentra dulce puede espolvorearlo con un poco de azúcar con canela o azúcar glas.

Suflé de naranjas sanguinas

Suflé festivo con guarnición de fruta

3 naranjas sanguinas
3 naranjas navel
2 limones
8 terrones de azúcar
6 cucharadas de Grand Marnier
(licor de naranja)
6 bizcochos de soletilla
6 huevos
100 g de azúcar
Para el molde:
mantequilla y azúcar

Receta clásica • Elaborada

Por persona, unos 2 500 kJ/
600 kcal · 23 g de proteínas
21 g de grasas · 70 g de hidratos
de carbono

Tiempo de preparación: 1 hora
Tiempo de horneado: 25
minutos

Pele las naranjas con un cuchillo afilado, eliminando también la membrana blanca. • Filetee las naranjas. Exprima las cortezas y recoja el zumo. • Lave los limones con agua caliente, séquelos y ralle la corteza junto con los terrones de azúcar. • Exprima los limones y deje cocer su zumo con el de naranja y los terrones de azúcar a fuego lento hasta conseguir un jarabe espeso. • Rocíe los filetes de naranja con la mitad del licor y déjelos aparte tapados. • Unte un molde de suflé con mantequilla y espolvoréelo con azúcar. • Ponga los bizcochos en el molde y rocíelos con el resto del licor. • Precaliente el horno a 250 °C. • Separe las yemas de las claras. Bata las yemas con el azúcar hasta que estén espumosas y bátalas después al baño maría caliente hasta que estén cremosas y calientes. • Mezcle el jarabe con la mezcla de huevo y enfríelo, removiéndolo en un baño maría frío. • Bata las claras a punto de nieve, mézclelas con cuidado con la crema de yemas y vierta en el molde. • Cueza el suflé unos 10 minutos en el centro del horno, baje después la temperatura a 200 °C y termine de hornear el suflé otros 15 minutos. • Sirva el suflé inmediatamente ya que se desinfla en seguida. Acompáñelo con los gajos de naranja.

Barquillos con crema de lima

Para este postre se necesita un aparato para preparar barquillos

Ingredientes para 8 barquillos:

Para la pasta:

125 g de mantequilla ablandada

100 g de azúcar

1 cucharada de azúcar vainillado

2 huevos · 2 yemas de huevo

250 g de harina

⅛ l de leche

1 dl de crema de leche espesa

1 petit suisse natural grande

Para la crema:

3 limas enteras

2 claras

100 g de azúcar glas

⅛ l de crema de leche espesa

250 g de queso Mascarpone
(queso crema fresco italiano)

2 cucharadas de ron blanco

Para cocer:

2 cucharadas de mantequilla
ablandada

Para espolvorear:

4 cucharadas de azúcar glas

Fácil • Coste medio

Por barquillo, unos 3 000 kJ/
710 kcal · 15 g de proteínas
45 g de grasas · 57 g de hidratos
de carbono

Tiempo de preparación: 1 hora

Bata la mantequilla con el azúcar y el azúcar vainillado hasta que esté cremoso. • Incorpórele poco a poco los huevos y las yemas. Mezcle la harina, la leche, la crema y el petit suisse con la crema de huevos, removiendo bien. • Lave las limas con agua caliente y séquelas. • Ralle la corteza de 2 limas y exprima su zumo. Corte la otra lima en rodajitas finas. • Bata las claras a punto de nieve con 50 g de azúcar glas. • Bata la crema de leche hasta que esté firme con el resto del azúcar glas tamizado. • Bata el queso crema con el ron, el zumo y la ralladura de lima. Añádale la crema batida y las claras batidas. • Cueza en el aparato para barquillos pincelado ligeramente con mantequilla 8 barquillos con la pasta. Espolvoréelos aún calientes con el azúcar glas, cúbralos con la crema de lima y adorne ésta con las rodajitas de lima.

Postres salidos del horno

Cueza ambas preparaciones a ser posible justo antes de servirlos

Gratinado de bayas
A la izquierda de la foto

400 g de bayas variadas	
¼ vaina de vainilla	
4 yemas de huevo	
75 g de azúcar	
La ralladura de ½ limón	
⅛ l colmado de vino dulce	
50 g de almendras peladas molidas	
4 bolas de sorbete de fresa	

Fácil • Rápida

Por persona, unos 2 900 kJ/
690 kcal · 21 g de proteínas
44 g de grasas · 38 g de hidratos
de carbono

Tiempo de preparación: 30 min
Tiempo de gratinado: 4-8 min

Lave las bayas y déjelas escurrir. • Reparta tres cuartos de las mismas en platos refractarios. Deje el resto aparte y tapadas. •

Precaliente el horno a 220 ºC. • Abra la vaina de vainilla por la mitad a lo largo y raspe su contenido. • Bata las yemas de huevo con el polvo de la vainilla, el azúcar, la ralladura de limón y el vino en un baño maría caliente. Cueza la crema hasta que tenga consistencia. Agregue las almendras. • Vierta la crema sobre las bayas y gratine las frutas en el centro del horno de 4 a 8 minutos de forma que queden doradas. • Adorne el postre con las bayas reservadas y el sorbete.

Suflé de vainilla
A la derecha de la foto

500 g de frambuesas	
1 cucharada de aguardiente de frambuesas	
100 g de azúcar	
5 huevos · 1 vaina de vainilla	
1 pizca de sal · 50 g de harina	
1 cucharada de crema agria	

2 cucharadas de zumo de limón	
1 cucharadita de ralladura de limón · 25 g de maicena	
1 cucharadita de maicena	
Para el molde:	
mantequilla y azúcar	
Para espolvorear:	
1 cucharada de azúcar glas	

Elaborada

Por persona, unos 1 900 kJ/
450 kcal · 19 g de proteínas
17 g de grasas · 55 g de hidratos
de carbono

Tiempo de preparación: 40 min
Tiempo de horneado: 35 min

Lave las frambuesas, déjelas escurrir y mézclelas con el aguardiente y 2 cucharadas de azúcar. • Precaliente el horno a 180 ºC. • Unte un molde de suflé con mantequilla y espolvoréelo con azúcar. • Separe la yemas de las claras. • Abra la vaina de vai-

nilla por la mitad a lo largo, raspe su contenido y añádalo con la mitad del azúcar restante a las yemas; bátalo todo bien para que la mezcla quede espumosa. • Bata las claras de huevo a punto de nieve con la sal y el resto del azúcar. • Mezcle la harina con la maicena y agréguela junto con la crema agria a la mezcla de yemas. Incorpore las claras batidas. • Vierta la mitad de la preparación en el molde, reparta por encima 250 g de frambuesas escurridas y cúbralo con el resto de la preparación. • Cueza el suflé en el centro del horno durante 35 minutos hasta que esté dorado. • Ponga a cocer las frambuesas restantes con el zumo que hayan soltado, el zumo y la ralladura de limón y ⅛ l de agua durante 5 minutos, agregue la maicena desleída en agua fría y déle un hervor. • Espolvoree el suflé con el azúcar glas y sírvalo inmediatamente, acompañado de la salsa de frambuesas.

Empanadas y tartas

Tartas y empanadas inglesas, dulces y enérgicas, frías o calientes

Tarta aterciopelada

A la izquierda de la foto

Ingredientes para 1 tartera
de 24 cm de diámetro:

100 g de turrón de Jijona

8 galletas · 100 g de azúcar

100 g de pasta de mazapán

1 cucharadita de jengibre molido

5 hojas de gelatina · ¼ l de agua

¼ l de zumo de naranja

La ralladura de 1 naranja

El zumo de 1 limón · 4 huevos

2 dl de crema de leche espesa

4 cucharadas de licor de naranjas

1 cucharada de pistachos picados

Receta clásica

Cortada en 8 porciones, cada
una contiene unos 1 700 kJ/
400 kcal · 11 g de proteínas
21 g de grasas · 42 g de hidratos
de carbono

Tiempo de preparación: 1½ h
Tiempo de refrigeración: 2 horas

Ponga a derretir el turrón al baño maría. • Machaque las galletas. • Mezcle el mazapán con el turrón, las migas de galleta y el jengibre. • Cubra la base y las paredes del molde con la masa de mazapán y turrón y métalo en el frigorífico 1 hora. • Remoje las hojas de gelatina en el agua. • Dé un hervor al zumo de naranja, la ralladura y el zumo de limón. • Separe las yemas de las claras. Bata las yemas con 50 g de azúcar al baño maría. • Escurra las hojas de gelatina, disuélvalas en el zumo de frutas y mezcle éste con la crema de yemas. Déjelo enfriar. Bata las claras de huevo a punto de nieve con el azúcar restante. • Bata la crema de leche hasta que esté espesa; mézclela con el licor. • Mezcle con cuidado las claras batidas y la crema montada con la crema ligeramente cuajada, vierta en el molde y guárdelo 2 horas en el frigorífico. • Esparza los pistachos picados por encima.

Empanada de pacanas

A la derecha de la foto

Ingredientes para 1 tartera
de 24 cm de diámetro:

Para la pasta:

150 g de mantequilla fría

1 yema de huevo

300 g de harina · 1 pizca de sal

Para el relleno:

4 huevos · 300 g de glucosa

40 g de harina

60 g de mantequilla

1 cucharadita de vainilla molida

400 g de nueces pacanas

Especialidad de los Estados Unidos

Cortada en 10 porciones, cada una contiene unos 3 230 kJ/ 770 kcal · 27 g de proteínas 58 g de grasas · 76 g de hidratos de carbono

Tiempo de preparación: 45 min
Tiempo de honeado: 30 min

Amase la mantequilla con la harina, la sal, la yema de huevo y un poco de agua fría. • Deje reposar la pasta tapada 30 minutos en el frigorífico. • Precaliente el horno a 180 °C. • Bata los huevos y mézclelos con la glucosa. • Mezcle la harina, la mantequilla derretida, la vainilla y las pacanas partidas por la mitad con la mezcla de glucosa. • Extienda la pasta con el rodillo. Recorte un disco de 28 cm de diámetro y otro de 24 cm. • Cubra el molde con el disco más grande. • Llénelo con la mezcla de pacanas, tápelo con el disco pequeño y pincele ambos discos de pasta. • Recorte el centro de la capa superior en forma de estrella, doblando las puntas de la misma hacia fuera unos 3 cm, de forma que el relleno quede visible. • Hornee la empanada 30 minutos.

Manzanas y albaricoques servidos calientes

Horneados y caramelizados, para chuparse los dedos

Manzanas asadas flameadas

A la izquierda de la foto

4 manzanas ácidas grandes
100 g de pasas sultanas
2 cucharadas de ron
50 g de pasta cruda de mazapán
1 pizca de canela molida
1 cucharada de azúcar vainillado
½ limón
4 cucharadas de calvados

Fácil

Por persona, unos 1 700 kJ/ 400 kcal · 5 g de proteínas 15 g de grasas · 56 g de hidratos de carbono

Tiempo de preparación: 20 minutos
Tiempo de horneado: 30 minutos

Precaliente el horno a 200 °C. • Cubra una fuente de hornear con papel sulfurizado. • La-ve las manzanas, séquelas y quíteles el corazón con un vaciador. • Lave las pasas sultanas con agua caliente, séquelas y mézclelas con el ron y las avellanas picadas. • Trocee finamente la masa cruda de mazapán y añádala junto con la canela y el azúcar vainillado a las pasas. • Lave el limón con agua caliente, séquelo, ralle la peladura y exprim el zumo. • Mezcle ambas con la masa de mazapán. • Rellene las manzanas con ellos, póngalas en la fuente y áselas en el centro del horno durante 30 minutos. • Sirva las manzanas asadas en platos de postre. Caliente el calvados en la mesa en un cucharón sobre la llama de una vela, préndale fuego y rocíelo sobre las manzanas asadas.

Nuestra sugerencia: Si no desea flamear las manzanas asadas, puede servirlas con una salsa sabayón.

Albaricoques con trigo

A la derecha de la foto

500 g de albaricoques
80 g de trigo recién triturado grueso
100 g de almendras groseramente picadas
100 g de miel
1 de crema de leche espesa
1 pizca de vainilla molida

Receta integral • Fácil

Por persona, unos 2 400 kJ/ 570 kcal · 10 g de proteínas 34 g de grasas · 55 g de hidratos de carbono

Tiempo de preparación:30 minutos

Lave los albaricoques con agua tibia, frótelos bien para secarlos, pártalos por la mitad y deshuéselos. Vuelva a cortar las mitades de albaricoque por la mitad. • Tueste el trigo triturado y las almendras en una sartén de fondo grueso a fuego moderado, removiendo constantemente, hasta que la masa se oscurezca y desprenda un agradable aroma. • Agregue a ello los albaricoques y la miel, sin dejar de remover, hasta que la miel empiece a caramelizarse. • Mezcle la crema de leche con la vainilla con la preparación anterior y déjelo hervir 1 minuto más sin parar de remover. • Vierta el dulce en una fuente precalentada y sírvalo caliente.

Nuestra sugerencia: En vez de albaricoques, este postre puede prepararse con melocotones, nectarinas o ciruelas.

Tarta Tatín

Este postre de manzanas caramelizadas es uno de los favoritos de los franceses

Ingredientes para 1 tartera de
26 cm de diámetro:

1 kg de manzanas (reineta)
2 cucharadas de zumo de limón
4 cucharadas de azúcar
50 g de mantequilla
200 g de harina
100 g de mantequilla
1 cucharada de azúcar glas
1 yema
1 pizca de sal

Receta clásica • Elaborada

Cortada en 8 porciones, cada
una contiene unos 1 600 kJ/
380 kcal · 5 g de proteínas
20 g de grasas · 41 g de hidratos
de carbono

Tiempo de preparación: 1 hora
Tiempo de cocción: 20 minutos

Pele las manzanas. Corte las
pequeñas por la mitad y cuartee las grandes, quíteles el corazón y páselas por el zumo de limón. • Espolvoree el azúcar en el
molde. Eche la mantequilla cortada en copos sobre el azúcar. Coloque los trozos de manzana y
uno al lado del otro en el molde.
• Derrita la mantequilla sobre
fuego lento. • Suba el fuego, caramelice el azúcar y déjelo hervir
ligeramente. • Aplaste un poco
las manzanas. En cuanto las manzanas estén blandas, quíteles un
poco del líquido caramelizado.
Aparte el molde del fuego y deje
enfriar las manzanas. • Para la
pasta, amase la harina con la
mantequilla, el azúcar glas, la yema de huevo, la sal y 5 cucharadas de agua. • Precaliente el horno a 250 ℃. • Extienda la pasta
formando un disco de 28 cm y
3 mm de grosor. Ponga las manzanas sobre el disco y doble el
borde sobre éstas. • Hornee la
tarta en el centro del horno durante 20 minutos hasta que esté
dorada. Déjela reposar después
otros 10 minutos en el horno des-
conectado. • Vuelque la tarta en
una fuente y sírvala con crema de
leche batida.

Gratinado de kiwis

Rico en proteínas y vitaminas, ligero y de fácil digestión

Melocotones rellenos

Un placer para la vista y el paladar

Ingredientes para 1 fuente
refractaria:

2 huevos · 250 g de requesón

1 dl de crema de leche espesa

3 cucharadas de licor de kiwis
o Grand Marnier · 1 pizca de sal

2 cucharadas de azúcar · 4 kiwis

Para el molde:

1 cucharada de mantequilla
y 4 cucharadas de almendras
molidas

Para espolvorear:

2 cucharadas de azúcar glas

Receta clásica • Elaborada

Cortada en 6 porciones, cada
una contiene unos 1 070 kJ/
260 kcal · 12 g de proteínas
12 g de grasas · 16 g de hidratos
de carbono

Tiempo de preparación: 45 min
Tiempo de horneado: 15 min

Precaliente el horno a 220 °C.
Unte la fuente con la mantequilla y espolvoréelo con las al-

mendras molidas. • Separe las
yemas de las claras. • Bata el requesón con la crema de leche
hasta que quede cremoso y mézclelo con las yemas y el licor. •
Bata las claras a punto de nieve
con la sal, espolvoree por encima
el azúcar y siga batiendo hasta
que queden brillantes. Agregue
las claras montadas a la preparación de requesón. • Pele los kiwis
y córtelos en rodajas de aproximadamente ½ cm de grosor. •
Vierta la crema de requesón en el
molde y cúbrala con las rodajas
de kiwi, superponiéndolas. •
Cueza el gratín en el centro del
horno durante 15 minutos, hasta
que esté dorado. • Espolvoree el
gratín con el azúcar glas y sírvalo
inmediatamente.

Nuestra sugerencia: El postre
puede prepararse también con
frutas exóticas como papayas,
chirimoyas o mangos. Utilice un
licor de sabor adecuado al de cada fruta.

---

4 melocotones grandes

⅛ l de agua

100 g de azúcar

½ limón

3 claras

1 pizca de canela molida

4 cucharadas de confitura
de arándanos

50 g de almendras fileteadas

Rápida • Fácil

Por persona, unos 1 300 kJ/
310 kcal · 12 g de proteínas
8 g de grasas · 50 g de hidratos
de carbono

Tiempo de preparación: 15
minutos
Tiempo de horneado: 10
minutos

Precaliente el horno a 240 °C.
Cubra una fuente de hornear
con papel de sulfurizado. • Pinche los melocotones varias veces
con un tenedor, escáldelos breve-

mente en agua hirviendo, pélelos,
pártalos por la mitad y quíteles los
huesos. • Mezcle el agua con
50 g de azúcar. Exprima el limón
y vierta el zumo en el agua. Blanquee en ella los melocotones tapados 7 minutos a fuego lento.
Bata las claras a punto de nieve,
agregue el azúcar restante y la canela sobre las claras batidas y bata ambos ingredientes otros 2 minutos con las claras. • Mezcle la
confitura de arándanos con las almendras y llene con ello las mitades de melocotón escurridas. •
Coloque los melocotones en la
fuente, esparza las claras con una
cuchara sobre el relleno, llevando
pequeñas puntas de clara hacia
arriba. • Gratine los melocotones
en el piso superior del horno 10
minutos.

Nuestra sugerencia: Para ahorrar
energía es mejor gratinar los melocotones en el electrogrill.

Plátanos merengados

Los merengues se pueden preparar anticipadamente

125 g de azúcar glas	
2 claras	
1 cucharadita de zumo de limón	
2 plátanos	
1 cucharada de mantequilla	
2 cucharadas de fideos de chocolate	
Para la fuente:	
Papel sulfurizado y aceite	

Elaborada • Económica

Por persona, unos 1 200 kJ/
290 kcal · 8 g de proteínas
6 g de grasas · 51 g de hidratos
de carbono

Tiempo de preparación: 20
minutos
Tiempo de horneado: 2 horas
Tiempo de elaboración: 20
minutos

Precaliente el horno a 100 °C.
Unte ligeramente la fuente de
hornear con aceite y cúbrala con
papel sulfurizado. • Tamice el
azúcar glas sobre un trozo de papel sulfurizado. • Bata las claras a
punto de nieve con el zumo de
limón, espolvoree sobre ellas el
azúcar glas y siga batiendo hasta
que estén brillantes. • Ponga las
claras montadas en una manga
pastelera provista de boquilla redonda y forme 4 tiras en forma
de plátano sobre el papel sulfurizado. • Meta los merengues en el
centro del horno durante 2 horas,
más bien a secarse que a cocerse,
manteniendo la puerta del horno
semiabierta y manteniéndola así
con una cuchara de madera. •
Pele los plátanos y córtelos por la
mitad a lo largo. • Derrita la mantequilla en una sartén y fría en
ella los plátanos por ambos lados
a fuego lento, hasta que empiecen a dorarse. • Ponga los plátanos sobre los merengues y esparza los fideos de chocolate por encima.

Plátanos fritos

Fáciles de preparar y especialmente sabrosos

150 g de harina	
6 cucharadas de vino blanco seco	
6 cucharadas de agua	
1 cucharada de aceite de semillas	
2 claras · 1 pizca de sal	
4 plátanos medianos	
2 cucharaditas de zumo de limón	
2 cucharaditas de azúcar glas	
2 cucharadas de azúcar	
1 cucharadita de canela molida	
Para freír:	
1 l de aceite de semillas	

Elaborada

Por persona, unos 1 700 kJ/
400 kcal · 11 g de proteínas
8 g de grasas · 70 g de hidratos
de carbono

Tiempo de preparación: 1½
horas

Para la pasta de freír eche la
harina en una ensaladera y
mézclela con el vino, el agua y el
aceite. • Bata las claras a punto
de nieve con la sal y añádalas cuidadosamente a la mezcla anterior.
Deje reposar la masa tapada durante 30 minutos. • Caliente el
aceite en una freidora o en una
sartén a 170 °C. Precaliente el
horno a 50 °C. • Corte los plátanos por la mitad a lo largo y vuélvalos a cortar. Rocíe los plátanos
con el zumo de limón y espolvoréelos con el azúcar glas. • Pase
los trozos de plátano con ayuda
de un tenedor por la pasta de
freír y fría cada vez de 2 a 3 trozos en el aceite caliente por ambos lados, hasta que estén dorados. • Deje escurrir los trozos fritos sobre papel de cocina y manténgalos calientes en una fuente
dentro del horno, hasta que haya
terminado de freír todos los trozos
de plátano. • Mezcle el azúcar
con la canela y espolvoree los
plátanos con ello.

Suflé de requesón

Constituye un cierre principesco para un menú festivo

Ingredientes para 6 moldes de suflé:
Para la salsa de albaricoques:
500 g de albaricoques maduros
¼ l de vino blanco seco
½ rama de canela
Para los suflés:
4 huevos
100 g de azúcar
1 pizca de sal
200 g de requesón
1 vaina de vainilla
2 cucharadas de ron
La ralladura de ½ limón
Para espolvorear:
1 cucharada de azúcar glas
Para los moldes: mantequilla

Especialidad austríaca

Por persona, unos 1 400 kJ/ 330 kcal · 14 g de proteínas 12 g de grasas · 32 g de hidratos de carbono

Tiempo de preparación: 40 min
Tiempo de horneado: 20-30 min

Lave los albaricoques, séquelos, córtelos por la mitad y elimine los huesos; blanquéelos en el vino, la canela y los clavos 10 minutos para ablandarlos y redúzcalos a puré con la batidora. • Reserve la salsa de albaricoques tapada. • Separe las yemas de las claras. Bata las yemas con el azúcar hasta que estén espumosas. Bata las claras a punto de nieve con la sal. • Añada el requesón a las yemas. • Abra la vaina de vainilla por la mitad, raspe su contenido y mézclelo con el ron, la ralladura de limón, el requesón y las yemas. • Precaliente el horno a 180 °C. • Llene una fuente de hornear con agua caliente. Unte los moldes con mantequilla. Incorpore con cuidado las claras montadas a la masa de requesón. Vierta la masa en los moldes y deje cocer los suflés en una placa y en el centro del horno de 20 a 30 minutos, hasta que estén dorados. • Espolvoree los suflés con el azúcar glas y sírvalos inmediatamente acompañado de la salsa de albaricoque.

Postres con tradición

Los populares, los elaborados,
los recordados con alegría y todos
aquéllos a los que siempre quiso atreverse, ahora sin
problemas gracias a las recetas originales experimentadas

Postres invernales

Las deliciosas cremas son fáciles de preparar y pueden dejarse en el frigorífico hasta el momento de servirlas

Crema de naranja

A la izquierda de la foto

4 hojas de gelatina · ⅛ l de agua

500 g de naranjas para exprimir

4 yemas de huevo

50 g de azúcar

1 cucharada de azúcar vainillado

2 cucharadas de Cointreau

2 claras de huevo

⅛ l de crema de leche espesa

Económica • Fácil

Por persona, unos 1 300 kJ/ 310 kcal · 18 g de proteínas 22 g de grasas · 32 g de hidratos de carbono

Tiempo de preparación: 30 min

Remoje las hojas de gelatina en agua fría. • Lave 1 naranja con agua caliente, séquela y ralle la corteza. Exprima el zumo de todas las naranjas. • Bata las yemas con el azúcar y el azúcar vainillado. • Caliente el zumo de naranja. Escurra las hojas de gelatina, deslíalas en el zumo de naranja caliente, mézclelo con el Cointreau y luego con la corteza de naranja y las yemas. • Reserve en el frigorífico. • Bata las claras a punto de nieve. Bata también la crema hasta que esté espesa. • Introduzca 2 cucharadas de la misma en una manga pastelera. Mezcle el resto con las claras batidas y la crema de naranjas a punto de cuajar y viértalo en copas de postre. • Corte finamente la corteza de ½ naranja y córtela en tiras finísimas (juliana). • Decore la crema con rosetones de nata y la juliana de corteza de naranja.

Nuestra sugerencia: La crema montada y las claras batidas se agregan a la crema sola cuando ésta todavía no ha cuajado. Si hubiese cuajado, ponga la crema brevemente en un baño maría caliente, hasta que esté más líquida.

Crema de moca

A la derecha de la foto

2 huevos

1 cucharadita de cacao en polvo

½ l de leche

6 hojas de gelatina · ¼ l de agua

4 cucharadas de azúcar

1 cucharada de azúcar vainillado

5 cucharaditas de café instantáneo

¼ l de crema de leche espesa

50 g de granos de café moca

Económica • Fácil

Por persona, unos 2 010 kJ/ 480 kcal · 16 g de proteínas 34 g de grasas · 28 g de hidratos de carbono

Tiempo de preparación: 40 minutos

Tiempo de refrigeración: 1 hora

Separe las yemas de las claras. • Bata bien las yemas con el cacao en polvo y 4 cucharadas de leche. • Remoje las hojas de gelatina en agua fría. • Ponga ¼ l de leche a hervir con el azúcar, el azúcar vainillado y el café instantáneo, removiendo constantemente y luego separe el cazo del fuego. • Bata la mezcla de yemas con la leche aromatizada. Escurra las hojas de gelatina y deslíalas en la mezcla. • Agregue a la preparación la leche fría y reserve en el frigorífico. • Bata la crema hasta que esté espesa y póngala también en el frigorífico. • Bata las claras a punto de nieve y añádalas a la crema de moca cuando ésta empiece a cuajar. • Agregue ⅔ de la crema montada, con ayuda de una cuchara en forma de espiral, a la crema para obtener un dibujo amarmolado. • Vierta la crema en copas de postre y déjela cuajar un poco más en el frigorífico. • Decore el postre con el resto de la crema de leche y los granos de café.

Carlota real

Este postre «real» fue inventado hace 200 años y se le dio el nombre de la esposa del rey Jorge III de Inglaterra

Ingredientes para 12 personas:
Para el bizcocho:
6 yemas · 100 g de azúcar
1 cucharada de azúcar vainillado
4 claras de huevo · 1 pizca de sal
100 g de harina
25 g de maicena
Para el recubrimiento:
480 g de confitura
de frambuesas
2 cucharadas de aguardiente
de frambuesas
Para la crema:
7 hojas de gelatina · ½ l de agua
4 yemas de huevo
100 g de azúcar
½ vaina de vainilla
El zumo de 1 naranja y 1 limón
¼ l de vino blanco seco
2 claras · 1 pizca de sal
¼ l de crema de leche espesa
Para espolvorear: azúcar

Elaborada

Por persona, unos 1 590 kJ/ 380 kcal · 9 g de proteínas 12 g de grasas · 55 g de hidratos de carbono

Tiempo de preparación: 1¼ horas
Tiempo de refrigeración: 5 horas

Bata las yemas con 50 g de azúcar y el azúcar vainillado en la batidora eléctrica, hasta que el azúcar esté completamente disuelto. • Bata las claras con la sal, espolvoree sobre ellas el resto del azúcar y llévelas a punto de nieve. • Precaliente el horno a 200 °C. • Cubra una fuente para brazo de gitano con papel sulfurizado. • Agregue las claras batidas a la crema de yemas. Tamice la harina con la maicena por encima y mezcle con la batidora de varillas. • Extienda la pasta de bizcocho sobre la fuente y póngala a cocer en el piso superior del horno unos 12 minutos, hasta que esté dorada. • Espolvoree un lienzo con azúcar, vuelque el bizcocho sobre el mismo, quite el papel y cubra el bizcocho con un lienzo húmedo. • Remueva bien la confitura con el aguardiente de frambuesas a fuego lento, pase la mezcla por un tamiz y repártala sobre el bizcocho. • Forme un rollo con el bizcocho con ayuda del lienzo y déjelo enfriar debajo del lienzo húmedo. • Remoje las hojas de gelatina en agua fría. • Bata las yemas con el azúcar. Abra la vaina de vainilla por la mitad, a lo largo, raspe su contenido y mézclelo con la crema de yemas. • Cuele el zumo de frutas y caliéntelo. Escurra las hojas de gelatina y deslíalas en el zumo caliente. • Remueva el vino con la crema de yemas y agregue, poco a poco, el líquido gelatinoso con la batidora de varillas. Ponga la crema a enfriar en el frigorífico. • Bata las claras con la sal a punto de nieve. Bata la crema de leche hasta que esté espesa. En cuanto a la crema, empiece a cuajar, agregue las claras batidas y la crema montada, con la batidora, a la crema y ponga ésta de nuevo en el frigorífico. • Corte el rollo de bizcocho en rodajas de, aproximadamente, 1 cm de grosor y cubra con ellas un molde redondo. Vierta la crema sobre las rodajas de bizcocho y alísela. • Deje enfriar la Carlota como mínimo 5 horas en el frigorífico. • Antes de servir, vuélquela sobre una fuente y córtela en 12 trozos iguales, como un pastel.

Nuestra sugerencia: Con las claras sobrantes puede preparar merengue; para ello bata las claras a punto de nieve con 200 g de azúcar y 1 cucharada colmada de maicena, forme merengues planos, con la manga pastelera, sobre la placa del horno, póngalos a 100 °C durante 2 horas, más bien a secar que a cocer, manteniendo la puerta del horno entreabierta y luego conserve los merengues en una lata.

Cremas para refinados

Antaño ya eran postres populares

Crema de té

A la izquierda de la foto

Ingredientes para 4 moldes
de 2 dl de capacidad:
8 cucharaditas de té negro
1 dl de agua hirviendo
100 g de azúcar moreno
½ l de crema de leche espesa
3 yemas
1 cucharadita de zumo de limón
Para los moldes:
Aceite de semillas
4 cucharaditas de azúcar de caña
granulado

Receta clásica • Elaborada

Por persona, unos 2 310 kJ/
550 kcal · 15 g de proteínas
64 g de grasas · 34 g de hidratos
de carbono

Tiempo de preparación: 30 min
Tiempo de cocción: 25 min
Tiempo de refrigeración: 2 horas

E che las hojas de té en una jarra precalentada, vierta encima el agua hirviendo y deje reposar 2 minutos. Cuele el té y mézclelo con el azúcar moreno. • Reserve ⅛ l de la crema y guárdela en el frigorífico. Ponga el resto en un cazo sobre el fuego, dándole vueltas y déjela espesar un poco, apártela del fuego e incorpórele, batiendo, las yemas de huevo. Añada el té en un chorrito fino. Siga batiendo la crema a fuego lento hasta que esté espesa. • Precaliente el horno a 160 °C. Vierta agua hirviendo en una fuente de hornear. Unte los moldes con aceite y espolvoréelos con el azúcar de caña. • Vierta la crema en los moldes y déjela cuajar al baño maría en el piso inferior del horno durante 25 minutos. • Ponga la crema a enfriar en el frigorífico. Bata el resto de la crema hasta que esté espesa, mézclela con el zumo de limón y sírvala sobre la crema.

Crema rusa

A la derecha de la foto

4 hojas de gelatina
⅛ l de agua · 6 yemas
150 g de azúcar glas
1½ cucharaditas de ralladura
de naranja
⅛ l de vino blanco seco
2 cucharadas de vodka
2 cucharadas de zumo de
naranja
2 dl de crema de leche espesa

Receta clásica • Elaborada

Por persona, unos 1 760 kJ/
420 kcal · 26 g de proteínas
64 g de grasas · 42 g de hidratos
de carbono

Tiempo de preparación: 45 min
Tiempo de refrigeración: 2 horas

R emoje las hojas de gelatina en agua fría. • Bata las yemas en un cuenco, espolvoree el azúcar glas por encima y bata la mezcla con ½ cucharadita de ralladura de naranja hasta que esté espumosa. Incorpore lentamente el vino blanco y el vodka y siga removiendo unos minutos más. • Caliente el zumo de naranja. Escurra las hojas de gelatina y removiendo, deslíalas en el zumo caliente. Mezcle la gelatina con la crema y reserve ésta en el frigorífico. • Bata la crema de leche hasta que esté espesa. En cuanto la crema empiece a cuajar, añádale la crema batida, remueva y vierta la crema en una fuente de servicio, tápela y guárdela en el frigorífico para que cuaje y se enfríe. • Esparza el resto de la ralladura de naranja sobre la crema rusa antes de servirla.

«Paskha»

Este postre tradicional ruso de la Pascua puede prepararse el día anterior

Ingredientes para una budinera de 1½ l de capacidad:
1 kg de requesón descremado
200 g de frutas confitadas variadas
25 g de cidra y naranja confitadas
50 g de almendras molidas
1 cucharadita de vainilla molida
175 g de mantequilla ablandada
2 dl de crema de leche espesa
3 yemas
175 g de azúcar
50 g de almendras peladas

Receta clásica • Elaborada

Cortado en 8 porciones, cada una contiene unos 2 800 kJ/ 670 kcal · 26 g de proteínas 59 g de grasas · 50 g de hidratos de carbono

Tiempo de preparación: 1½ h
Tiempo de refrigeración: 12 h

Coloque una muselina sobre un tamiz. Eche en él el requesón, tápelo con un lienzo y oprímalo para que escurra el líquido. • Trocee 100 g de las frutas confitadas y pique finamente la cidra y la naranja, luego mézclas con las almendras y la vainilla. • Tamice el requesón. Bata la mantequilla hasta que esté espumosa y mézclela con el requesón. • Caliente la crema de leche. Bata las yemas con el azúcar en un cazo alto y agrégueles poco a poco la crema de leche, caliéntelo todo removiendo constantemente, pero sin dejar hervir. Ponga el cazo en un cuenco lleno de agua con hielo y deje enfriar la crema. • Agregue a la preparación la mezcla de frutas y, cucharada a cucharada, el requesón. • Cubra la budinera con una muselina húmeda, deje que los bordes queden colgando y vierta dentro la mezcla. Doble los extremos de la muselina por encima y apriete un poco la masa. Reserve el molde 12 horas en el frigorífico. • Vuelque el «Paskha» y retire la muselina. • Tueste ligeramente las almendras. Decore el «Paskha» con las almendras y el resto de las frutas confitadas.

Flanes al caramelo

Este flan puede conservarse durante 24 horas en el frigorífico

Ingredientes para 8 flaneros:

150 g de azúcar

½ l de leche

1 cucharadita de vainilla molida

4 huevos

4 yemas

Para engrasar: mantequilla

Elaborada • Económica

Por persona, unos 840 kJ/
200 kcal · 13 g de proteínas
21 g de grasas · 18 g de hidratos
de carbono

Tiempo de preparación: 30 min
Tiempo de cocción: 40-50 min
Tiempo de refrigeración: 3 horas

Engrase los flaneros con mantequilla. • Caramelice 100 g de azúcar con 5 cucharadas de agua removiendo constantemente, hasta que no salga ya más vapor de agua y el azúcar esté caramelizado. Reparta el caramelo inmediatamente, cucharada a cucharada, en los flaneros y muévalos de forma que queden completamente recubiertos con el caramelo. • Caliente la leche con la vainilla. Mezcle a fondo los huevos con las yemas y el resto del azúcar. Agregue lentamente la leche vainillada a la crema de huevo con ayuda de la batidora de varillas. • Precaliente el horno a 175 °C. Llene la bandeja del horno con el agua necesaria para alcanzar la mitad de la altura de los moldes. • Vierta la mezcla de leche y huevos en los mismos. Ponga los flaneros en la bandeja del horno y deje cuajar los flanes en el centro del mismo durante 40 minutos. • Compruebe si los flanes están suficientemente firmes, presionando ligeramente con el dedo; en caso necesario, déjelos hornear unos minutos más. • Deje enfriar un poco los moldes y póngalos en el frigorífico un mínimo de 3 horas. • Antes de servirlos pase un cuchillo afilado alrededor de los bordes y vuelque los flanes en platos.

Mousses famosas

Con café o con chocolate, estos postres son siempre una delicia

Mousse de chocolate

A la izquierda de la foto

Ingredientes para 8 personas:
100 g de chocolate negro amargo
100 g de chocolate extrafino
100 g de mantequilla · 6 huevos
2 cucharadas de ralladura de naranja
3 cucharadas de Grand Marnier
1 pizca de sal
2 cucharadas de azúcar glas
⅛ l de crema de leche espesa

Especialidad francesa ●
Elaborada

Por persona, unos 1 470 kJ/ 350 kcal · 11 g de proteínas 31 g de grasas · 17 g de hidratos de carbono

Tiempo de preparación: 1 hora
Tiempo de refrigeración: 5 horas

Trocee el chocolate y déjelo derretir con 1 cucharada de agua al baño maría. Añádale la mantequilla en copos y remueva hasta que ambos queden bien ligados. Mantenga el chocolate caliente al baño maría. ● Separe las yemas de las claras. Bata las yemas con 1 cucharada de agua al baño maría. Mezcle la ralladura de naranja, el licor y el chocolate con las yemas. ● Bata las claras de huevo a punto de nieve con la sal. ● Tamice el azúcar glas sobre la crema de leche, bátala hasta que esté firme y agréguela con las claras batidas a la mezcla de chocolate. ● Deje cuajar la mousse unas 5 horas en el frigorífico.

Crema de café con guindas

A la derecha de la foto

3 cucharaditas de café instantáneo
400 g de guindas
2 cucharadas de azúcar
5 cucharadas de vino blanco o mosto no azucarado
1 pizca de sal
3 cucharadas de azúcar glas
¼ l de crema de leche espesa

Fácil ● Receta clásica

Por persona, unos 1 680 kJ/ 400 kcal · 9 g de proteínas 26 g de grasas · 29 g de hidratos de carbono

Tiempo de preparación: 30 min
Tiempo de refrigeración: 1 hora

Mezcle 1 cucharada de agua caliente con el café en polvo y déjelo enfriar. ● Lave las guin-

das y deshuéselas. ● Mezcle el azúcar con el vino o el mosto, rocíelo sobre las guindas y cuézalas tapadas de 5 a 7 minutos a fuego lento. ● Ponga a escurrir las guindas en un colador, recoja el zumo y póngalo con las guindas en el frigorífico. ● Separe las yemas de las claras. Bata las claras a punto de nieve con la sal. Bata las yemas con el azúcar glas y agrégueles, poco a poco, el zumo de guindas frío. ● Reparta las guindas en 4 copas de postre. Bata la crema de leche hasta que esté espesa y mézclela con el café. Incorpore con cuidado las claras batidas y la crema montada a la crema de yemas. Reparta la crema de café sobre las guindas y sírvala inmediatamente.

Variantes de la mousse de chocolate

Las mousses son una exquisita seducción en todas sus variantes

Mousse de chocolate blanco

A la izquierda de la foto

Ingredientes para 6 personas:
200 g de chocolate blanco
2 cucharadas de aguardiente de frambuesas · 2 claras
50 g de crema de leche espesa
1 petit suisse grande natural
2 cucharadas de azúcar
vainillado · 1 pizca de sal
⅛ l de crema de leche espesa
500 g de frambuesas
2 cucharadas de azúcar glas
12 hojitas de menta

Fácil

Por persona, unos 1 680 kJ/
400 kcal · 8 g de proteínas
25 g de grasas · 34 g de hidratos
de carbono

Tiempo de preparación: 40 min
Tiempo de refrigeración: 2 horas

Parta el chocolate en trozos pequeños, mézclelo con aguardiente de frambuesas y déjelo derretir al baño maría, removiéndolo constantemente. Después añádale la crema y el petit suisse removiendo. • Bata las claras con la sal, espolvoréelas con el azúcar vainillado y siga batiéndolas hasta que estén a punto de nieve. Bata el resto de la crema de leche hasta que esté espesa. • Mezcle con cuidado las claras y la crema batida con la crema de chocolate blanco, vierta la mezcla en una ensaladera y déjela cuajar en el frigorífico 2 horas. • Lave las frambuesas, déjelas escurrir y páselas por un tamiz. Bata el puré de frambuesas con el azúcar glas. Lave las hojitas de menta y séquelas. • Antes de servir, reparta el puré de frambuesas en platos de postre. Forme porciones de la mousse con una cuchara mojada en agua fría y póngalas sobre el puré de frambuesas. Esparza las hojitas de menta por encima.

Mousse amarmolada

A la derecha de la foto

Ingredientes para 6 personas:
150 g de chocolate negro extrafino y blanco
3 huevos
¼ l de crema de leche espesa
2 cucharadas de azúcar
3 cucharadas de café expreso
3 cucharadas de ron blanco
Para espolvorear: azúcar glas

Especialidad

Por persona, unos 2 100 kJ/
500 kcal · 10 g de proteínas
34 g de grasas · 34 g de hidratos
de carbono

Tiempo de preparación: 35 min
Tiempo de refrigeración: 2 horas

Trocee los dos tipos de chocolate y déjelos derretir por separado con 1 cucharada de agua al baño maría. • Separe las yemas de las claras. • Bata las claras a punto de nieve. • Bata también la crema hasta que esté espesa. • Bata las yemas con el azúcar y 2 cucharadas de agua caliente hasta que el azúcar se haya disuelto del todo. • Divida la crema de yemas en dos partes. Mezcle lentamente con una el chocolate extrafino y el café expreso. Bata el chocolate blanco y el ron con el resto de la crema de yemas. • Divida las claras batidas y la crema de leche también en dos partes y agréguelas, respectivamente, a las dos cremas con una espátula. • Vierta la mousse oscura en una ensaladera, eche la mousse blanca por encima y mezcle ambas en forma de espiral con un tenedor. • Ponga la mousse en el frigorífico durante 2 horas y déjela cuajar. • Espolvoree 6 platos de postre con el azúcar glas. Forme porciones de la mousse del mismo tamaño con una cuchara mojada en agua fría y repártalas en los platos.

Peras con salsa de chocolate

Una combinación de sabores clásica

Crema de arce con nueces

Un postre especial, que no sólo gusta a los niños

150 g de almendras blancas peladas
75 g de miel
2 cucharadas de agua de rosas
100 g de chocolate endulzado con miel (tienda de productos dietéticos)
2 peras bien maduras
1 clara de huevo
1 dl de crema de leche espesa

Receta integral • Elaborada

Por persona, unos 2 350 kJ/ 560 kcal · 12 g de proteínas 36 g de grasas · 47 g de hidratos de carbono

Tiempo de preparación: 40 mins

Para el mazapán, muela muy finamente las almendras o píquelas en el robot eléctrico. • Mezcla bien las almendras con la miel; para ello ponga el cazo en una cacerola con agua caliente y remueva hasta obtener una masa elástica. Incorpore removiendo el agua de rosas al mazapán. • Parta el chocolate en trozos y déjelo derretir en un cazo pequeño a fuego extremadamente lento o al baño maría caliente. • Lave las peras con agua caliente, frótelas con un lienzo, pártalas por la mitad a lo largo, quíteles el corazón y póngalas con la superficie de corte sobre un plato de postre. • Bata la clara a punto de nieve y añádala con cuidado al mazapán. • Bata la crema de leche hasta que esté espesa y póngala en una manga pastelera provista de boquilla rizada. • Cubra las mitades de pera con la masa de mazapán. Vierta la salsa de chocolate por encima dándole forma bonita. Adorne las peras con copos de nata.

2 hojas de gelatina
⅛ l de agua
50 g de harina de arroz integral
1 pizca de vainilla en polvo
10 cucharadas de jarabe de arce o miel
100 g de nueces peladas
50 g de crema de leche espesa ·
1 petit suisse grande natural
2 cucharadas de zumo de limón
2 dl de crema de leche espesa

Receta integral • Coste medio

Por persona, unos 2 300 kJ/ 550 kcal · 8 g de proteínas 44 g de grasas · 33 g de hidratos de carbono

Tiempo de preparación: 30 min
Tiempo de refrigeración: 1 hora

Remoje las hojas de gelatina en agua fría. • Mezcle la harina de arroz con la vainilla y deslíala en 1 dl de agua. Ponga a hervir ¼ l de agua, vierta en ella la harina de arroz desleída removiendo constantemente, y déjela cocer ligeramente unos 3 minutos. • Aparte el cazo del fuego y agregue 2 cucharadas de jarabe de arce o miel a la preparación. • Aparte 4 trozos de nuez. Pique el resto y dórelo ligeramente en una sartén seca, removiéndolo constantemente, agregue 4 cucharadas de jarabe de arce y deje caramelizar ligeramente a fuego moderado. Mezcle las nueces calientes con el puré de arroz. • Escurra las hojas de gelatina, añádalas al puré de arroz aún caliente y disuélvalas en él. Agregue la crema de leche, el petit suisse y el zumo de limón al arroz. • Bata el resto de la crema de leche y mézclela con cuidado a la crema entibiada y ponga a enfriar ésta en el frigorífico. • Sirva la crema en platos o cuencos individuales, adórnela con 1 trozo de nuez y 1 cucharada de jarabe de arce o miel y no la sirva demasiado fría.

Exquisiteces veraniegas

Al comprar, elija frutos maduros de fuerte aroma

Crema de uvas espinas («Trifle»)

A la izquierda de la foto

Ingredientes para 6 personas:
500 g de uvas espinas
150 g de azúcar de caña
granulado · ⅛ l de agua
½ l de leche
4 bizcochos de soletilla
1 dl de vino de Madeira
12 almendrados · 4 huevos
5 rodajas de piña y gajos de
naranja confitados
⅛ l crema de leche espesa
2 cucharaditas de azúcar
vainillado

Especialidad inglesa • Elaborada

Por persona, unos 2 400 kJ
520 kcal · 14 g de proteínas
33 g de grasas · 81 g de hidratos
de carbono

Tiempo de preparación: 1 hora
Tiempo de refrigeración: 4 horas

Lave las uvas espinas y cuézalas con el agua y 100 g del azúcar de caña, tapadas a fuego lento durante 10 min. Déjelas enfriar. • Bata los huevos con el resto del azúcar de caña, hasta que estén espumosos. Caliente la leche. • Mezcle despacio la leche caliente con la mezcla de huevo y caliéntela a fuego mínimo removiendo hasta que la crema esté espesa. • Ponga la crema en una fuente con cubitos de hielo y, déjela enfriar removiéndola. • Forre una fuente de cristal con los bizcochos de soletilla y rocíe éstos con el vino de Madeira. Coloque encima las uvas espinas. Ponga sobre ellas los almendrados y mójelos también con el vino de Madeira. • Vierta la crema sobre los almendrados. Ponga el postre en el frigorífico y déjelo cuajar. • Trocee las frutas confitadas. Bata la crema hasta que esté espesa con el azúcar vainillado, extiéndala sobre el postre y adórnelo con las frutas.

Postre de melón

A la derecha de la foto

1 melón tipo cantalupo de
750 g aproximadamente
8 hojas de gelatina · 5 huevos
150 g de azúcar · ½ l de agua
⅛ l de vino blanco seco
1 cucharada de zumo de limón
1 pizca de sal · 1 rama de menta
⅛ l de crema de leche espesa

Elaborada

Por persona, unos 1 630 kJ/
390 kcal · 22 g de proteínas
24 g de grasas · 50 g de hidratos
de carbono

Tiempo de preparación: 1 hora
Tiempo de cuajado: 4 horas

Corte el melón por la mitad y quítele las pepitas. Separe la pulpa de la cáscara de una de las mitades del melón. Retire la pulpa de la otra mitad con un vaciador y deje las bolas de melón aparte tapadas. • Remoje las hojas de gelatina en el agua. • Separe las yemas de las claras de 3 huevos. Bata las yemas con los huevos enteros y el azúcar, hasta que estén espumosos. • Bata la masa de yemas al baño maría hasta que esté cremosa y añádale despacio el vino, mezclado con el zumo de limón. Siga removiendo hasta que la masa espese, apártela después del fuego, pero manténgala caliente al baño maría. • Escurra las hojas de gelatina y deslíalas en la crema caliente. • Reduzca a puré la pulpa del melón, mézclela con la crema, pásela por un tamiz y métala en el frigorífico. • Bata las claras a punto de nieve con la sal. En cuanto la crema empiece a cuajar, agréguele las claras montadas con las bolas de melón. • Deje cuajar la crema en el frigorífico. • Adorne el postre con hojitas de menta. • Bata la crema de leche hasta que empiece a espesarse y sírvala aparte con el postre.

Merengues de caquis

Un postre muy original

100 g de azúcar glas
2 claras
1 cucharadita de zumo de limón
2 hojas de gelatina
⅛ l de agua
4 caquis
2 cucharadas de azúcar glas
2 cucharadas de zumo de limón
⅛ l de crema de leche espesa

Elaborada • Coste medio

Por persona, unos 1 200 kJ/
290 kcal · 11 g de proteínas
10 g de grasas · 40 g de hidratos
de carbono

Tiempo de preparación: 1 hora
Tiempo de horneado: 2 horas
Tiempo de cuajado: 1 hora

Precaliente el horno a 100 °C. Unte una placa de hornear con grasa y cúbrala con papel sulfurizado. Marque en él 4 círculos igual de grandes. • Tamice el azúcar glas sobre el papel. • Bata las claras a punto de nieve junto con el zumo de limón, espolvoree lentamente sobre ellas el azúcar glas y siga batiéndolas hasta que brillen. • Introduzca el merengue en una manga pastelera provista de boquilla rizada y rellene con ella los círculos sobre el papel en forma de espiral. Ponga rosetas de merengue en los bordes de los círculos. • Deje secar los merengues en el centro del horno durante 2 horas. Para ello, deje la puerta del horno entreabierta con una cuchara de madera. • Deje enfriar los merengues sobre una rejilla. • Ponga las hojas de gelatina a remojar en el agua. Corte 3 caquis por la mitad, pélelos, páselos por un tamiz de nilón y mézclelos con el azúcar en glas. • Caliente el zumo de limón con 1 cucharada de agua. Escurra las hojas de gelatina y deslíalas en el zumo de limón. Mezcle el puré de frutas con el zumo de limón. • Bata la crema de leche hasta que esté espesa, remuévala con el puré de frutas y deje cuajar 1 hora en el frigorífico. • Pele el cuarto caqui y trocéelo. Ponga los merengues en los platos, cúbralos con el puré de frutas y adórnelos con los trocitos de caqui.

Pudín integral

Conocido y apreciado por mayores y pequeños

«Zuppa romana»

El alquermes es un licor de hierbas florentino

Ingredientes para 1 molde provisto de tapa de 1½ l de capacidad:

80 g de sémola integral
20 g de cacao en polvo
70 g de azúcar de caña granulado
La ralladura de 1 naranja
½ cucharadita de vainilla molida
¼ l de leche · 100 g de miel
50 g de mantequilla
100 g de almendras peladas molidas · 4 huevos
2 dl de crema de leche espesa
Para el molde: mantequilla y pan integral rallado

Receta integral

Cortado en 8 porciones, cada una contiene unos 1 800 kJ/ 430 kcal · 12 g de proteínas 28 g de grasas · 31 g de hidratos de carbono

Tiempo de preparación: 40 min
Tiempo de cocción: 2 horas

Mezcle la sémola con el cacao, ⅓ del azúcar de caña, la ralladura de naranja y un poco de vainilla. • Hierva la leche, incorpórele removiendo la mezcla de sémola y déjela cocer durante 2 minutos. • Aparte el cazo del fuego, bata la mantequilla, la miel y las almendras con la sémola caliente y déjela enfriar. • Unte el molde con mantequilla y espolvoréelo con el pan rallado. • Separe las yemas de las claras. Mezcle las yemas con la masa de sémola. • Bata las claras a punto de nieve con ⅓ del azúcar de caña y añádalas con cuidado a la masa de sémola. Vierta la mezcla en el molde, ciérrelo con la tapa, póngalo en una cacerola con agua hirviendo y déjelo cocer durante 1 hora. • Bata la crema de leche con el resto del azúcar de caña y la vainilla restante. Deje enfriar un poco el pudín, vuélquelo sobre una fuente y sírvalo con la crema vainillada.

Para el bizcocho:

3 huevos · 80 g de azúcar
1 cucharada de azúcar vainillado
1 pizca de sal
50 g de harina
30 g de maicena

Para el relleno:

½ l de leche
1 cucharada de azúcar vainillado
5 huevos · 120 g de azúcar
30 g de harina
150 g de frutas confitadas
3 cucharadas de alquermes u otro licor de hierbas
100 g de azúcar glas

Receta clásica

Cortada en 8 porciones, cada una contiene unos 2 010 kJ/ 480 kcal · 16 g de proteínas · 27 g de grasas · 67 g de hidratos de carbono

Tiempo de preparación: 2 horas
Tiempo de refrigeración: 3 horas

Precaliente el horno a 180 °C. • Separe las yemas de las claras; bata las yemas con el azúcar y el azúcar vainillado hasta que blanqueen. Bata las claras a punto de nieve con la sal e incorpórelas, con la harina y la maicena, a las yemas. • Vierta la masa de bizcocho en un molde de fondo desmontable forrado, hornee 25 min y déjelo enfriar. • Caliente la leche con el azúcar vainillado. • Separe las yemas de las claras. Bata las yemas con el azúcar y la harina, agregue la leche caliente, hierva y deje enfriar. • Trocee las frutas confitadas. • Corte el bizcocho en trozos de ½ cm de grosor. • Precaliente el horno a 160 °C. • Forre la base de un molde para gratinar con las tiras de bizcocho y rocíelas con el licor. Cúbralo por capas con la crema y las frutas. • Bata las claras de huevo a punto de nieve con el azúcar glas, extiéndalas sobre el postre y hornee durante 15 min. • Reserve en el frigorífico hasta servirlo.

Flanes de canela con crema de Armagnac

Un postre discreto para conocedores

Ingredientes para 6 moldes de suflé:
125 g de ciruelas pasas deshuesadas · 1 pizca de sal
6 cucharadas de Armagnac
100 g de pan de especias y miel
3 cucharaditas de canela molida
1 pizca de clavo molido
50 g de chocolate rallado
4 huevos · 100 g de mantequilla
2 cucharadas de azúcar glas
50 g de nueces picadas
50 g de crema de leche espesa
1 petit suisse grande natural
6 hojitas de menta
Para los moldes:
mantequilla y azúcar

Receta clásica • Elaborada

Por persona, unos 2 310 kJ/ 550 kcal · 11 g de proteínas 38 g de grasas · 39 g de hidratos de carbono

Tiempo de maceración: 12 horas
Tiempo de preparación: 1 hora
Tiempo de cocción: 20 minutos

Ponga las ciruelas pasas a macerar en el Armagnac durante 12 horas. • Desmigaje bien el pan de especias en el robot eléctrico y mézclelo con la canela, el clavo molido y el chocolate rallado. • Separe las yemas de las claras. • Bata la mantequilla hasta que esté cremosa, agregue el azúcar glas y mezcle con las yemas de huevo. • Bata las claras a punto de nieve con la sal, viértalas sobre la crema de mantequilla, esparza por encima la preparación de pan de especias y las nueces y mézclelo todo. • Precaliente el horno a 225 °C. Unte los moldes con mantequilla y espolvoréelos con azúcar. • Vierta la preparación en los moldes y hornéelos en el centro del horno de 17 a 20 minutos. • Vuelque los flanes en 6 platos de postre y déjelos enfriar. • Deje aparte 6 de las ciruelas. Bata el resto con la crema de leche y el petit suisse; si es necesario agregue un poco de vino blanco. Reparta la salsa alrededor de los flanes. Adorne los flanes con las ciruelas y las hojitas de menta.

Crema bávara

Este apreciado postre fue creado en el siglo XIV por la reina francesa Isabel de Baviera

Ingredientes para 6 personas:
6 hojas de gelatina · ¼ l de agua
1 vaina de vainilla · ¼ l de leche
5 yemas · 100 g de azúcar
¼ l de crema de leche espesa

Receta clásica

Por persona, unos 1 190 kJ/
280 kcal · 18 g de proteínas
41 g de grasas · 21 g de hidratos
de carbono

Tiempo de preparación: 30 min
Tiempo de refrigeración: 4 horas

Remoje las hojas de gelatina en el agua fría. • Abra la vaina de vainilla por la mitad, a lo largo y raspe su contenido. • Hierva la leche con las mitades de la vaina vacías y después déjela enfriar. • Bata con la batidora eléctrica las yemas con el polvo de vainilla y el azúcar en un baño maría, para obtener una mezcla espumosa. • Saque las vainas de vainilla de la leche, remueva la leche con la crema de yema y siga batiéndola al baño maría hasta que la crema esté caliente y firme. • Escurra las hojas de gelatina, deslíalas en un cazo pequeño al baño maría, removiéndolas constantemente y añádalas a la crema de vainilla. • Meta la crema en el frigorífico. • Bata la crema de leche espesa y mézclela con la crema antes de que ésta empiece a gelatinizar. • Vierta la crema en cuencos individuales enjuagados con agua fría y déjela cuajar 4 horas en el frigorífico. • Vuelque la crema en platos y adórnela con frambuesas ligeramente azucaradas, salsas frías de frutas o rosetas de crema batida.

Nuestra sugerencia: Si en vez de la vainilla incorpora a la crema de yemas, 100 g de chocolate extrafino derretido con 2 cucharaditas de café instantáneo y otras 2 de cacao en polvo, obtendrá un exquisito postre de chocolate. Para conseguir una crema de almendras, mezcle la preparación de yemas con 100 g de almendras peladas picadas finas, 1 cucharadita de agua de rosas y 2 cucharaditas de licor de almendras.

Lionesas

En su día, orgullo de los cocineros franceses, hoy las lionesas o profiteroles, son mundialmente apreciadas

Ingredientes para 6 personas:

Para la pasta:

125 g de harina

⅛ l de agua y otro de leche

50 g de mantequilla

1 pizca de sal

4 huevos (3 huevos)

1 yema de huevo

Para la salsa de vainilla:

½ vaina de vainilla

3,5 dl de leche

40 g de harina

3 yemas de huevo

75 g de azúcar

1 cucharada de mantequilla

2 cucharadas de ron

Para la salsa de chocolate:

100 g de chocolate negro extrafino

50 g de crema de leche espesa

1 cucharada de ralladura de naranja

Para la placa de hornear: papel sulfurizado

Especialidad francesa ●
Elaborada

Por persona, unos 2 310 kJ/ 550 kcal · 25 g de proteínas 50 g de grasas · 46 g de hidratos de carbono

Tiempo de preparación: 30 min
Tiempo de horneado: 20 min
Tiempo de elaboración: 1 hora

Tamice la harina sobre el papel sulfurizado. Deje hervir el agua con la leche, la mantequilla y la sal, eche la harina de golpe y remueva sobre el fuego hasta que la pasta forme una bola y se separe del fondo del cazo. ● Deje entibiar la pasta ligeramente. Agregue entonces los huevos uno a uno a la pasta. ● Precaliente el horno a 225 °C. Cubra la placa de hornear con papel sulfurizado. ● Ponga la pasta en una manga pastelera con boquilla lisa y forme bolas del tamaño de nueces sobre la placa. ● Bata la yema de huevo con 1 cucharadita de agua, pince-

le las bolas de pasta con ello y cuézalas en el centro del horno durante 20 minutos hasta que queden doradas. ● Pinche las lionesas en un lado con un cuchillo afilado para que pueda escaparse el vapor. Déjelas enfriar. ● Para la salsa, abra la vaina de vainilla por la mitad a lo largo y póngala en la leche. Dé un hervor a la leche y déjela reposar después, fuera del fuego, unos 10 minutos. ● Bata la harina con las yemas de huevo y el azúcar. ● Saque la vaina de vainilla de la leche y bata la leche enérgicamente con la mezcla anterior. Eche la crema de nuevo en el cazo y, removiendo constantemente, déle un hervor y después viértala en una ensaladera. ● Derrita la mantequilla y unte con ella la superficie de la crema para que no se forme una costra. Meta la crema en el frigorífico para que se enfríe. ● Mezcle el ron con la crema fría. ● Introduzca la crema en una manga pastelera con boquilla lisa de agujero muy pequeño. In-

serte la boquilla en la base de las lionesas y rellénelas de este modo (las lionesas no se cortan para ello). Sirva las lionesas en una fuente, bien en forma de pirámide o unas al lado de otras. ● Trocee el chocolate y déjelo derretir con 3 cucharadas de agua al baño maría. ● Mezcle la crema batida y la ralladura de naranja con la salsa de chocolate. Vierta la salsa sobre las lionesas. Si lo desea, esparza juliana de corteza de naranja por encima.

Nuestra sugerencia: Las lionesas o profiteroles saben mejor recién horneados. En vez de ralladura de naranja, la salsa de chocolate se puede aromatizar también con jengibre en almíbar finamente picado. A veces, también se cubren las lionesas también con hilos finísimos de caramelo.

Arroz con orejones

Con arroz integral tiene más nutrientes

Gelatina de leche de coco

Un postre muy especial para ocasiones festivas

100 g de arroz integral de grano redondo · ½ l de leche
½ cucharadita de vainilla molida
La corteza de ½ limón
60 g de azúcar de caña granulado · 4 hojas de gelatina
¼ l de agua
50 g de orejones de albaricoque
30 g de jengibre confitado
1 mango maduro de unos 300 g
2 dl de crema de leche espesa
1 cucharada de zumo de limón

Receta integral · Clásica

Por persona, unos 2 010 kJ/ 480 kcal · 10 g de proteínas 26 g de grasas · 66 g de hidratos de carbono

Tiempo de preparación: 40 min
Tiempo de cocción: 1¼ horas
Tiempo de refrigeración: 3 horas

Cueza muy lentamente el arroz en la leche, con la vainilla, la ralladura de limón y 50 g del azúcar de caña a fuego lento durante 40 minutos; después déjelo reposar tapado otros 30 minutos. • Remoje las hojas de gelatina en el agua. • Lave los orejones de albaricoque, séquelos y trocéelos. Pique finamente el jengibre. Pele finamente el mango, corte la pulpa en rodajas separándola del hueso, y trocéelas. • Retire la corteza de limón del arroz y mezcle los trozos de albaricoque y el jengibre picado con el arroz. • Escurra las hojas de gelatina, incorpórelas removiendo al arroz caliente. Por último, añada los trozos de mango. • Deje enfriar el arroz en el frigorífico hasta que empiece a cuajar. • Bata la crema de leche hasta que esté espesa con el resto del azúcar de caña, mézclela con el zumo de limón y añádala al arroz. Vierta la mezcla en un molde enjuagado con agua fría y déjela reposar en el frigorífico 3 horas. • Vuelque el arroz en una fuente antes de servirlo.

⅛ l de leche · 4 hojas de gelatina
4 dl de crema de leche espesa
100 g de coco rallado
¼ l de agua · 4 yemas
50 g de azúcar
8 bizcochos de soletilla · 2 claras
6 cucharadas de licor de naranja
1 naranja
2 cucharaditas de azúcar glas

Elaborada

Por persona, unos 2 930 kJ/ 700 kcal · 23 g de proteínas 71 g de grasas · 32 g de hidratos de carbono

Tiempo de preparación: 1¼ h
Tiempo de refrigeración: 2 horas

Dé un hervor a la leche y a la mitad de la crema de leche, vierta la mezcla sobre el coco rallado y déjelo reposar durante 30 minutos. • Ponga las hojas de gelatina a remojar en agua fría. • Bata las yemas de huevo con el azúcar hasta que blanqueen. • Escurra el coco rallado envuelto en un lienzo, dejándolo bien seco. Recoja la mezcla de leche y crema, caliéntela, mézclela con la crema de yemas y bata ésta al baño maría hasta que esté cremosa. • Escurra las hojas de gelatina, deslíalas en la crema caliente y déjela enfriar. • Bata las claras de huevo y el resto de la crema de leche hasta que estén firmes. • Cuando la crema empiece a cuajar incorpórelo, removiendo las claras batidas y la crema montada bajo la crema de yema. • Vierta la mitad en una ensaladera. • Remoje los bizcochos en el licor, póngalos sobre la crema, vierta la crema restante por encima y reserve en el frigorífico 2 horas. • Ralle la mitad de la corteza de naranja. • Tueste un poco 3 cucharadas de coco rallado con el azúcar glas y la ralladura de naranja. • Filetee la naranja. • Adorne la gelatina con los gajos de naranja y la mezcla de coco rallado.

«Syllabub»

En su tiempo, el postre favorito de la reina Victoria de Inglaterra

50 g de azúcar glas
1 corteza de limón
8 cucharadas de Jerez seco o semiseco
¼ l de crema de leche espesa
1 cucharadita de canela molida

Receta clásica • Fácil

Por persona, unos 1 090 kJ/ 260 kcal · 2 g de proteínas 20 g de grasas · 15 g de hidratos de carbono

Tiempo de preparación: 10 min
Tiempo de refrigeración: 2-12 h

Tamice el azúcar glas sobre un cuenco grande. • Añádale la mitad de la corteza de limón rallada, el Jerez, la crema de leche y la canela molida y bata con la batidora eléctrica hasta obtener una crema tan firme que queden picos hacia arriba. • Vierta la crema montada en copas de postre y meta éstas a enfriar en el frigorífico como mínimo 2 horas —mejor 12 horas—. • Conserve la corteza de limón no utilizada envuelta en papel de aluminio, a ser posible herméticamente cerrado, en el frigorífico, para que no se seque. • Esparza la corteza de limón sobre el postre antes de servirlo.

Nuestra sugerencia: En vez de utilizar Jerez, puede preparar el «Syllabub» con vino blanco, vino de Oporto, vino de Madeira o de Marsala. Ocasionalmente, se aromatiza, además, con 1 ó 2 copitas de coñac. En siglos anteriores se servía el «Syllabub» como primera colación de la mañana. Entonces no se preparaba el postre dulce con nata, sino que se ordeñaba leche directamente en un recipiente en el que había ya un poco de Jerez.

«Hits» de postres italianos

Fuera de Italia también se cuentan entre los postres más apreciados

Sabayón
A la izquierda de la foto

| 4 cucharadas de azúcar glas |
| 4 yemas de huevo |
| 12 cucharadas de vino de Marsala seco |

Receta clásica • Rápida

Por persona, unos 735 kJ/
175 kcal · 8 g de proteínas
10 g de grasas · 12 g de hidratos
de carbono

Tiempo de preparación: 30 min

Tamice el azúcar glas. • Caliente agua para un baño maría en una cacerola plana hasta justo por debajo del punto de ebullición. • Bata las yemas con el azúcar glas en un cazo, a ser posible alto, al baño maría y añádales poco a poco el vino de Marsala, sin parar de batir con la batidora de varillas o la batidora eléctrica, hasta que la crema de vino esté muy cremosa. • Vierta la crema espumosa de vino, todavía caliente, en copas y sírvala inmediatamente o sáquela del agua, y antes de servirla, siga batiéndola hasta que la crema esté fría. • Acompañe la crema con pastas finas como almendrados o barquillitos.

Nuestra sugerencia: El agua del baño maría no puede llegar a hervir en ningún caso durante todo el proceso. Como precaución, tenga un vaso de agua fría cerca del fuego y regule la temperatura del baño maría en caso necesario, añadiendo un poco de agua fría.

«Tirami su»
A la derecha de la foto

| Ingredientes para 8 personas: |
| 150 g de bizcochos de soletilla |
| ⅛-¼ l de café expreso |
| 4 yemas de huevo |
| 100 g de azúcar glas |
| 2 cucharadas de Amaretto (licor de almendras) |
| 500 g de Mascarpone (queso crema fresco) |
| 2 cucharadas de cacao en polvo |

Especialidad italiana • Coste medio

Por persona, unos 2 180 kJ/
520 kcal · 18 g de proteínas
38 g de grasas · 26 g de hidratos
de carbono

Tiempo de preparación: 30 min
Tiempo de refrigeración: 3 horas

Cubra la base de un molde cuadrado o rectangular con la mitad de los bizcochos de soletilla y pincélelos varias veces con el café expreso. Los bizcochos deben quedar bien impregnados, pero no esponjosos. • Bata las yemas con el azúcar glas y el Amaretto hasta que blanqueen y agrégueles poco a poco el queso crema. • Extienda una capa de la crema de queso sobre los bizcochos, coloque encima los bizcochos restantes y pincele éstos de nuevo varias veces con café expreso. • Reparta la crema restante sobre los bizcochos y espolvoréela con el cacao en polvo. • Meta el «Tirami su» como mínimo 3 horas en el frigorífico.

Nuestra sugerencia: En vez de con Amaretto, puede perfumar la crema con ½ cucharadita de vainilla molida. El postre es fácil de preparar con éxito, déjelo reposar durante la noche en el frigorífico.

Melones servidos de forma refinada

Aquí destaca el delicado aroma de estas frutas

Melón con crema de melocotón

A la izquierda de la foto

1 melón cantalupo de unos 600 g
4 cucharadas de jerez
500 g de melocotones maduros
2 cucharadas de zumo de limón
½ vaina de vainilla
1 cucharada de azúcar
2 dl de crema de leche espesa

Fácil • Rápida

Por persona, unos 1 090 kJ/ 260 kcal · 3 g de proteínas 16 g de grasas · 24 g de hidratos de carbono

Tiempo de preparación: 20 min

Corte el melón por la mitad, quítele las pepitas, pélelo, córtelo en rodajas y rocíelo con el jerez. • Pinche la piel de los melocotones varias veces con un tene-dor, escáldelos en agua hirviendo, pélelos, córtelos por la mitad, des-huéselos, córtelos en trozos y re-dúzcalos a puré con el zumo de limón en el robot o la batidora eléctrica. • Abra la vaina de vaini-lla por la mitad a lo largo, raspe su contenido, mézclelo con el azúcar y la crema de leche y bata ésta con la batidora de varillas hasta que esté cremosa. • Repar-ta el puré en platos de postre, eche la nata por encima y entre-mézclela en forma de espiral con un palillo de madera. • Ponga las rodajas de melón maceradas en los platos junto a la crema. • Sir-va el postre inmediatamente.

Nuestra sugerencia: En la página 16 se describe con texto e imágenes la forma de decorar pla-tos de crema o purés de frutas con salsas de forma especialmen-te atractiva.

Melón a la bávara

A la derecha de la foto

2 melones cantalupo de 400 g cada uno · 50 g de azúcar
⅛ l de Jerez seco
4 hojas de gelatina · ¼ l de agua
½ vaina de vainilla
1 cucharada de azúcar glas
4 dl de crema de leche espesa

Coste medio • Elaborada

Por persona, unos 1 820 kJ/ 435 kcal · 5 g de proteínas 32 g de grasas · 30 g de hidratos de carbono

Tiempo de preparación: 40 min
Tiempo de maceración: 1 hora
Tiempo de refrigeración: 1-2 h

Lave los melones, séquelos, pártalos por la mitad y quíte-les las pepitas. • Saque la pulpa de los melones con una cuchara de forma que sólo quede un bor-de de 1 cm de ancho en las mita-des de melón. Deje escurrir las mitades de melón con la abertura hacia abajo. • Mezcle el azúcar con el jerez, viértalo sobre la pul-pa de melón y deje macerar ésta tapada durante 1 hora. • Remoje las hojas de gelatina en agua fría. • Abra la vaina de vainilla a lo lar-go, raspe su contenido y mézclelo con el azúcar glas y la crema de leche. • Ponga a escurrir la mitad de la pulpa del melón, córtela en trozos pequeños y guárdelos en el frigorífico. Pase el resto de la pul-pa, junto con el líquido de mace-ración, por el pasapurés o por un tamiz. • Escurra las hojas de gela-tina, deslíalas en un cucharón al baño maría y mézclelas a cucha-radas con el puré de melón. • Bata la crema de leche hasta que esté espesa y mézclela con los tro-citos de melón y el puré, justo cuando éste empiece a cuajar. Vierta la crema en las mitades de melón y déjela cuajar en el frigorí-fico.

Pastelitos de melocotón sobre base de turrón

Como mejor saben es con melocotones bien maduros

6 almendrados
½ cucharadita de canela molida
125 g de turrón de Jijona
2 melocotones maduros
¼ de vaina de vainilla
75 g de azúcar · El zumo y la ralladura de 1 limón
⅛ l de Jerez fino
3 hojas de gelatina · ⅛ l de agua
200 g de queso crema
2 dl de crema de leche espesa
25 g de pistachos picados

Elaborada

Por persona, unos 3 100 kJ/
740 kcal · 13 g de proteínas
44 g de grasas · 61 g de hidratos
de carbono

Tiempo de preparación: 30 min
Tiempo de refrigeración: 2 h

Recorte 4 tiras dobles de 4 cm × 30 cm de papel de aluminio y forme con ellas 4 aros, sujételos con clips de plástico y póngalos sobre una fuente. • Machaque los almendrados y mézclelos con la canela. • Derrita el turrón al baño maría y mézclelo con los almendrados, reparta la preparación en los aros y forme las bases de los pastelitos haciendo un pequeño reborde. • Escalde los melocotones, pélelos, pártalos por la mitad y deshuéselos. • Abra la vaina de vainilla a lo largo, raspe su contenido y mézclelo con el azúcar, el zumo y la ralladura de limón y el Jerez. Cueza en la mezcla el melocotón tapado durante 5 minutos. • Remoje las hojas de gelatina en agua fría. • Bata el queso crema con 3 cucharadas del almíbar de los melocotones. • Escurra las hojas de gelatina y deslíalas en el almíbar restante. • Bata la crema hasta que esté espesa. Remueva la mezcla de gelatina con el queso, agregue la crema montada y reparta sobre las bases de turrón. Ponga encima una mitad de melocotón cortada en rodajitas. Deje cuajar la crema en el frigorífico. • Aparte las tiras de papel de aluminio y adorne los bordes con los pistachos picados.

Postres exclusivos con frutas

Para la elección de las frutas, lo mejor es dejarse inspirar por la oferta de la temporada

Diálogo de frutas

A la izquierda de la foto

2 cucharadas de azúcar
vainillado · 1 yema de huevo

½ vaina de vainilla

1 cucharada de maicena

¼ l de leche caliente · 3 kiwis

1 mango · 300 g de moras

2 cucharadas de azúcar glas

1 cucharada de licor
de albaricoque

300 g de frambuesas

2 cucharadas de aguardiente
de frambuesa

Fácil

Por persona, unos 1 210 kJ/
290 kcal · 8 g de proteínas
6 g de grasas · 44 g de hidratos
de carbono

Tiempo de preparación: 45 min

Bata la yema con el azúcar vainillado y 1 cucharada de agua caliente hasta que blanquee.

• Abra la vaina de vainilla a lo largo, raspe su contenido sobre la crema de yema y mezcle bien ésta con la maicena y la leche. Añada la vaina de vainilla vacía a la crema y cuézala removiendo constantemente, luego déjela enfriar. • Pele los kiwis y córtelos en trozos. Pele también el mango y corte la pulpa en rodajitas, separándola del hueso. Lave las moras y las frambuesas y déjelas escurrir. • Pase cada uno de los tipos de fruta por separado por el pasapurés o un tamiz y mézclelos, respectivamente, con ½ cucharada de azúcar glas. • Mezcle el puré de mango con el licor de albaricoque y el puré de frambuesa con el aguardiente de frambuesa. • Distribuya los purés de frutas uno al lado del otro en 4 platos blancos y déjelos entremezclarse en forma de trébol con un palillo de madera. Vierta un poco de la salsa de vainilla fría en el centro de cada plato y sirva el postre inmediatamente.

Peras al cava

A la derecha de la foto

4 peras maduras

½ l de cava rosado

100 g de azúcar

½ rama de canela

1 trozo pequeño de corteza
de limón

½ vaina de vainilla

2 dl de crema de leche espesa

Coste medio • Fácil

Por persona, unos 1 800 kJ/
430 kcal · 2 g de proteínas
16 g de grasas · 47 g de hidratos
de carbono

Tiempo de preparación: 30
minutos
Tiempo de refrigeración: 1 hora

Pele las peras, conservando los rabos en los frutos. • Ponga a hervir el cava con 75 g de azúcar, la rama de canela y la corteza de limón, y deje cocer las peras a fuego lento y con el recipiente tapado durante 20 minutos. • Abra la vaina de vainilla por la mitad, a lo largo, raspe su contenido, agréguelo con el azúcar restante a la crema de leche y bata ésta hasta que esté firme. • Ponga la crema montada en una manga pastelera con boquilla rizada y métala en el frigorífico. • Deje enfriar las peras en el líquido; déles la vuelta con frecuencia; después póngalas en platos de postre. • Hierva el líquido de cocción en un cazo sin tapar, dejándolo reducir a la mitad; déjelo enfriar después y viértalo sobre las peras. • Ponga rosetas de crema alrededor de las peras.

Cremas delicadas con frutas

Apreciadas en todo el mundo y fáciles de preparar

Crema de albaricoque

A la izquierda de la foto

4 hojas de gelatina · ¼ l de agua
750 g de albaricoques maduros
50 g de azúcar
1 cucharada de zumo de limón
⅛ l de vino blanco y agua
2 cucharadas de licor de albaricoque
¼ l de crema de leche espesa
1 cucharada de licor de huevo

Fácil

Por persona, unos 1 680 kJ/ 400 kcal · 5 g de proteínas 20 g de grasas · 39 g de hidratos de carbono

Tiempo de preparación: 45 min
Tiempo de refrigeración: 2 horas

Ponga las hojas de gelatina a remojar en agua fría. • Lave los albaricoques, séquelos, párta-los por la mitad y deshuéselos. Aparte de 1 a 2 frutos para adornar. • Ponga a hervir el azúcar con el zumo de limón, el vino y el agua. Cueza en esta mezcla los albaricoques, tapados durante 10 minutos y páselos luego con el líquido de cocción por un pasapurés o un tamiz. • Mezcle el puré con el licor de albaricoque. • Escurra las hojas de gelatina y deslíalas en el puré caliente. Meta el puré a enfriar en el frigorífico hasta que empiece a cuajar. • Bata la crema de leche hasta que esté espesa y mezcle la mitad con el puré semicuajado por medio de la batidora de varillas; vierta la crema en copas de postre y métalas en el frigorífico. • Mezcle la crema restante con el licor de huevo y extiéndala sobre la crema de albaricoques antes de servirla. Adorne el postre con rodajitas de albaricoque.

Crema de limón

A la derecha de la foto

4 huevos
5 cucharadas de azúcar
La corteza de 1 limón
1 sobre de gelatina en polvo
El zumo de 2 limones
⅛ l de crema de leche espesa
4 cucharadas de chocolate rallado

Especialidad danesa • Fácil

Por persona, unos 1 470 kJ/ 360 kcal · 16 g de proteínas 24 g de grasas · 20 g de hidratos de carbono

Tiempo de preparación: 30 min
Tiempo de refrigeración: 3 horas

Separe las yemas de las claras. Bata las yemas con el azúcar y la corteza de limón rallada hasta que espesen. • Deje remojar la gelatina cubierta con agua durante 10 minutos. • Caliente el zumo de limón en un cazo pequeño, pero sin dejarlo hervir. Aparte el cazo del fuego, incorpore removiendo la gelatina ablandada al zumo y déjelo enfriar un poco. • Mezcle el zumo de limón con las yemas. • Bata las claras a punto de nieve, viértalas sobre las yemas y mezcle con cuidado con una cuchara de madera pequeña. • Vierta la crema en 4 cuencos de cristal individuales y déjela cuajar en el frigorífico. • Bata la crema de leche hasta que esté espesa, introdúzcala en una manga pastelera con boquilla rizada y antes de servir el postre, decore cada porción con 1 roseta de crema. Adorne con el chocolate rallado.

Pequeños savarines

Los pequeños pastelillos de levadura también pueden rellenarse con fruta fresca

Ingredientes para 18 moldes en anillo de 8 cm de diámetro:
250 g de harina · ¼ l de agua
10 g de levadura de panadero
200 g de azúcar
1 dl de leche tibia · 4 huevos
1 pizca de sal
100 g de mantequilla
La corteza rallada de 1 limón
6 cucharadas de ron
⅛ l de vino blanco seco
¼ l de crema de leche espesa
Para los moldes:
mantequilla y harina.

Elaborada

Cada savarín, unos 920 kJ/ 220 kcal · 5 g de proteínas 12 g de grasas · 20 g de hidratos de carbono

Tiempo de preparación: 2 horas
Tiempo de horneado: 20 min

Unte los moldes con mantequilla y espolvoréelos con harina. • Eche la harina en una ensaladera, haga un hueco en el centro, desmigaje la levadura en él y remueva ésta con 1 cucharadita de azúcar, leche y un poco de harina. Deje levar la pasta tapada de 20 a 30 min a temperatura ambiente. • Bata los huevos con 50 g de azúcar y la sal hasta que estén espumosos. • Derrita la mantequilla y déjela enfriar un poco. Agréguela a la mezcla de huevos y luego amásela con la pasta levada y toda la harina hasta obtener una pasta pegajosa, luego déjela levar otros 30 min. • Llene los moldes hasta la mitad con la pasta de levadura. Deje levar de nuevo la pasta tapada durante otros 20 min. • Precaliente el horno a 200 °C. • Hornee los savarines en el centro del horno unos 20 min, déjelos enfriar después y sáquelos de los moldes. • Caliente el agua con la corteza de limón y el azúcar restante. Aparte el cazo del fuego y añádale el ron y el vino. • Ponga los savarines con la parte redondeada hacia abajo en la placa del horno y rocíelos con el jarabe de vino. • Bata la crema de leche hasta que esté espesa y rellene el hueco de los pastelitos con rosetas.

Finas gelatinas con frutas exóticas

Cuando estos frutos estén en el mercado debería, obligatoriamente, echar mano de ellos

Gelatina de vino con uvas espinas del Cabo

A la izquierda de la foto

8 hojas de gelatina
¼ l de agua
450 g de uvas espinas del Cabo
4 cucharadas de azúcar glas
⅛ l de zumo de limón recién exprimido · 150 g de azúcar
3,5 dl de vino blanco seco

Elaborada • Coste medio

Por persona, unos 1 300 kJ/ 310 kcal · 8 g de proteínas 0 g de grasas · 63 g de hidratos de carbono

Tiempo de preparación: 40 min
Tiempo de refrigeración: 4 horas

Remoje las hojas de gelatina en agua. • Quíteles a las uvas espinas las cápsulas que las envuelven, lávelas, séquelas y pínchelas varias veces con una aguja. Espolvoree las uvas con el azúcar glas, remuévalas bien con él y déjelas macerar tapadas. • Mezcle el azúcar con el zumo de limón y caliéntelo en un cazo a fuego lento, removiendo constantemente hasta que el azúcar se haya disuelto del todo. • Escurra las hojas de gelatina y mézclelas con el zumo de limón; en cualquier caso no deje que el zumo hierva. • Aparte el cazo del fuego y añada poco a poco el vino al zumo de limón. • Deje enfriar todo, removiéndolo con frecuencia. En cuanto el líquido empiece a cuajar, agréguele las uvas con el azúcar glas. Vierta el postre en una ensaladera enjuagada con agua fría y déjelo cuajar tapado en el frigorífico. • Antes de servir el postre, hunda la ensaladera un instante en agua caliente, separe la gelatina del borde de la ensaladera con un cuchillo, vuelque la gelatina en una fuente llana y sírvala cuanto antes.

Gelatina de naranja con papaya

A la derecha de la foto

8 hojas de gelatina
¼ l de agua
½ l de zumo de naranja sanguinas recién exprimidas
150 g de azúcar
2 papayas maduras
1 cucharada de zumo de limón

Elaborada • Coste medio

Por persona, unos 1 210 kJ/ 290 kcal · 6 g de proteínas 0 g de grasas · 63 g de hidratos de carbono

Tiempo de preparación: 40 min
Tiempo de refrigeración: 4 horas

Remoje las hojas de gelatina en agua. • Bata el zumo de naranja con el azúcar hasta que éste se haya disuelto del todo. • Parta las papayas por la mitad, deshuéselas, saque la pulpa con un vaciador o una cucharita de café, rocíelas con el zumo de limón y déjelas aparte tapadas. Caliente aproximadamente, 1 taza de zumo de naranja. Escurra las hojas de gelatina y deslíalas en el zumo caliente, sin dejarlo hervir. Aparte el cazo del fuego y agregue poco a poco el resto del zumo de naranja. Deje enfriar la mezcla, removiéndola con frecuencia, y poco antes de que cuaje, añádale las bolitas de papaya. • Enjuague una ensaladera con agua fría, vierta en ella la gelatina y déjela cuajar tapada en el frigorífico. • Antes de servir el postre, sumerja la ensaladera un instante en agua caliente, separe la gelatina del borde de la ensaladera con un cuchillo y vuélquela en una fuente.

Carlota de frambuesas

Un postre clásico cuya calidad depende mucho de lo frescas que sean las frambuesas

Ingredientes para 1 molde de 18 cm de diámetro:
Para la carlota:
3 dl de crema de leche fresca
1 petit suisse grande el natural
400 g de frambuesas
5 hojas de gelatina
¼ l de agua
1 vaina de vainilla · ¼ l de leche
1 pizca de sal
4 cucharadas de azúcar
4 yemas de huevo
1 cucharadita de mantequilla
1 cucharadita de azúcar
21 bizcochos de soletilla
Para la salsa:
400 g de frambuesas
2 cucharadas de azúcar glas
1 cucharada de zumo de limón
2 cl de aguardiente de frambuesas (1 copita)

Elaborada • Receta clásica

Cortada en 8 porciones, cada una contiene 2 180 kJ/520 kcal · 13 g de proteínas · 34 g de grasas · 39 g de hidratos de carbono

Tiempo de preparación: 1 hora
Tiempo de refrigeración: 12 horas

Enfríe la crema de leche y el petit suisse en el frigorífico ya que deben utilizarse bien fríos. • Lave las frambuesas con agua y elimine todas las impurezas. Deje escurrir las frambuesas en un colador. • Remoje las hojas de gelatina en agua fría. • Abra la vaina de vainilla a lo largo y raspe su contenido con un cuchillo. • Ponga a hervir la leche con la vainilla en polvo y la vaina, la sal y el azúcar, removiendo constantemente; aparte la leche del fuego e incorpórele, batiendo las yemas de huevo una tras otra. • Vuelva a poner la leche en el fuego y siga removiéndola hasta que la crema espese. En cualquier caso no la deje hervir. • Escurra las hojas de gelatina, incorpórelas removiendo a la crema caliente y déjela enfriar, dándole vueltas con frecuencia. • Deje cuajar después la crema en el frigorífico. • Unte la base y las paredes del molde con mantequilla y espolvoréelo con el azúcar. Coloque los bizcochos verticalmente con la parte redondeada sobresaliendo del borde del molde; deje aparte 1 bizcocho. • Bata la crema de leche y el petit suisse con la batidora de varillas. Bata también la crema de huevo y mézclela en pequeñas porciones con la crema batida. • Vierta ⅓ de la crema en el molde con los bizcochos y reparta encima la mitad de las frambuesas. Esparza de nuevo otra capa de crema y sobre ella las frambuesas restantes. Extienda la crema restante sobre las frambuesas. • Desmigaje el bizcocho de soletilla reservado y espárzalo sobre la crema. • Meta el molde tapado en el frigorífico durante 12 horas. • Poco antes de servir la carlota, lave la segunda porción de frambuesas, déjelas escurrir y aparte unas 20 para decorar. • Pase el resto de las bayas por un tamiz fino y bátalas con el azúcar glas, el zumo de limón y el aguardiente de frambuesas, o páselo todo junto por el pasapurés. • Antes de servir, sumerja el molde con la crema un instante en agua caliente, vuelque la crema sobre una fuente y adorne la parte superior con las frambuesas apartadas. Sirva la carlota acompañada con la salsa de fruta.

Exquisiteces heladas

Desde las recetas básicas más sencillas
hasta las tartas exclusivas y las
composiciones más originales totalmente inéditas:
estímulos suficientes para
muchos días calurosos de verano

Helado de vainilla de heladora

El resultado puede compararse con el más fino helado de pastelería

Ingredientes para 8 personas:

1 vaina de vainilla
1 huevo · 5 yemas
150 g de azúcar
1 pizca de sal
4 cucharadas de agua de azahar
½ l de leche
¼ l de crema de leche espesa
1 cucharada de violetas confitadas

Receta clásica • Elaborada

Por persona, unos 1 470 kJ/ 350 kcal · 14 g de proteínas 33 g de grasas · 23 g de hidratos de carbono

Tiempo de preparación: 1 hora
Tiempo de congelación: 20 min

Corte la rama de vainilla por la mitad, a lo largo y raspe su contenido. • Bata el huevo, las yemas, la mitad del azúcar, la vainilla, la sal y el agua de azahar con la batidora eléctrica en un cazo de metal dispuesto al baño maría, hasta que la mezcla esté cremosa. • Dé un hervor a la leche, la crema de leche y el resto del azúcar, removiendo constantemente y añada despacio la leche sobre la mezcla de azúcar y huevo al baño maría, batiendo constantemente con la batidora. Deje enfriar después la crema, disponiendo el cazo en un baño maría frío con cubitos de hielo, y removiéndola con frecuencia. • Vierta la crema fría en la heladora y déjela helar siguiendo las instrucciones de uso hasta que el helado esté cremoso y espeso. Necesitará unos 20 minutos. • Vierta el helado en copas de cristal con los moldes de bolas para helado y sírvalo adornado con las violetas confitadas.

Nuestra sugerencia: Antiguamente, en las pastelerías se calentaba la crema del helado a 85 °C antes de ponerla a enfriar. En nuestra receta esto ya no es necesario. Lo importante es sólo continuar removiendo constantemente la preparación en la heladora.

Helados con avellanas y chocolate

Preparados en la heladora según la receta clásica

Helado de avellanas

A la izquierda de la foto

Ingredientes para 8 personas:

100 g de avellanas peladas

½ vaina de vainilla

1 huevo · 4 yemas

150 g de azúcar

½ l de leche

¼ l de crema de leche espesa

100 g de turrón de Jijona

Receta clásica • Elaborada

Por persona, unos 2 300 kJ/
550 kcal · 15 g de proteínas
40 g de grasas · 33 g de hidratos
de carbono

Tiempo de preparación: 1¼
horas

Tiempo de congelación: 20 min

Saltee las avellanas en una sartén seca, removiéndolas constantemente, hasta que revienten las pielecillas marrones. •

Frote después las avellanas envueltas en un lienzo hasta que se hayan eliminado todas las pielecillas. Muela las avellanas o píquelas muy finas. • Corte la rama de vainilla por la mitad a lo largo y raspe su contenido. • Bata el huevo, las yemas de huevo, la mitad del azúcar y la vainilla con la batidora eléctrica en un cazo de metal al baño maría hasta que la mezcla esté cremosa. • Dé un hervor a la leche, la crema de leche y el resto del azúcar removiendo constantemente y disuelva en ella el turrón desmenuzado. • Añada despacio el líquido hirviendo a la crema sobre el baño maría, batiendo sin cesar con la batidora de varillas. Mezcle las avellanas picadas con la crema y déjela enfriar en un baño maría frío con cubitos de hielo. • Vierta la crema fría en la heladora y déjela helar siguiendo las instrucciones de uso, hasta que el helado esté cremoso y espeso. Esto lleva unos 20 minutos.

Helado de chocolate

A la derecha de la foto

Ingredientes para 8 personas:

225 g de chocolate amargo

2 huevos · 2 yemas

100 g de azúcar

¾ l de leche

1 cucharadita colmada de café
instantáneo

2 cucharadas de licor de naranja

Receta clásica • Elaborada

Por persona, unos 1 590 kJ/
380 kcal · 12 g de proteínas
23 g de grasas · 32 g de hidratos
de carbono

Tiempo de preparación: 40
minutos

Tiempo de congelación: 20
minutos

Corte el chocolate en trozos pequeños. • Bata los huevos, las yemas y la mitad del azú-car en un cazo de metal al baño maría con la batidora eléctrica hasta que la mezcla esté cremosa. • Dé un hervor a la leche con el resto del azúcar, removiéndola constantemente. Deslía el chocolate y el café en polvo en la leche. • Añada despacio la leche hirviendo, a la crema del baño maría, batiendo constantemente con la batidora y déjela enfriar en un baño maría frío con cubitos de hielo. • Vierta la crema fría en la heladora y déjela helar siguiendo las instrucciones de uso, hasta que el helado esté cremoso y espeso. Por último, vierta el licor de naranja en el bombo de la heladora aún en funcionamiento y mézclelo con el helado de 2 a 3 minutos.

Nuestra sugerencia: Si lo desea, adorne el helado con avellanas picadas, chocolate rallado o fideos de chocolate.

Helado al vino tinto

Un postre de helado inusual e integral

Ingredientes para 8 moldes de 0,2 dl de capacidad:

2 hojas de gelatina
⅛ l de agua
4 yemas
150 g de azúcar de caña granulado
⅛ l de vino tinto seco
½ corteza de naranja rallada
1 cucharadita de canela molida
1 pizca de clavo molido
2 claras
2 dl de crema de leche espesa

Elaborada • Receta integral

Por persona, unos 1 510 kJ/
360 kcal · 12 g de proteínas
24 g de grasas · 19 g de hidratos
de carbono

Tiempo de preparación: 1 hora
Tiempo de congelación: 5 horas

Ponga a remojar la gelatina en agua fría. Bata en un cuenco las yemas con 100 g del azúcar de caña, el vino tinto, la corteza de naranja, ½ cucharadita de canela y el clavo. El cuenco tiene que caber dentro de una cacerola con agua caliente, sin que caiga el agua del baño maría en la crema. • Ponga el cuenco al baño maría y bata la mezcla con la batidora de varillas sin cesar mientras el agua hierva, de modo que se forme una espuma firme; la crema del cuenco no puede llegar a hervir en ningún caso. • En cuanto la crema esté firme y caliente, sáquela del baño maría. Escurra la gelatina y remuévala con la crema hasta que quede totalmente desleída. • Deje enfriar ahora la crema, removiéndola frecuentemente con la batidora de varillas. • Bata las claras de huevo semifirmes. Espolvoréelas despacio con ⅓ del resto del azúcar y siga batiéndolas hasta que estén a punto de nieve, firmes y brillantes. • Bata también la crema de leche, añádale lentamente el otro tercio del azúcar y termine de montar la crema hasta que esté firme. • Mezcle las clara y la crema montada con la crema de vino enfriada. • Vierta la crema en los moldes, alísela y déjela helar 5 horas en el congelador a una temperatura de mínimo −18 °C. • Mezcle el sobrante del azúcar de caña con la canela restante y espolvoree la mezcla sobre el helado antes de servirlo.

Nuestra sugerencia: Este helado cremoso representa un enriquecimiento especialmente sabroso para copas de helado con sabores mixtos. También como remate de una refrescante ensalada de frutas, se recomienda 1 bola de éste por porción. Si va a echar crema montada sobre el helado, agregue entonces la canela y el azúcar a la crema de leche antes de montarla. Si el helado está pensado para una fiesta de niños, sustituya el vino tinto por el zumo de naranja recién exprimido —mejor naranjas sanguinas— o zumo recién exprimido de frambuesas frescas.

Bomba de frambuesas

Cierre decorativo tradicional de un menú festivo

Ingredientes para 1 molde
esférico de helado de 1,4 l:
400 g de frambuesas
4 huevos
5 cucharadas de aguardiente
de frambuesas · 100 g de azúcar
2 cucharadas de azúcar
½ l de crema de leche espesa
2 cucharadas de azúcar
vainillado · 1 pizca de sal
50 g de chocolate negro
1 cucharadita de cacao en polvo
Para decorar:
⅛ l de crema de leche espesa
50 g de frutas confitadas

Receta clásica

Cortada en 8 porciones, cada
una contiene unos
1 970 kJ/470 kcal · 9 g de
proteínas 37 g de grasas · 35 g
de hidratos de carbono

Tiempo de preparación: 1 hora
Tiempo de congelación: 14 horas

Lave las frambuesas, mezcle la mitad con el aguardiente y déjelas macerar. • Mezcle el resto con el azúcar. • Bata la crema de leche hasta que espese. Mezcle los huevos con el azúcar y la sal en un cazo al baño maría hasta que espesen. Añada la crema de leche. • Mezcle ⅓ de la preparación con el azúcar vainillado, viértala en un molde metálico y déjela cuajar en el congelador. • Ralle el chocolate y agréguelo con el cacao al segundo tercio de la crema. • Pase las frambuesas por un tamiz y bata el resto de la crema con el puré. Ponga ambas cremas en moldes metálicos en el congelador. • Rellene las paredes del molde esférico bien frío con la crema de vainilla semicongelada y póngalo a congelar 30 minutos. • Extienda la crema de chocolate sobre la de vainilla, déjela congelar durante 30 minutos y termine con la crema de frambuesa. • Haga un hueco en el centro de la última capa, eche las frambuesas y cúbralo con la crema. • Deje helar la bomba unas 12 horas. • Bata la crema de leche. Trocee las frutas. Vuelque la bomba y adórnela.

Bella Helena

Este postre ha conquistado fama mundial

½ l de agua

½ rama de canela

1 cucharada de zumo de limón

2 peras grandes

100 g de chocolate negro extrafino

2 dl de crema de leche espesa

1 cucharada de coñac

500 g de helado de vainilla

12 violetas confitadas

Receta clásica • Fácil

Por persona, unos 2 600 kJ/ 620 kcal · 7 g de proteínas 53 g de grasas · 66 g de hidratos de carbono

Tiempo de preparación: 40 min

Deje hervir ligeramente el agua con el azúcar, la canela y el zumo de limón en un cazo tapado. • Lave las peras, séquelas, pélelas, córtelas por la mitad y quíteles el corazón. Escalfe las mitades de pera tapadas y a fuego lento, según su tamaño y grado de madurez, de 8 a 12 minutos tapadas, y déjelas enfriar en el líquido. • Corte el chocolate en trozos pequeños y déjelo derretir con la crema de leche, removiendo constantemente, a fuego lento. Aparte la salsa de chocolate del fuego y añádale el coñac. • Ponga en cada una de las 4 copas de postre 1 mitad de pera con el hueco hacia arriba. Reparta 4 bolas grandes de helado sobre ellas. Vierta la salsa de chocolate caliente sobre las peras. • Adorne cada copa con las violetas confitadas.

Nuestra sugerencia: Las violetas confitadas son el adorno clásico para este postre. No obstante, puede eliminarlas, y si lo desea, puede mezclar jengibre confitado finamente picado con la salsa de chocolate.

Melocotón Melba

Originalmente con frambuesas, pero también delicioso con grosellas

400 g de frambuesas o grosellas

2 cucharadas de azúcar glas

1 cucharada de zumo de limón

4 cucharadas de cassis (licor de grosellas negras)

4 melocotones maduros de carne firme

500 g de helado de vainilla

Receta clásica • Rápida

Por persona, unos 1 510 kJ/ 360 kcal · 6 g de proteínas 13 g de grasas · 48 g de hidratos de carbono

Tiempo de preparación: 20 min

Lave las frambuesas, déjelas escurrir, páselas por un tamiz y mézclelas con el azúcar glas, el zumo de limón y el cassis. • Pinche los melocotones varias veces con un tenedor, escáldelos brevemente, pélelos, córtelos por la mitad y deshuéselos. • Ponga 2 mitades de melocotón, con el hueco mirando hacia arriba, en 4 platos de postre. • Forme 8 bolas de helado y póngalas en los huecos de las mitades de melocotón. • Cubra el helado y los melocotones con la salsa de frambuesas.

Nuestra sugerencia: Puede adornar el postre con rosetas de crema, y si lo desea, con almendras tostadas fileteadas. El melocotón Melba sabe especialmente exquisito si la salsa se prepara con bayas frescas. Si no las encuentra en el mercado, en su lugar puede mezclar 400 g de confitura de frambuesas o grosellas con 2 cucharadas de aguardiente de frambuesa, calentarlo brevemente y pasar la mezcla por un tamiz.

Helados con frutas

Combinaciones clásicas de sabor especialmente delicioso

Peras al vino tinto con helado de vainilla

A la izquierda de la foto

1 limón
½ l de vino tinto joven y ligero
100 g de azúcar
1 rama de canela
4 peras para compota pequeñas
500 g de helado de vainilla

Elaborada

Por persona, unos 1 890 kJ/ 450 kcal · 8 g de proteínas 13 g de grasas · 60 g de hidratos de carbono

Tiempo de preparación: 20 min
Tiempo de cocción: 50 min

Lave el limón, séquelo, córtelo en rodajas y póngalo a hervir con el vino tinto, el azúcar y la rama de canela, removiendo constantemente. Deje cocer el vino en el cazo sin tapar hasta que se haya reducido. • Lave las peras, séquelas, pélelas y quíteles el corazón con un cuchillo afilado, empezando desde abajo; a ser posible deje los rabos. • Saque la rama de canela y las rodajas de limón del vino tinto. Ponga las peras verticalmente, unas junto a otras, en un cazo de tamaño apropiado, vierta el vino tinto por encima y déjelas cocer tapadas y a fuego lento 30 minutos. • Saque las peras déspués del líquido, escúrralas y déjelas enfriar. Dé hervor al vino con el cazo destapado para obtener un almíbar. • Corte el helado en dados y distribúyalos en 4 cuencos de postre. Ponga las peras sobre el helado y rocíelas con el jarabe de vino.

Helado de chocolate con plátano

A la derecha de la foto

3 yemas · 100 g de azúcar
1 cucharada de azúcar vainillado
150 g de chocolate amargo
½ cucharadita de maicena
1 cucharadita de cacao en polvo
3,5 dl de leche
¼ l de crema de leche espesa
2 plátanos maduros
1 cucharada de zumo de limón
50 g de chips de plátano

Elaborada

Por persona, unos 2 600 kJ/ 620 kcal · 19 g de proteínas 66 g de grasas · 85 g de hidratos de carbono

Tiempo de preparación: 45 min
Tiempo de congelación: 2 horas

Bata las yemas de huevo con 75 g de azúcar y el azúcar vainillado. • Raspe 25 g de chocolate y póngalo en el frigorífico. Desmenuce el resto del chocolate, agréguelo con la maicena y el cacao en polvo a la mezcla de yemas y añada poco a poco la leche. Hierva la mezcla a fuego lento, removiendo constantemente con la batidora de varillas y apártela inmediatamente del fuego. • Ponga el cazo en agua helada y deje enfriar la crema dándole vueltas. • Bata ⅛ l de crema de leche hasta que esté firme con el resto del azúcar, agréguela con cuidado a la crema de chocolate fría y ponga ésta 2 horas en el congelador tapada con papel de aluminio. • Durante 30 min remueva bien la crema 2 veces. • Pele los plátanos, aplástelos con un tenedor y bátalos con el zumo de limón. • Bata el resto de la crema hasta que esté firme y mézclela con los plátanos. • Ponga bolas de helado en copas de postre y adórnelas con la crema de plátano, los chips de plátano y el chocolate rallado.

103

Helados refrescantes

El limón y las uvas espinas dan carácter a estos helados

Helado de yogur y limón

A la izquierda de la foto

3 huevos
100 g de azúcar
2 limones
300 g de yogur natural
⅛ l de crema de leche espesa
1 lima

Económica

Por persona, unos 1 590 kJ/
380 kcal · 14 g de proteínas
22 g de grasas · 35 g de hidratos
de carbono

Tiempo de preparación: 30
minutos
Tiempo de congelación: 2 horas

S epare las yemas de las claras.
• Bata las yemas con el azúcar. • Lave los limones, séquelos,
ralle la corteza de un limón y exprima el zumo de los dos. • Mezcle el yogur con la corteza, el zumo de limón y las yemas batidas.
• Bata las claras a punto de nieve. Bata también la crema de leche hasta que espese. • Mezcle
las claras batidas y la crema montada con la crema de limón. Vierta la crema en un cuenco de metal, tápelo con papel de aluminio
y déjelo durante 2 horas en el
congelador. • Forme bolas con el
helado y distribúyalas en 4 copas
de postre. • Lave la lima con
agua caliente, séquela y córtela
en rodajas muy finas. Adorne con
ellas el helado de limón.

Helado de uvas espinas con crema de mango

A la derecha de la foto

500 g de uvas espinas
2 cucharadas de zumo de limón
100 g de azúcar glas
1 dl de crema de leche espesa
3 claras · ⅛ l de agua
125 g de azúcar · 1 mango
5 cucharadas de cava seco
1 ramita de toronjil

Elaborada

Por persona, unos 2 100 kJ/
480 kcal · 19 g de proteínas
12 g de grasas · 82 g de hidratos
de carbono

Tiempo de preparación: 45 min
Tiempo de congelación: 3 horas

L ave las uvas espinas y quíteles
los rabillos y las pieles. • Cueza las bayas tapadas a fuego lento
con el zumo de limón y ⅛ l de
agua durante 10 min, déjelas enfriar y páselas por un tamiz. •
Mezcle el azúcar glas y la crema
de leche con el puré de uvas espinas. • Bata las claras a punto de
nieve y mezcle ⅔ con el puré de
frutas frío. • Eche la mezcla en un
cuenco de metal, tápelo con papel de aluminio y déjelo en el
congelador durante 3 horas; durante los primeros 30 minutos remueva bien dos veces. • Ponga a
hervir el agua a borbotones con el
azúcar durante 10 min para obtener almíbar, apártelo del fuego y
déjelo enfriar. • Pele el mango,
deshuéselo y corte la carne en rodajas; páselas por el chino junto
con el cava. Añada el jarabe de
azúcar enfriado y el resto de las
claras batidas. • Forme bolas con
el helado, póngalas en copas de
postre y cúbralas con la crema de
mango espumosa. Lave las hojitas de toronjil, escúrralas y espárzalas sobre el postre.

Sorprendentes combinaciones

Pueden prepararse en la heladora o en el congelador

Helado de té sobre piña

A la izquierda de la foto

⅛ l de leche	
3 cucharaditas de hojas de té negro	
2 yemas	
5 cucharadas de azúcar	
1 cucharada de ron	
¼ l de crema de leche espesa	
1 piña pequeña	
25 g de chocolate amargo	

Fácil • Elaborada

Por persona, unos 2 510 kJ/ 600 kcal · 12 g de proteínas 39 g de grasas · 47 g de hidratos de carbono

Tiempo de preparación: 1 hora
Tiempo de congelación: 4 horas

Lleve a ebullición la leche, eche en ella las hojas de té y déjelas reposar 4 minutos. Cuele la le-che con té por un tamiz. • Bata las yemas junto con el azúcar con la batidora eléctrica y, sin parar de batir, agrégueles la leche aromatizada con té y el ron. • Bata la crema de leche hasta que espese y mézclela con la crema de té, échela en un cuenco de metal, tápelo con papel de aluminio y déjelo en el congelador durante 4 horas. • Quite a la piña las hojas y la base leñosa inferior. Corte el fruto en 8 rodajas igual de gruesas, pélelas y recorte el tronco leñoso del centro. Conserve las rodajas de piña tapadas en el frigorífico. • Ralle groseramente el chocolate con el rallador. • Ponga 2 rodajas de piña en cada plato de postre. Haga bolas con el helado, bien con el instrumento apropiado, bien con una cuchara, póngalas sobre la piña y adórnelas con el chocolate rallado.

Helado de coco y dátiles

A la derecha de la foto

100 g de coco rallado	
100 g de dátiles secos	
1,5 dl de leche	
80 g de miel	
2 dl de crema de leche espesa	
3 huevos	

Receta integral • Fácil

Por persona, unos 2 300 kJ/ 550 kcal · 13 g de proteínas 30 g de grasas · 55 g de hidratos de carbono

Tiempo de preparación: 40 minutos
Tiempo de congelación: 25 minutos

Dore el coco rallado en una sartén de fondo grueso y sin grasa, removiéndolo constantemente hasta que empiece a oscu-recerse un poco y desprenda un delicioso aroma. • Extienda el coco sobre un plato y déjelo enfriar. • Quite los rabitos a los dátiles, deshuéselos y pártalos en trozos. • Mezcle el coco rallado con los trozos de dátil, la leche, la miel, la crema de leche y los huevos durante 1 minuto en el robot o batidora eléctrica. Vierta la mezcla en el tambor de la heladora y déjelo congelar siguiendo las instrucciones de uso; esto le llevará unos 25 minutos.

Nuestra sugerencia: Si no dispone de un robot para mezclar los ingredientes, tendrá que picar en la picadora el coco y los dátiles, lo más finamente posible. Mezcle después los frutos con la batidora eléctrica junto con el resto de los ingredientes. Si el helado se tiene que preparar en el congelador, vierta la preparación en una fuente de metal, tape con papel de aluminio y congele unas 4 horas. Remueva el helado cada hora.

Helado de chocolate y avellanas

Las porciones de helado sobrantes pueden conservarse hasta 8 días en el congelador.

50 g de avellanas peladas
50 g de chocolate amargo
2 cucharadas de cacao en polvo
1 pizca de vainilla molida
50 g de miel
100 g de azúcar de caña granulado
2 dl de crema de leche espesa
¼ l de leche
3 huevos
500 g de plátanos
2 cucharadas de mantequilla
1 pizca de canela molida

Receta integral • Fácil

Por persona, unos 2 010 kJ/ 480 kcal · 12 g de proteínas 33 g de grasas · 56 g de hidratos de carbono

Tiempo de preparación: 1 hora
Tiempo de congelación: 1 hora

Tueste las avellanas en una sartén seca hasta que se separen las pielecillas marrones. Frote después las avellanas con un lienzo para pelarlas. Pique finamente las avellanas peladas en el robot o picadora o muélalas en el molinillo. Trocee el chocolate, mézclelo con el cacao en polvo, la vainilla, la miel, la mitad del azúcar de caña y la crema de leche, luego derrítalo removiendo constantemente a fuego lento. • Mezcle en la batidora las avellanas con la leche, los huevos y la mezcla de chocolate enfriada. • Vierta la preparación en el tambor de la heladora y déjela helar unos 30 minutos siguiendo las instrucciones de uso. • Ponga el helado después otros 30 minutos en el congelador. • Pele los plátanos y córtelos en rodajas finas. • Derrita la mantequilla en una sartén hasta que esté espumosa, agréguele el resto del azúcar de caña y la canela y caramelice ligeramente. • Caliente las rodajas de plátano en la mezcla, dándoles la vuelta durante 5 minutos. • Haga 8 bolas con la mitad del helado, póngalas en platos de postre, reparta por encima las rodajas calientes de plátano y rocíe sobre ello el caramelo.

Exquisitos «parfaits» con frutas

Los frutos maduros son los más aromáticos

«Parfait» de ciruelas y mango

A la izquierda de la foto

Ingredientes para 8 personas:

1 mango maduro de 300 g
70 g de azúcar de caña granulado · 3 huevos
20 g de jengibre confitado
La corteza rallada de 1 naranja
5 cucharadas de licor de huevo
3,5 dl de crema de leche espesa
50 g de nueces peladas
200 g de confitura de ciruela
2 cucharadas de aguardiente de ciruela

Receta integral • Elaborada

Por persona, unos 1 170 kJ/ 280 kcal · 7 g de proteínas 24 g de grasas · 25 g de hidratos de carbono

Tiempo de preparación: 1¼ h
Tiempo de congelación: 6 horas

Pele el mango, corte la pulpa en rodajas separándola del hueso y trocéelas. • Separe las yemas de las claras. • Bata las yemas con 40 g del azúcar de caña. • Mezcle con ellas los trocitos de mango, el jengibre, la corteza de naranja y 2 cucharadas del licor de huevo. • Bata 1 clara de huevo con 10 g de azúcar de caña a punto de nieve. Bata 1,5 dl de crema de leche con 10 g de azúcar de caña hasta que espese. • Remueva la clara batida y la crema montada con la crema de yema, extienda la preparación en un molde redondo metálico, alísela y déjela helar 2 horas en el congelador. • Tueste las nueces en una sartén seca y rállelas. • Bata las claras restantes a punto de nieve con el resto del azúcar de caña. Bata el resto de la crema de leche hasta que espese y mezcle ambas con las nueces ralladas, la confitura y el aguardiente de ciruelas. • Extienda la crema de ciruela sobre la capa de mango, cu-

bra todo con papel de aluminio y déjelo congelar otras 4 horas. • Vuelque el «parfait» sobre un plato enfriado y rocíelo con el resto del licor de huevo.

«Parfait» de chocolate al whisky

A la derecha de la foto

200 g de chocolate con leche
1 cucharada de mantequilla
1 cucharadita de café instantáneo
3 yemas
3 cucharadas de whisky
¼ l de crema de leche espesa
500 g de albaricoques maduros
1 cucharada de zumo de limón
Para decorar: 8 fresas

Receta clásica • Elaborada

Por persona, unos 2 640 kJ/ 630 kcal · 18 g de proteínas 61 g de grasas · 46 g de hidratos de carbono

Tiempo de preparación: 1 hora
Tiempo de congelación: 4 horas

Derrita el chocolate con la mantequilla al baño maría, mézclelo con el café en polvo, el whisky y las yemas de huevo. Saque la crema de chocolate y déjela enfriar. • Bata la crema de leche hasta que espese y mézclela con la de chocolate. Viértala en 4 vasos de yogur, tápelos con papel de aluminio y resérvelos 4 horas en el congelador. • Blanquee los albaricoques en agua hirviendo 5 minutos, quíteles la piel, parta los frutos por la mitad y deshuéselos. Triture los albaricoques y mézclelos con el zumo de limón. • Lave las fresas, séquelas y pártalas por la mitad o en cuartos. • Reparta la salsa de albaricoques en 4 platos de postre. Vuelque los «parfaits» por encima y adorne con las fresas.

Helados con finas salsas de frutas

Combinaciones de helado y frutas llenas de atractivo

Helado de limón con salsa de escaramujo

A la izquierda de la foto

3 limones enteros · 3 yemas

2 cucharadas de ron blanco

100 g de azúcar

¼ l de crema de leche espesa

200 g de puré de escaramujo
(tienda de productos dietéticos)

2 cucharadas de miel líquida

5 cucharadas de vino tinto

Fácil

Por persona, unos 2 220 kJ/
530 kcal · 15 g de proteínas
44 g de grasas · 69 g de hidratos
de carbono

Tiempo de preparación: 40
minutos
Tiempo de congelación: 3 horas

Lave los limones con agua caliente, séquelos y ralle la corteza de uno de ellos. Pele un segundo limón muy finamente y
corte la corteza en tiritas finas (juliana). Reserve la juliana de limón, envuelta en papel de aluminio, en el frigorífico. • Exprima el
zumo de los 3 limones. • Bata las
yemas de huevo con el ron y el
azúcar en un cazo al baño maría
hasta que blanqueen. • Bata la
crema de leche hasta que espese.
• Mezcle la corteza y el zumo de
limón con la crema de yemas y
añádale la crema montada. •
Vierta la crema en una fuente de
metal, tápela con papel de aluminio y déjela en el congelador durante 3 horas. Remueva el helado
cada hora. • Caliente el puré de
escaramujo con la miel y el vino
tinto, removiendo constantemente. • Haga bolas con el helado,
repártalas en copas de postre y
rocíelas con la salsa de escaramujo caliente. Esparza las tiras de
corteza de limón sobre el postre.

Helado de almendras con salsa de albaricoque

A la derecha de la foto

Ingredientes para 8 personas:

100 g de pasas sultanas

4 cucharadas de Amaretto

2 yemas de huevo

50 g de azúcar vainillado

4 dl de crema de leche espesa

100 g de almendras peladas
finamente molidas

100 g de almendras picadas

100 g de chocolate amargo

500 g de albaricoques maduros

4 cucharadas de licor
de albaricoque

1 cucharada de azúcar

Elaborada · Coste medio

Por persona, unos 2 470 kJ/
590 kcal · 15 g de proteínas
55 g de grasas · 49 g de hidratos
de carbono

Tiempo de preparación: 1 hora
Tiempo de congelación: 3 horas

Lave las pasas con agua caliente, séquelas, rocíelas con el
Amaretto y déjelas macerar. •
Bata las yemas con el azúcar vainillado en un cazo al baño maría.
Bata la crema de leche hasta que
espese. • Mezcle las pasas, el licor, las almendras molidas y las
picadas con las yemas; ralle por
encima el chocolate y agregue la
crema montada. • Vierta la preparación en una fuente de metal,
tápela con papel de aluminio y
déjela en el congelador durante 3
horas. • Escalde los albaricoques,
pélelos y deshuéselos. Reserve 1
para la decoración, pase el resto
de los albaricoques junto con el licor, el azúcar y 3 cucharadas de
agua por la batidora eléctrica. •
Corte el helado de almendras en
trozos pequeños, póngalos en copas de postre, cúbralos con la salsa y adorne con las rodajas de albaricoque.

Helados de frutas de presentación refinada

El helado que lleva una gran proporción de crema de leche no necesita ser removido durante la congelación

Helado de frambuesas con crema de pistacho

A la izquierda de la foto

500 g de frambuesas
100 g de azúcar
6 dl de crema de leche espesa
1 cucharadita de zumo de limón
1 cucharada de azúcar vainillado
25 g de pistachos picados

Fácil • Elaborada

Por persona, unos 2 730 kJ/ 650 kcal · 6 g de proteínas 52 g de grasas · 45 g de hidratos de carbono

Tiempo de preparación: 30 minutos
Tiempo de maceración: 2 horas
Tiempo de congelación: 3 horas

Lave las frambuesas varias veces en agua reposada y elimine las partes malas que flotarán en la superficie. Deje escurrir las frambuesas. • Mezcle las frambuesas con el azúcar en una ensaladera, macháquelas con un tenedor y déjelas macerar durante 2 horas tapadas en el frigorífico. • Pasadas 2 horas, monte ⅔ de la nata a punto de nieve. • Pase las frambuesas por un tamiz y mézclelas con el zumo de limón. Remueva el puré de frambuesas con la nata montada, viértalo en una fuente de metal, tápela con papel de aluminio y déjelo cuajar durante 3 horas en el congelador. • Poco antes de servir el postre, bata el resto de la nata a punto de nieve con el azúcar vainillado y échela en una manga de repostería con boquilla rizada. • Haga bolas con el helado y repártalas en 4 platos de postre. Adórnelo con toques de nata y pistachos.

Helado de naranjas con salsa de naranja

A la derecha de la foto

Para el helado:
3 yemas · 100 g de azúcar
2 dl de crema de leche espesa
1 naranja
2 cucharadas de Grand Marnier

Para la salsa:
1 naranja · 50 g de azúcar
1 cucharadita de maicena
3 cucharadas de Grand Marnier

Para espolvorear:
4 cucharadas de chocolate rallado

Fácil

Por persona, unos 2 310 kJ/ 550 kcal · 15 g de proteínas 43 g de grasas · 55 g de hidratos de carbono

Tiempo de preparación: 50 min
Tiempo de congelación: 3 horas

Bata las yemas con el azúcar en un cazo al baño maría caliente con la batidora de varillas hasta que estén cremosas. • Siga batiendo la crema después en un baño maría frío, hasta que se haya enfriado bien. • Bata la crema de leche hasta que esté espesa. • Exprima la naranja y mezcle el zumo con el licor, la crema montada y las yemas batidas. • Vierta la crema en un molde metálico, tápelo con papel de aluminio y póngalo en el congelador durante 3 horas. • Para la salsa, exprima la naranja y deslía la maicena en el zumo. • Dé un hervor al resto del zumo de naranja mezclado con el azúcar, añádale removiendo la maicena desleída y el licor, deje hervir a borbotones una vez, aparte del fuego y deje enfriar. Sumerja el molde del helado en agua fría antes de servir el postre, vuélquelo en una fuente y rocíelo con la salsa de naranja. • Esparza el chocolate por encima del postre.

Helado de grosellas negras

Un punto final festivo para una comida escogida

Helado de melón con salsa de almendras

Sale especialmente bien en la heladora

Ingredientes para 6 moldes de 2 dl de capacidad:
500 g de grosellas negras
150 g de azúcar de caña granulado
1 dl de zumo de grosellas natural
1 cucharada de zumo de limón
4 dl de crema de leche espesa
6 cucharadas de cassis (licor de grosellas negras)

Coste medio • Receta integral

Por persona, unos 1 600 kJ/ 380 kcal · 3 g de proteínas 21 g de grasas · 39 g de hidratos de carbono

Tiempo de preparación: 30 min
Tiempo de congelación: 3 horas

Lave las grosellas, déjelas escurrir sobre papel de cocina y conserve 6 racimitos pequeños en el frigorífico. • Quite los tallos al resto. • Ponga a hervir el zumo de grosellas con el azúcar de caña, dándole vueltas continuamente; agregue las bayas y déjelas cocer a fuego lento con el recipiente tapado durante 5 minutos. • Aplaste las bayas con un tenedor, páselas por un tamiz, mézclalas con el zumo de limón y póngalas tapadas en el frigorífico. • Bata 3 dl de crema de leche hasta que esté firme, mézclela con el puré de frutas y vierta la preparación en los moldes, tápelos con papel de aluminio y déjelos en el congelador durante 3 horas. • Bata después el resto de la crema de leche hasta que espese, e introdúzcala en una manga pastelera con boquilla rizada. • Sumerja los moldes brevemente en agua fría. Vuelque el helado en platos y adórnelo con rosetas de crema batida y grosellas. Rocíe cada una de las porciones con cassis.

Para el helado:
1 melón maduro (600 g)
⅛ l de leche y crema de leche espesa
100 g de miel
El zumo y la corteza rallada de ½ limón
1 pizca de vainilla molida
Para la salsa de almendras:
50 g de almendras peladas
2 cucharadas de miel
7 cucharadas de crema de leche espesa

Receta integral

Por persona, unos 1 800 kJ/ 430 kcal · 6 g de proteínas 24 g de grasas · 50 g de hidratos de carbono

Tiempo de preparación: 1 hora
Tiempo de congelación: 1 hora

Corte el melón por la mitad, quítele las pepitas y separe la pulpa de una de las mitades. Trocee la pulpa del melón y redúzcala a puré con la leche, la crema de leche, la miel, la corteza y el zumo de limón y la vainilla, en la batidora o pásela por un tamiz. • Vierta la preparación en el tambor de la heladora y déjela helarse de 15 a 30 minutos siguiendo las instrucciones de uso. • Ponga a continuación el helado otros 30 minutos en el congelador. • Separe el resto de la pulpa del melón de la cáscara con un vaciador. • Poco antes de servir el postre, pique las almendras y tuéstelas en una sartén seca, dándoles vueltas hasta que se oscurezcan ligeramente. • Mezcle la miel con las almendras y déjelas caramelizar un poco; añádales poco a poco la crema de leche espesa. • Haga bolas o copos con el helado, repártalas en 4 platos de postre, acompáñelas con las bolitas de melón y cúbralas con la salsa de almendras.

Brazo de gitano de chocolate helado

Conservado en porciones en el congelador, tendrá provisión de postre para algún tiempo

Ingredientes para 1 brazo de gitano:
Para el helado:
6 yemas · 75 g de azúcar
150 g de chocolate
¼ l de crema de leche espesa
Para el molde:
8 yemas · 100 g de azúcar
80 g de harina · 4 claras
20 g de maicena
1 dl de crema de leche espesa
1 cucharada de azúcar vainillado
2 cucharadas de fideos de chocolate.
Para la placa de hornear: papel sulfurizado

Elaborada

Cortado en 12 porciones, cada una contiene unos 2 390 kJ/ 570 kcal · 20 g de proteínas 41 g de grasas · 28 g de hidratos de carbono

Tiempo de preparación: 45 min
Tiempo de congelación: 3 horas
Tiempo de cocción: 12 min

Bata las yemas con el azúcar hasta que blanqueen. • Derrita el chocolate en un cazo con la mitad de la crema de leche removiendo constantemente y mézclelo luego con las yemas hasta que espese. • Bata el resto de la crema de leche hasta que espese y mézclela con cuidado con la crema de chocolate. Al cabo de 2 horas precaliente el horno a 220 °C. Cubra un molde para brazo de gitano con papel sulfurizado. • Bata las yemas con el azúcar. Bata las claras a punto de nieve e incorpóreles la harina, la maicena y las yemas. • Extienda la preparación sobre el horno y hornéela 12 minutos hasta que esté dorada. • Vuelque el brazo de gitano sobre un lienzo espolvoreado con azúcar, elimine el papel y deje enfriar el bizcocho tapándolo con un lienzo húmedo. • Deje ablandar un poco el helado y extiéndalo sobre el bizcocho. • Enróllelo y vuélvalo a poner en el congelador. • Bata la crema de leche hasta que espese con el azúcar vainillado, extiéndala sobre el brazo de gitano y adorne con los fideos de chocolate.

Alaska

Un postre espectacular

Ingredientes para 10 personas:
7 huevos
100 g de azúcar blanquilla
La corteza rallada de 1 limón
1 cucharada de coñac
100 g de harina
25 g de almendras y pistachos picados
20 bolas de helado y sorbete (si lo desea de diferentes tipos)
100 g de azúcar glas
Para el molde: papel sulfurizado

Receta clásica

Por persona, unos 1 840 kJ/ 440 kcal · 14 g de proteínas 21 g de grasas · 46 g de hidratos de carbono

Tiempo de preparación: 40 min
Tiempo de cocción: 12-15 min
Tiempo de congelación: 30 min

Precaliente el horno a 200 °C. Forre un molde rectangular con papel sulfurizado. • Separe las yemas de las claras. • Bata las yemas con el azúcar y la corteza de limón rallada y añádales el coñac. • Bata 4 claras a punto de nieve, viértalas sobre la mezcla de yemas, espolvoree la harina por encima, mezcle con cuidado y extienda la preparación en el molde. • Esparza las almendras y los pistachos sobre el bizcocho, déjelo hornear de 12 a 15 minutos hasta que esté dorado, y luego enfríelo. • Forre la base de una fuente refractaria con un trozo de bizcocho del mismo tamaño. • Reparta el helado por encima y cúbralo con el resto del bizcocho. • Meta la fuente 30 minutos en el congelador para que no se deshaga el helado. • Precaliente el horno a 225 °C. • Bata las clara restantes a punto de nieve, espolvoree sobre ellas 50 g de azúcar glas y mezcle con cuidado. Agrégueles ahora los otros 50 g de azúcar glas tamizado y póngalas en una manga pastelera con boquilla rizada. • Cubra completamente el bizcocho en el molde con las claras montadas. Deje dorar las claras en el piso superior del horno de 4 a 7 minutos. • Sirva el postre inmediatamente.

Postres helados casi profesionales

Con un poco de cuidado pueden conseguirse resultados casi profesionales

Helado tres gustos

A la izquierda de la foto

Ingredientes para un molde
rectangular de 26 cm de largo:
250 g de fresas
150 g de azúcar
3 cucharadas de azucar
vainillado · 10 huevos
¾ l de crema de leche espesa
100 g de chocolate amargo
2 cucharadas de ron

Receta clásica

Cortado en 8 porciones, cada
una contiene unos 960 kJ/
230 kcal · 7 g de proteínas
16 g de grasas · 14 g de hidratos
de carbono

Tiempo de preparación: 1 hora
Tiempo de congelación: 5 horas

Lave las fresas, retire los rabillos y redúzcalas a puré con 1
cucharada del azúcar vainillado. •
Separe las yemas de las claras.

Bata las yemas con el azúcar. Bata las claras a punto de nieve. •
Bata la crema de leche hasta que
espese y mézclela con las claras
batidas y las yemas. Mezcle ⅓
de la preparación con el resto del
azúcar vainillado, viértala en el
molde y déjela en el congelador.
• Divida el resto de la crema en
dos partes, mezcle una con las
fresas, viértala sobre la crema de
vainilla y póngala en el congelador. • Derrita el chocolate al baño maría, déjelo enfriar un poco,
mézclelo junto con el ron y el resto de la preparación, luego vierta
ésta sobre la crema de fresa. •
Pasadas 5 horas, sumerja el molde en agua templada y vuélquelo
antes de servirlo.

«Cassata»

A la derecha de la foto

Ingredientes para 10 personas:
Para el bizcocho:
6 huevos · 180 g de azúcar glas

1 cucharada de azúcar vainillado
100 g de harina
75 g de maicena
Para el relleno:
200 g de frutas confitadas
100 g de chocolate
500 g requesón fresco
150 g de azúcar
4 cucharadas de licor
marrasquino
8 cucharadas de vino de Marsala
o Málaga
⅛ l de crema de leche espesa

Especialidad siciliana

Por persona, unos 1 910 kJ/
440 kcal · 12 g de proteínas
32 g de grasas · 49 g de hidratos
de carbono

Tiempo de preparación: 1 hora
Tiempo de cocción: 25 minutos
Tiempo de congelación: 1-2 h

Precaliente el horno a 200 ºC.
• Separe las yemas de las claras. Bata las yemas con el azúcar

glas y el azúcar vainillado. Bata
las claras a punto de nieve y agréguelas con cuidado a las yemas. •
Tamice la harina con la maicena
sobre la preparación y mezcle
bien. • Extienda la preparación
en una placa de hornear cubierta
con papel sulfurizado y cuézala en
el horno durante 12 minutos hasta que quede dorada. • Deje enfriar el bizcocho. • Aparte unas
pocas frutas para la decoración y
trocee el resto con el chocolate. •
Mezcle el queso con el azúcar, el
licor y los trocitos de fruta y chocolate. • Corte el bizcocho en tiras, rocíelo con el vino y revista
con ello un molde para «cake». •
Eche la crema de queso, cúbrala
con el resto de las tiras de bizcocho y vuelva a rociar éstas con el
vino. • Ponga la «Cassata» en el
congelador, pero sin dejarla congelar del todo. • Bata la crema de
leche hasta que espese. Vuelque
la «cassata» y decórela con la crema montada y las frutas previamente reservadas.

Postres helados sorpresa

Ideas inagotables en el repertorio de los helados

Helado de moras con salsa blanca

A la izquierda de la foto

Ingredientes para 6 personas:
300 g de moras · 3 huevos
100 g de azúcar
1 cucharada de azúcar vainillado
1 pizca de cardamomo
3,5 dl de crema de leche espesa
200 g de chocolate blanco
2 cucharadas de ron blanco

Fácil

Por persona, unos 1 930 kJ/
460 kcal · 9 g de proteínas
27 g de grasas · 42 g de hidratos
de carbono

Tiempo de preparación: 30 min
Tiempo de congelación: 3 horas

Lave las moras, déjelas escurrir y redúzcalas a puré. • Separe las yemas de las claras. Bata las yemas con el azúcar, el azúcar vainillado y el cardamomo; vierta la crema en un molde de metal y déjela tapada en el congelador, pero sin que se congele del todo. • Bata las claras a punto de nieve. Bata ¼ l de crema de leche hasta que espese. • Mezcle las claras batidas, la crema de leche montada, el puré de moras y la crema del congelador; deje helar en el congelador unas 3 horas. • Parta el chocolate en trozos, déjelo derretir en un cazo al baño maría y mézclelo con el resto de la crema de leche y el ron. • Forme bolas con el helado de moras, sírvalas en una fuente o en platos de postre y cúbralas con la salsa blanca de chocolate caliente.

Crema de fresas semihelada

A la derecha de la foto

500 g de fresas
100 g de azúcar
2 cucharadas de azúcar vainillado
1 cucharada de zumo de limón
150 g de yogur natural
3 dl de crema de leche espesa
1 petit suisse grande natural

Fácil

Por persona, unos 2 100 kJ/
500 kcal · 5 g de proteínas
34 g de grasas · 44 g de hidratos
de carbono

Tiempo de preparación: 30 min
Tiempo de congelación: 2½ h

Lave las fresas, déjelas escurrir; aparte unas pocas fresas bonitas para la decoración y quite al resto los rabitos, luego redúzcalas a puré junto con el azúcar, el azúcar vainillado y el zumo de limón. • Bata el yogur con 1 dl de crema de leche espesa y el petit suisse y luego el puré de fresas. Vierta la crema en una fuente metálica y resérvela tapada en el congelador 30 minutos, removiéndola un par de veces durante ese tiempo. • Bata la crema de leche restante hasta que esté espesa, mézclela con la crema de fresas y deje ésta en el congelador otras 2 horas; durante este tiempo remueva la crema con la batidora de varillas cada media hora, para que quede cremosa y suelta. • Sirva la crema de fresas adornada con las fresas reservadas, y si lo desea, además, con un poco de crema montada.

Tarta helada de queso crema

Una creación refinada que se consigue sin hornear

Ingredientes para un molde
desmontable de 26 cm de
diámetro:

200 g de bizcochos de soletilla
50 g de mantequilla
1 cucharada de azúcar vainillado
1 pizca de canela molida
3 yemas · 100 g de azúcar glas
2 cucharadas de zumo de limón
La corteza rallada de ½ limón
500 g de Mascarpone
¼ l de crema de leche espesa
2 cucharadas de cacao en polvo
12 guindas en almíbar

Fácil

Cortada en 12 porciones, cada
una contiene unos 1 890 kJ/
450 kcal · 12 g de proteínas 33 g
de grasas · 24 g de hidratos de
carbono

Tiempo de preparación: 45 min
Tiempo de congelación: 3 horas

Machaque con el rodillo los
bizcochos envueltos en papel de aluminio. • Derrita la mantequilla, mézclela con el azúcar
vainillado, la canela y las migas
de bizcocho; cubra con ello la base del molde y aplaste un poco la
pasta. • Bata las yemas con el
azúcar glas y añádales el zumo, la
ralladura de limón y el queso fresco. Mezcle ⅛ l de crema de leche
con la crema de queso. • Extienda la crema sobre la base de la
tarta, cúbrala con papel de aluminio y déjela helarse en el congelador durante unas 3 horas. • Bata
el resto de la crema hasta que esté espesa y póngala en una manga pastelera con boquilla rizada. •
Separe el borde de la tarta del
molde con un cuchillo afilado. Espolvoree la tarta con el cacao en
polvo, sírvala sobre una fuente
redonda y adórnela con rosetas
de crema batida y las guindas.

Nuestra sugerencia: El Mascarpone, queso crema graso italiano,
puede sustituirse por queso crema, que tiene, sin embargo, otra
consistencia. Añada por ello en
vez de ⅛ l de crema de leche,
2 dl.

Melocotones con deliciosos helados

Postres tradicionales para quedar bien

Melocotón «Escoffier»

A la izquierda de la foto

2 melocotones bien maduros
El zumo y la corteza rallada de
1 naranja · 50 g de azúcar
3,5 dl de crema de leche espesa
1 cucharada colmada de azúcar glas · ¼ vaina de vainilla
4 cucharadas de licor de naranja
8 bolas pequeñas de helado de turrón

Receta clásica

Por persona, unos 2 310 kJ/ 550 kcal · 6 g de proteínas 31 g de grasas · 52 g de hidratos de carbono

Tiempo de preparación: 30 min
Tiempo de cocción: 10 min

Escalde los melocotones en agua hirviendo, quíteles la piel, parta los frutos por la mitad y elimine los huesos. • Mezcle el zumo de la corteza de naranja con 2 cucharadas de agua, el azúcar y las mitades de melocotón y cueza en una cacerola tapada y a fuego lento durante 10 min. Ponga a escurrir después los melocotones y déjelos enfriar. Conserve el almíbar de melocotón. • Ponga la crema de leche en el congelador durante 10 min. • Abra la vaina de vainilla por la mitad a lo largo, raspe su contenido y mézclelo con el azúcar glas. • Ponga las mitades de melocotón con la parte abombada hacia arriba en 4 platos. • Mezcle la mitad de la crema de leche con el licor de naranja y el almíbar de melocotón y rocíelo sobre los melocotones. • Bata el resto de la crema de leche con el azúcar glas avainillado hasta que esté espesa y adorne con ella los melocotones. • Reparta las bolas de helado sobre la salsa.

Nuestra sugerencia: El helado de turrón se prepara como el de chocolate (pág. 99).

Melocotones indios

A la derecha de la foto

4 melocotones maduros
3 rizomas de jengibre en almíbar
¼ l de vino blanco
3 cucharadas de almíbar de jengibre
3 cápsulas de cardamono
1 pizca de nuez moscada molida
¼ de rama de canela
2 yemas · 1 huevo
8 bolas pequeñas de helado de maracuyá · 50 g de azúcar

Especialidad india • Rápida

Por persona, unos 2 010 kJ/ 480 kcal · 16 g de proteínas 32 g de grasas · 56 g de hidratos de carbono

Tiempo de preparación: 30 min

Sumerja los melocotones en agua hirviendo, quíteles la piel, parta los frutos por la mitad y elimine los huesos. • Trocee un rizoma de jengibre y corte el resto en tiras finas. • Deje cocer el vino blanco con el almíbar y los trocitos de jengibre, el cardamomo machacado, la nuez moscada, la canela en rama y las mitades de melocotón en una cacerola tapada y a fuego lento de 3 a 4 minutos. • Ponga a escurrir después los melocotones y déjelos enfriar. • Bata las yemas con el huevo entero y el azúcar con la batidora eléctrica hasta que la mezcla esté espumosa, póngala en un cazo al baño maría, añádale el líquido de cocción de los melocotones y siga batiendo hasta que la crema esté caliente y espesa. • Reparta las mitades de melocotón con el hueco hacia arriba en 4 platos y rellene cada uno con 1 bola de helado. • Vierta la salsa espumosa de vino alrededor de los melocotones y esparza el jengibre en almíbar por encima.

Crepes con helado flameadas y suflé helado

Pequeñas magias con efecto festivo

Crepes con helado flameadas

A la izquierda de la foto

3 huevos
50 g de harina
⅛ l de leche · 2 naranjas
1 cucharadita de azúcar
1 cucharada de mantequilla
ablandada · 1 pizca de sal
4 bolas pequeñas de helado de nueces, mango y limón
8 terrones de azúcar
50 g de mantequilla
1 cucharada colmada de azúcar
8 cucharadas de licor de naranja

Especialidad austríaca

Por persona, unos 2 800 kJ/ 670 kcal · 17 g de proteínas 38 g de grasas · 55 g de hidratos de carbono

Tiempo de preparación: 40 min
Tiempo de congelación: 30 min
Tiempo de confección: 20 min

Separe la yema y la clara de 1 huevo y bata la yema con los huevos enteros, la harina, la leche, el azúcar y la sal. • Derrita la mantequilla ablandada por porciones. A partir de la pasta, fría crepes finísimas y déjelas enfriar. • Bata la clara restante. • Ponga en el centro de cada crepe 3 bolas de helado. Unte los bordes de las crepes con la clara de huevo, dóblelas sobre el helado y ponga los paquetitos en el congelador durante 30 minutos. • Frote las cortezas de naranja con los terrones de azúcar y exprima el zumo. • Derrita la mantequilla en una sartén para flamear y funda en ella los terrones de azúcar y el azúcar, removiendo constantemente. Agregue el zumo de naranja y déjelo hervir para que espese. • Caliente las crepes 1 minuto por lado en el almíbar. • Vierta el licor a lo largo del borde de la sartén y préndale fuego. • Sirva las crepes flameando.

Helado espumoso amarmolado

A la derecha de la foto

Ingredientes para 8 personas:
½ vaina de vainilla
¼ l de leche · 5 yemas
150 g de miel líquida
150 g de chocolate negro extrafino · 2 cucharadas de ron
4 dl de crema de leche espesa
3 cucharadas de Cointreau
La corteza rallada de ½ naranja
4 cucharadas de azúcar glas

Elaborada

Por persona, unos 1 930 kJ/ 460 kcal · 13 g de proteínas 43 g de grasas · 39 g de hidratos de carbono

Tiempo de preparación: 1¼ horas

Tiempo de congelación: 4 horas

Abra la vaina de vainilla por la mitad, a lo largo, raspe su contenido y póngalo a hervir junto con las mitades en la leche. • Bata las yemas con la miel en un cazo al baño maría, agregue poco a poco la leche y siga batiendo, hasta que la preparación esté cremosa. • Enfríe la crema en un baño maría frío, batiéndola con la batidora de varillas; resérvela en el frigorífico. • Ponga a derretir 100 g de chocolate con el ron. Bata la crema de leche hasta que esté espesa. • Divida la crema de vainilla en 2 partes, mezcle una con el Cointreau y la corteza de naranja y la otra mitad con el chocolate líquido entibiado. Mezcle la crema montada con ambas cremas. • Viértalas al mismo tiempo en una fuente de metal de forma que se mezclen entre sí. • Deje helar la preparación 4 horas en el congelador. • Espolvoree 8 platos de postre con el azúcar glas. Con una cuchara forme porciones del helado espumoso y sírvalas sobre el azúcar glas. Ralle el resto del chocolate.

Piña Sarah Bernard

Esta creación se dedicó a la famosa actriz

1 piña de unos 800 g
4 cucharadas de kirsch
50 g de azúcar
El zumo de 1 limón
⅛ l de vino blanco
1 huevo
¼ l de crema de leche espesa
2 cucharaditas de azúcar glas
2 cucharaditas de canela molida
1 pizca de cardamomo y jengibre molidos
8 bolas de helado de naranja
4 cucharadas de chocolate recién rallado

Receta clásica

Por persona, unos 2 770 kJ/
660 kcal · 10 g de proteínas
39 g de grasas · 72 g de hidratos
de carbono

Tiempo de preparación: 40
minutos
Tiempo de maceración: 2 horas

Pele la piña y córtela en 8 rodajas del mismo tamaño y de
1 cm de grosor, aproximadamente. Corte el centro leñoso de cada
rodaja, póngalas en una fuente,
rocíelas con el kirsch y déjelas
macerar tapadas durante 2 horas
en el frigorífico. • Elimine también el tronco duro de la piña restante, corte la pulpa en trozos pequeños, échelos en un cazo con
el azúcar, el zumo de limón y el
vino blanco y dejar cocer con el
recipiente tapado durante 5 minutos a fuego lento; reduzca la piña
a puré con su líquido de cocción
y el huevo en la batidora. • Caliente brevemente de nuevo el
puré, pero sin dejarlo hervir. •
Bata la crema de leche hasta que
espese con el azúcar glas, la canela, el cardamomo y el jengibre. •
Sirva las rodajas de piña con su
líquido de maceración en 4 platos
y ponga 1 bola de helado de naranja sobre cada rodaja. • Mezcle
la salsa de piña con 4 cucharadas
de crema de leche batidas y viértala alrededor de las rodajas de
piña. • Ponga el resto de la crema montada en una manga pastelera con boquilla rizada y adorne las bolas de helado con ello.
Esparza el chocolate rallado sobre
la crema.

Helado de frutas variadas

Un helado de frutas delicado, sin crema de leche y rápido de preparar

Sorbete de frutas

La receta original de esta especialidad proviene de Persia

2 dl de cava seco helado, vino blanco, vino rosado o cualquier zumo de frutas apropiado para las bayas
75 g de azúcar glas
400 g de bayas congeladas variadas como moras, fresas, arándanos, frambuesas, grosellas rojas y negras
2-4 cucharadas de licor de marrasquino
Eventualmente, un poco de licor de huevo

Fácil • Económica

Por persona, unos 800 kJ/
190 kcal · 1 g de proteínas
1 g de grasas · 29 g de hidratos
de carbono

Tiempo de preparación: 20 min
Tiempo de congelación: 1 hora

Antes de preparar el postre ponga un molde metálico en el congelador. • Eche el líquido elegido con el azúcar glas en la batidora y bátalo brevemente. • Conserve 2 cucharadas de las bayas aún congeladas en el congelador, eche poco a poco el resto en la batidora en funcionamiento y bátalas finamente otro minuto más. • Por último, vierta el licor de marrasquino en el robot y mézclelo con todo lo demás. • Vierta el puré de frutas en el molde helado, cúbralo con papel de aluminio y déjelo helar durante aproximadamente 1 hora. • Saque las bayas del congelador. • Trocee el helado de frutas o forme bolas con el utensilio adecuado, sírvalo en copas de postre, esparza las bayas reservadas alrededor y, si lo desea, rocíelo con un poco de licor de huevo.

Ingredientes para 8 personas:
2-3 mangos · 150 g de azúcar
El zumo de 1 limón
1 clara de huevo
8 hojitas de toronjil

Receta clásica

Por persona, unos 630 kJ/
150 kcal · 2 g de proteínas
0 g de grasas · 36 g de hidratos
de carbono

Tiempo de preparación: 30 min
Tiempo de congelación: unos 40 minutos

Lave los mangos, séquelos, pélelos y separe la pulpa de los huesos; tiene que obtener unos 500 g. • Bata la pulpa del mango con la mitad del azúcar y el zumo de limón en la batidora, échela mezcla en la heladora y déjela helar unos 30 min, siguiendo las instrucciones de uso. • Bata la clara en un cazo al baño maría hasta que esté espumosa, espolvoree el azúcar restante por encima y siga batiendo la clara unos 4 minutos hasta que esté firme; bátala después en un baño maría frío hasta que se enfríe. • Cuando el sorbete tenga la consistencia de una crema espesa, mézclelo con la clara batida y vuelva a helarlo otros 5 ó 10 min. • Forme 8 bolas con el sorbete, sírvalas en copas de vino y adorne cada porción con una hojita de toronjil.

Nuestra sugerencia: Los sorbetes se pueden elaborar con toda clase de frutas, verduras y hierbas. Para los sorbetes de fruta son apropiadas piñas, manzanas, albaricoques, peras, caquis, kiwis, cerezas, ciruelas y todo tipo de bayas. La fruta, que no se puede batir fácilmente cruda, hay que escaldarla, pelarla, deshuesarla y cocerla en poco agua, la mitad del azúcar y el zumo de limón hasta que se ablande, para batirla en la batidora o bien pasarla por un tamiz.

Sorbetes con frutas exóticas

Sofisticadas especialidades para gourmets, que pueden regarse con cava seco bien frío

Sorbete de granadillas y caquis

A la izquierda de la foto

¼ l de agua
El zumo de 1 limón
125 g de azúcar
2 caquis maduros · 2 granadillas
2 cucharadas de licor de albaricoque
1 clara · 1 cucharada de azúcar vainillado

Coste medio

Por persona, unos 1 000 kJ/ 240 kcal · 5 g de proteínas 0 g de grasas · 52 g de hidratos de carbono

Tiempo de preparación: 45 minutos
Tiempo de congelación: 2 horas

Hierva el agua con el zumo de limón y el azúcar 5 minutos, después déjela enfriar. • Pele los caquis y páselos por un tamiz. Corte las granadillas por la mitad, saque el interior con una cucharilla y remuévalo con el puré de caquis. • Mezcle el puré con el jarabe de azúcar y el licor, viértalo en un molde de metal, tápelo y póngalo en el congelador durante, aproximadamente, 1 hora hasta que quede semihelado, removiéndolo con frecuencia. • Bata la clara, espolvoree el azúcar vainillado por encima y siga batiendo hasta que esté firme y brillante. • Mezcle cuidadosamente la clara montada con el puré de frutas y deje helar el sorbete 1 hora más. • Forme bolas con el sorbete y sírvalas en copas de postre.

Sorbete de grosellas y kiwis

A la derecha de la foto

Ingredientes para 8 personas:
250 g de azúcar
1 dl de agua
300 g de grosellas rojas
4 kiwis
2 cucharadas de cassis (licor de grosellas negras)
⅛ l de vino tinto
⅛ l de cava seco
1 cucharada de ron blanco
2 claras de huevo

Especialidad

Por persona, unos 880 kJ/ 210 kcal · 4 g de proteínas 0 g de grasas · 41 g de hidratos de carbono

Tiempo de preparación: 40 minutos
Tiempo de congelación: 2 horas

Hierva el agua con el azúcar 5 minutos y después déjela enfriar. • Lave las grosellas, déjelas escurrir y aparte unos racimitos para la decoración. Separe el resto de los tallos y redúzcalas a puré. • Pele 3 kiwis, córtelos en trozos y redúzcalos también a puré. Mezcle la mitad del jarabe de azúcar con los dos purés, respectivamente. • Mezcle el cassis y el vino tinto con el puré de grosellas, y el cava y el ron con el puré de kiwis. • Vierta ambos purés en moldes de metal, tápelos y póngalos en el congelador durante 1 hora para que queden semihelados y remuévalos con frecuencia. • Bata las claras a punto de nieve y mézclelas con los purés. Deje helar los sorbetes otra hora más. • Pele el cuarto kiwi y córtelo en rodajas. • Con la cuchara especial para helado forme bolas rojas y verdes, sírvalas en copas de postre y adórnelas con rodajas de kiwi y grosellas.

Sorbete de cassis sobre flores de mazapán

Una forma excepcional de servir el sorbete

Ingredientes para 6 personas:

750 g de grosellas negras

4 hojitas de menta o toronjil

250 g de azúcar glas

El zumo de 1 limón o lima

8 cucharadas de licor
de marrasquino

200 g de masa cruda
de mazapán

1 clara

2 cucharadas colmadas de azúcar
glas

8 cucharadas de licor de huevo

4 cucharadas de jarabe
de granadina

Elaborada • Receta clásica

Por persona, unos 2 010 kJ/
480 kcal · 7 g de proteínas
7 g de grasas · 24 g de hidratos
de carbono

Tiempo de preparación: 1 hora
Tiempo de congelación: 2½ h

Lave las grosellas y póngalas a escurrir sobre papel de cocina. • Lave las hojitas de menta o toronjil, escúrralas y píquelas • Tamice el azúcar glas. • Separe las grosellas de los racimos, páselas por un tamiz y mézclelas con el zumo de limón o de lima, las hojitas picadas y 6 cucharadas de licor de marrasquino. • Vierta el puré en un molde de metal, tápelo y déjelo helar durante 2½ horas en el congelador. • Remueva bien cada media hora durante el tiempo de congelación y vuelva a helarlo. • Amase la pasta cruda de mazapán con el resto del azúcar glas y perfúmela con tanto licor de marrasquino restante como sea necesario para conseguir una pasta elástica. • Mezcle el marrasquino no utilizado con el sorbete la siguiente vez que lo remueva. • Extienda el mazapán dándole ½ cm de grosor sobre una superficie espolvoreada con azúcar glas. Recorte 6 estrellas de 8 cm o círculos de 10 cm de diámetro y corte en ellos unas puntas a distancias regulares. • Forre 6 cuencos pequeños con papel de celofán. Aplaste ligeramente las estrellas con las puntas hacia arriba en los cuencos y póngalos en el congelador. • Bata la clara a punto de nieve y mézclela con el azúcar glas restante mientras sigue batiendo 2 minutos. Pasadas 2 horas mezcle la clara montada con el sorbete de cassis totalmente helado y cremoso y déjelo helar otros 30 minutos. • Sirva las flores de mazapán en platos de postre y llene cada una con 2 bolas pequeñas o sólo 1 bola grande de sorbete. • Vierta 2 cucharadas de licor de huevo alrededor de cada flor de mazapán y rocíe luego con el jarabe de granadina. Mezcle el jarabe y el licor en forma de espiral con un palillo de madera y sirva el postre inmediatamente.

Nuestra sugerencia: En vez del marrasquino, puede utilizar también licor de cassis francés, un licor de grosellas negras. Si el postre le resulta demasiado rico en alcohol, vierta alrededor de las flores de mazapán en vez del licor de huevo, crema de leche batida adornada con un poco de puré de frambuesas.

Sorbetes digestivos

Estos sorbetes son apropiados como entrada de menús festivos

Sorbete de hierbas

A la izquierda de la foto

1 cucharada de toronjil, menta y eneldo finamente picados
⅛ l de vino de Oporto y agua
El zumo de 1 limón
1 clara
30 g de azúcar de caña granulado
Para decorar:
unas hojitas de menta o toronjil

Receta integral • Económica

Por persona, unos 290 kJ/ 70 kcal · 3 g de proteínas 0 g de grasas · 8 g de hidratos de carbono

Tiempo de preparación: 15 min
Tiempo de congelación: 1-3 horas
Tiempo de confección: 20 min

Eche las hierbas picadas, el vino de Oporto, el agua, el zumo de limón, la clara de huevo y el azúcar de caña en el robot o batidora y mezcle bien durante unos 20 segundos. • Vierta la preparación en un molde de metal, cúbrala con papel de aluminio y póngala en el congelador durante 1 a 3 horas para que se hiele. Durante este tiempo, saque el molde del congelador cada hora, remueva bien su contenido y vuelva a meterla en el congelador. • Lave las hojitas de menta o toronjil y escúrralas. • Forme con el sorbete unas porciones con ayuda de una cuchara, sírvalas en platos y adórnelas con las hierbas, o vierta el sorbete directamente en copas y adórnelo con las hojitas de menta o toronjil.

Sorbete de remolacha

A la derecha de la foto

1 remolacha pequeña de unos 100 g · ¼ l de agua
100 g de piña fresca pelada
50 g de miel · 1 clara
2 cucharadas de ginebra
El zumo de 1 limón
La corteza rallada de ½ limón
1 pizca de clavo molido
Para decorar:
Unas hojitas de albahaca fresca o ramitas de perejil

Receta integral • Económica

Por persona, unos 375 kJ/ 90 kcal · 4 g de proteínas 0 g de grasas · 17 g de hidratos de carbono

Tiempo de preparación: 20 min
Tiempo de cocción: 15 min
Tiempo de congelación: 2-3 h
Tiempo de confección: 15 min

Lave la remolacha, pélela finamente, trocéela y cuézala en agua, tapada y a fuego lento, durante 15 minutos, después déjela enfriar. • Luego trocee la piña y bátala bien en el robot o batidora, aproximadamente 1 minuto, con los trozos de remolacha enfriados, su líquido de cocción, la miel, la ginebra, el zumo de limón, la corteza de limón rallada, la clara de huevo y el clavo. • Vierta la preparación en un molde de metal, cúbrala con papel de aluminio y métala en el congelador de 2 a 3 horas hasta que se hiele. Durante este tiempo, remueva bien la mezcla cada hora y vuelva a ponerla en el congelador. • Lave las hojitas de albahaca o las ramitas de perejil y escúrralas. • Haga bolas con el sorbete, póngalas en copas y adórnelas con las hojitas de hierbas.

Sorbete de cava

Un exquisito postre para fiestas veraniegas, que se sirve con bizcochos de soletilla

175 g de azúcar
⅛ l de agua
4 dl de cava seco (o brut)
El zumo de 3 mandarinas
o 1 naranja grande
100 g de fresas silvestres
100 g de frambuesas
1 melocotón maduro grande
4 cucharadas de Cointreau (licor de naranja)
8 hojitas pequeñas de menta
o toronjil

Coste medio ●
Especialidad francesa

Por persona, unos 1 590 kJ/
380 kcal · 2 g de proteínas
1 g de grasas · 67 g de hidratos
de carbono

Tiempo de preparación: 30 min
Tiempo de congelación: 1½ h

Hierva el agua con el azúcar, removiendo constantemente y deje enfriar después el cazo en un cuenco con agua fría. ● Eche el jarabe de azúcar con el cava bien frío y el zumo de mandarina en una sorbetera y deje helar la mezcla siguiendo las instrucciones de uso de la máquina. O bien deje helar el sorbete en la heladora eléctrica. ● Entre tanto, lave a fondo las bayas y las fresas con agua y déjelas escurrir. ● Pinche el melocotón varias veces con un tenedor, escáldelo en agua hirviendo, quítele la piel, parta el fruto por la mitad y deshuéselo. ● Trocee el melocotón, mézclelo con las bayas, agregue el licor y deje macerar la ensalada de frutas tapada en el frigorífico. ● Ponga 4 copas de cava en el congelador. ● Lave las hojitas de hierbas y séquelas. ● Haga bolas con el sorbete, sírvalas en las copas de cava y adórnelas con las hojitas de hierbas. ● Disponga la ensalada de frutas con su líquido de maceración sobre los sorbetes y sírvalos inmediatamente.

Delicados granizados de frutas

Los granizados tienen una consistencia granulada que se percibe en forma de pequeños cristales

Granizado de melocotón

A la izquierda de la foto

| 300 g de melocotones maduros |
| El zumo de ½ limón |
| 3 cucharadas de miel de flores clara |
| 1 pizca de vainilla molida |
| 2 dl de cava seco |
| Para decorar: 3 mitades de melocotón confitadas |

Receta integral • Coste medio

Por persona, unos 750 kJ/
180 kcal · 1 g de proteínas
0 g de grasas · 34 g de hidratos
de carbono

Tiempo de preparación: 20 min
Tiempo de congelación: 2 horas
Tiempo de confección: 15 min

Pinche los melocotones varias veces con un tenedor, escál-
delos brevemente en agua hir-viendo y pélelos. • Corte los me-locotones por la mitad, deshuése-los y trocee la pulpa. • Eche los trozos de melocotón en el robot o batidora con el zumo de limón, la miel, la vainilla y el cava y redúz-calo todo a puré durante aproxi-madamente 1 minuto. • Vierta la mezcla en un molde de metal, cú-brala con papel de aluminio y déjela helar unas 2 horas en el congelador. Durante este tiempo, saque la preparación del congela-dor cada 30 minutos, remuévala bien y vuelva a meterla en el con-gelador. • Corte las mitades de melocotón en rodajas muy finas. • Haga bolas con el granizado, repártalas en copas de postre y esparza las rodajas de melocotón por encima.

Granizado de sandía

A la derecha de la foto

| 1 sandía |
| 3 cucharadas de zumo de lima (o limón) |
| 3 cucharaditas de azúcar glas |
| Para decorar: |
| 4 hojitas de toronjil |
| 4 cucharadas de kirsch muy frío |

Fácil • Económica

Por persona, unos 545 kJ/
130 kcal · 2 g de proteínas
1 g de grasas · 18 g de hidratos
de carbono

Tiempo de preparación: 30 minutos
Tiempo de congelación: 2 horas

Corte la sandía en rodajas, quítele las pepitas y reserve 2 rodajas para decorar; guárdelas en el frigorífico. • Trocee el resto de la sandía y redúzcala a puré con el zumo de lima y el azúcar glas. Vierta el puré de sandía en una bandeja (de cubitos de hielo) plana, tápela con papel de alumi-nio y déjela helar durante 2 horas en el congelador. En cuanto el puré empiece a helarse aproxima-damente a ½ cm del borde de la bandeja, remuévalo con cuidado con una cuchara, de forma que los cristales helados se mezclen con el puré aún líquido. Repita este proceso varias veces hasta que el puré esté completamente cristalizado. • Reparta el graniza-do con una cuchara en 4 copas de postre y adórnelo con las hoji-tas de toronjil lavadas y las ro-dajas de sandía troceadas. Rocíe 1 cucharada de kirsch sobre cada porción.

Piña con sorbete de lima

Una forma exquisita y decorativa de servir el sorbete

1 piña de 1 kg
1 cucharada semicolmada de azúcar glas
4 cucharadas de licor de marrasquino
12 bolas de sorbete de lima
25 g de coco rallado, pistachos picados y 25 g de guirlache
150 g de jalea de grosellas
El zumo de ½ lima

Coste medio • Receta clásica

Por persona, unos 2 180 kJ/
520 kcal · 5 g de proteínas
20 g de grasas · 54 g de hidratos
de carbono

Tiempo de preparación: 30 min
Tiempo de maceración: 2 horas

Corte el penacho y un poco de la parte superior de la piña y consérvela. • Pele bien la piña y córtela en rodajas de 1 cm de grosor. Con un vaciador de unos 3 cm de diámetro saque el centro leñoso de las rodajas. • Mezcle el azúcar glas con el marrasquino, rocíelo sobre las rodajas de piña y déjelas macerar tapadas durante 2 horas en el frigorífico. • Ponga una fuente para tarta con reborde en el congelador, para que se enfríe. • Pase 4 bolas del sorbete de lima por el coco rallado, otras 4 por los pistachos picados y otras 4 por el guirlache. Ponga las bolas a helar de nuevo en el congelador. • Mezcle la jalea de grosellas con el zumo de lima y el líquido de maceración de la piña y métalo en el frigorífico. • Ponga las rodajas de piña en la fuente helada. Coloque las bolas de sorbete sobre las rodajas en el centro de la fuente. Decore con el penacho de la piña. Vierta la salsa de grosellas sobre las rodajas de piña.

Nuestra sugerencia: El sorbete de lima puede prepararse siguiendo la receta para el sorbete de cava (pág. 123), pero en vez de cava utilice el zumo de 5 limas y ¼ l de vino blanco.

Limones escarchados

Estos son los famosos «citrons givrés», o limones escarchados

Ingredientes para 8 personas:
8 limones grandes enteros
¼ l de vino blanco
150 g de azúcar
1 clara
1 pizca de sal
50 g de cidra confitada
2 cucharadas de licor de naranja

Especialidad francesa •
Elaborada

Por persona, unos 710 kJ/
170 kcal · 2 g de proteínas
5 g de grasas · 32 g de hidratos
de carbono

Tiempo de preparación: 30 min
Tiempo de congelación: 4½ h

Lave los limones con agua caliente, séquelos y corte una tapa a lo largo. Vacíe los limones, envuelva las cáscaras con sus tapas en papel de aluminio y métalas en el congelador. • Hierva lentamente el vino con el azúcar durante 5 minutos removiéndolo y déjelo enfriar. • Quítele a la pulpa de los limones las membranas gruesas que están en el centro y las pepitas; deje las pielecillas finas, ya que proporcionan aroma. • Bata la pulpa de limón en el robot mezclador. Mezcle el puré con el vino frío, viértalo en un molde, cúbralo con papel de aluminio y déjelo helar 4 horas en el congelador. • Pasado este tiempo, bata la clara a punto de nieve. Trocee finamente la cidra confitada y agréguela junto con el licor a la clara batida. • Desmenuce el puré de fruta congelado en la batidora o robot y mézclelo con la clara antes preparada. • Vierta la preparación en las cáscaras de limón, póngales las tapas y reserve los limones otros 30 minutos en el congelador. • Saque los limones del congelador 15 minutos antes de servirlos.

Nuestra sugerencia: Puede preparar el mismo postre con naranjas y mandarinas.

Tarta helada merengada

Exquisita y dulce, apropiada para rematar una comida festiva

Ingredientes para 1 molde desmontable de 24 cm de diámetro:

Para la base de merengue:
⅛ l de claras de huevo (de aprox. 4 huevos)
150 g de azúcar blanquilla
100 g de azúcar glas
2 cucharadas de maicena
Para la tarta helada:
100 g de pasas sultanas
⅛ l de ron
1 cucharada de zumo de limón
6 yemas
100 g de azúcar glas
2 cucharadas de azúcar vainillado
½ vaina de vainilla
1 l de crema de leche espesa
150 g de chocolate amargo
100 g de chocolate de cobertura
50 g de chocolate rallado

Elaborada

Cortada en 12 porciones, cada una contiene unos 2 730 kJ/ 650 kcal · 14 g de proteínas 38 g de grasas · 44 g de hidratos de carbono

Tiempo de preparación: 1½ horas
Tiempo de cocción: 3 horas
Tiempo de congelación: 5 horas

Bata las claras a punto de nieve, espolvoreándolas poco a poco con el azúcar blanquilla. • Tamice el azúcar glas con la maicena sobre las claras montadas e incorpórelo cuidadosamente con una cuchara de madera. • Precaliente el horno a 100 ºC. Cubra la placa del horno con papel sulfurizado. • Ponga el molde sobre la placa y repase con un lápiz su contorno. • Introduzca las claras en una manga pastelera con boquilla rizada y rellene con ellas el círculo formado en el papel en forma de espiral. • Ponga la base de la tarta en el centro del horno durante 3 horas, más bien a secarse que a cocerse. Mantenga la puerta del horno entreabierta con el mango de una cuchara, sólo una ranura. • Lave las pasas sultanas con agua caliente, déjelas escurrir y rocíelas con el ron y el zumo de limón. • Bata las yemas con el azúcar glas y el vainillado. • Abra la vaina de vainilla por la mitad a lo largo, raspe su contenido y mézclelo con las yemas. • Bata 6 dl de crema de leche hasta que esté muy espesa, y mezcle la mitad con la crema de vainilla. Eche la crema en el molde y déjela helar ligeramente en el congelador. • Trocee los dos tipos de chocolate y derrítalos juntos en un cazo al baño maría, añadiéndoles 2 dl de crema de leche. Agregue el ron, las pasas sultanas y el resto de la crema de leche montada a la mezcla de chocolate y remueva. • Reparta las sultanas sobre el helado de vainilla y extienda la crema de chocolate por encima. • Bata el resto de la crema de leche hasta que esté muy firme e introdúzcala en una manga pastelera con boquilla rizada. • Separe el borde de la tarta con un cuchillo, pase la base del molde brevemente por vapor de agua y deje resbalar la tarta helada sobre la base de merengue fría. Marque 12 trozos en la tarta. Adorne cada trozo con 1 guirnalda de crema montada y la ralladura de chocolate. • Ponga la tarta en el congelador hasta el momento de llevarla a la mesa.

Los ingredientes más importantes para los postres

La fruta fresca de calidad es insustituible en la preparación de los postres. Además, cuenta como parte fundamental de una alimentación equilibrada. Proporciona hidratos de carbono, minerales y vitaminas en cantidades significativas. Dado que muchas clases de fruta presentan un contenido en agua del 80 %, el contenido en Julios/calorías no se sale de los límites. La fruta fresca se ofrece durante todo el año con una amplísima selección. No obstante, se recomienda aprovechar la oferta de la temporada en cada caso. La fruta tiene entonces mejor sabor y no es tan cara. Las frutas exóticas enriquecen los postres, sobre todo en los meses invernales.

Las bayas, las frutas con hueso y las peras, normalmente sólo se pueden obtener durante un cierto tiempo, mientras que las manzanas se pueden comprar durante todo el año.

Los albaricoques, las manzanas y las peras blanqueadas, las cerezas, los melocotones, las ciruelas amarillas y damascenas, el ruibarbo, las bayas, pero también la piña, el pomelo, las naranjas, las guayabas y los kiwis son muy apropiados para ser congelados.

Piña
Temporada: todo el año.
Como fruto de recolección de una planta de 80 a 100 cm de altura se cultiva hoy día en todas las regiones tropicales. Tiene un sabor jugoso agridulce. Los frutos maduros desprenden un olor muy intenso, y su cáscara marrón dorada, espinosa, cede fácilmente a la presión del dedo por la parte del tallo. Las fotos, paso a paso, de la página 12, muestran la mejor forma de pelar una piña. Las piñas se utilizan universalmente para los platos de carne más variados, tostadas, cocteles, postres y ensaladas de frutas. Sin embargo, al natural, cortadas en rodajas, perfumadas con unas gotas de coñac y adornadas con crema de leche montada constituyen un postre exquisito. Las piñas *baby,* son piñas especialmente pequeñas, un producto nuevo de gran sabor y cáscara más fina.

Granadilla
(Fruta de la pasión, maracuyá)
Temporada: de agosto a abril.
Esta fruta proviene de África oriental y Sudáfrica, Formosa, Sudamérica, California y Australia. Los frutos, amarillos o violeta oscuro, tienen un fuerte aroma que recuerda un poco a las fresas y los albaricoques. Su carne, verde-grisácea jugosa que contiene muchas semillas pequeñas que se comen también. Cuando la piel de estos frutos está ya arrugada, la carne todavía tiene buen sabor; no obstante, debería consumirse cuanto antes. Los frutos se abren por la mitad y se saca la gelatina con una cuchara.

Kiwi
Temporada: todo el año.
Estas frutas del tamaño de un huevo de gallina, aproximadamente, de carne verde jugosa y piel marrón vellosa, provienen, normalmente, de Nueva Zelanda, pero también de los Estados Unidos, España y Francia. Cuando los frutos ceden a la presión del dedo significa que están bien maduros. Los kiwis duros, maduran todavía un poco a temperatura ambiente; se pueden conservar durante 2 semanas. Los kiwis maduros se guardan en el frigorífico hasta el momento de consumirlos. Los kiwis son especialmente ricos en vitamina C y muy pobres en calorías. Siempre hay que pelarlos. Cortados en rodajas o gajos se pueden utilizar de mil diversas maneras.

Uvas espinas del Cabo
Temporada: de diciembre a julio.
Provienen del Perú y pertenecen a la familia del tomate, pero hoy día se cultivan en todos los países tropicales. Las bayas, de color verde amarillento hasta el amarillo chillón, están envueltas en una cápsula parecida al papel, el cáliz de la planta. Las uvas espinas del Cabo se comen frescas o preparadas como las demás bayas. Tienen un sabor agridulce y constituyen un componente refinado en las ensaladas.

Uvas espinas
Temporada: de junio a agosto.
Provienen del Himalaya occidental y del sur de Europa. Hoy se han extendido a todas las zonas de clima templado. Las bayas maduras son amarillo verdoso, de colores rosados hasta marrones claros; algunas son vellosas, otras tienen una piel tersa. Con las bayas aún verdes e inmaduras, se prepara mermelada y compota; las bayas maduras deberían consumirse cuanto antes.

Mango
Temporada: todo el año.
Frutos de hasta 3 kg de peso del mango; originario de la región indobirmana, se cultiva actualmente en todas las zonas tropicales. El fruto del mango tiene forma de pera o de riñón, con piel verde rojizo, que se rasga ligeramente y se quita con un cuchillo afilado. La carne jugosa, de color amarillo dorado, se corta en rodajas, separándola del hueso. La madurez de los frutos se puede oler; bien maduros desprenden un aroma muy pronunciado y tienen un sabor dulce jugoso. Los mangos tienen muchas aplicaciones en las ensaladas de fruta, platos de crema, para rellenar tartas y también saben bien acompañando a aves, queso o jamón.

Papaya
Temporada: de octubre a junio.
Los frutos, verde amarillento, con

Piña

Piña baby

Maracuyá

Kiwi

Uvas espinas
del Cabo

Papaya

Uvas espinas

Mang

Higos

Frutas de todo el mundo

forma de pera, ceden fácilmente a la presión del dedo en su estado de total madurez y tienen una carne de color naranja rojizo fuerte. Naturales de Sudamérica, hoy día se cultivan en todos los países tropicales y subtropicales.

Las papayas aunque su gusto es muy dulce, no tienen un sabor muy propio.

Son ricas en vitamina A.

Las semillas tienen que quitarse. La carne se separa de la piel, se corta en rodajas y se perfuma con un poco de zumo de limón, licor o ron. Las papayas son apropiadas para ensaladas de fruta, platos de crema, como decoración de platos fríos o sofritas en mantequilla como guarnición de carnes blancas.

Higos

Temporada: de junio a noviembre. En los meses restantes son difíciles de conseguir.

Proveniente de Asia Menor, la higuera se cultiva también en la región mediterránea, Sudáfrica, California y Sudamérica.

Los higos frescos pesan de 50 a 70 g y tienen un sabor dulce. Enfriados es como mejor desarrollan su aroma. Deberían consumirse lo antes posible. Hay tipos con piel amarilla y también azul verdosa a violeta. Los higos maduros son blandos; la piel tiene que estar sin manchas y no debe ser pegajosa.

Los higos frescos se comen pelados o sin pelar, rociados con un poco de coñac. También saben muy bien combinados con un sa-

bayón o crema de vainilla, en ensaladas de fruta, con jamón, pescado ahumado y platos de carne tierna.

Caqui (palo santo)

Temporada: de noviembre a marzo.

Originario de Asia Oriental, se cultiva actualmente en el sur de Europa, América del Norte y Brasil. Los caquis son de color anaranjado, blandos en estado madur, un poco oscuros y con forma de tomates grandes.

Las especies ricas en ácido tánico, tienen un sabor especialmente amargo si no están totalmente maduros. Los caquis contienen mucha carotina y su aroma recuerda al de los albaricoques y melocotones. Los caquis de Sharon, una nueva producción de caquis del valle israelí de Sharon, no contienen ácido tánico, y por ello, son los únicos que pueden comerse con la carne un poco dura. Estos frutos, más pequeños y de color naranja claro, se consiguen de marzo a mayo.

Albaricoque

Temporada: de mayo a septiembre.

Esta fruta de hueso, de color naranja amarillento, emparentada con las ciruelas, de aroma finamente semiácido y piel aterciopelada, contiene la mayor cantidad de carotina dentro de las frutas. Los albaricoques provienen de China y se dan bien en las regiones muy soleadas.

Maduran un poco a temperatura ambiente y se pueden conservar de 2 a 3 días. Para confeccionar mermeladas o compotas también son apropiados los frutos no totalmente maduros. Para degustarlos crudos deberían estar totalmente maduros.

Melocotón

Temporada: de mayo a septiembre.

Los melocotones se cultivan básicamente en el sur de Europa y California. Los frutos, del tamaño de las manzanas y piel aterciopelada, tienen un hueso duro, que encierra las almendras

oleaginosas. La carne, blanco amarillenta o dorada, es jugosa y de sabor dulce. Los frutos aún no maduros, lo consiguen un poco más a temperatura ambiente; bien maduros no deberían conservarse más de 2 días en el frigorífico.

Para los postres, normalmente se utilizan pelados; para ello escalde los frutos en agua hirviendo o blanquéelos 2 minutos, después quíteles la piel.

Los postres a base de melocotón, como las macedonias y el melocotón Melba, se cuentan entre los más refrescantes de la temporada estival.

Nectarina

Temporada: de mayo a agosto.

Un cruce entre ciruela y melocotón. Su piel es roja y amarilla, tersa y brillante. Las nectarinas se cultivan en Japón, California, Sudáfrica y en el sur de Europa.

Las nectarinas tienen una carne relativamente dura, incluso totalmente maduras; los frutos demasiado blandos están demasiado maduros y se estropean muy rápidamente.

Melón y sandía

Pertenecen a la familia de las cucurbitáceas. Dentro de ella se distinguen básicamente los melones y las sandías. Entre los melones más apreciados se encuentra el melón de invierno, el melón moscado o reticulado y el melón cantalupo y Ogen. Lo melones de invierno tienen una carne de color

Sandía

Melón moscado

Caqui

Melocotón

Albaricoque

Fresones

Nectarina

Ciruelas rojas, claudias y prunas

Melón de invierno

esas   Frambuesas

Los ingredientes más importantes para los postres

amarillo verdoso hasta anaranjado y de sabor dulce como la miel. Los frutos maduros tienen un olor muy aromático. Los melones moscados o reticulados tienen una cáscara con dibujo en forma de red, los melones cantalupo son blancos a verde amarillentos y llegan a ser tan grandes como balones de fútbol. Su carne es de color albaricoque y tiene un sabor marcadamente sabroso. Las sandías tienen la cáscara verde oscura y la carne rojo brillante, con muchas semillas oscuras. Constan de un 95 % de agua. Una sandía suena a hueca si se golpea la cáscara.

Ciruela

Temporada: de julio a octubre.
Existe un gran número de variedades y resulta difícil distinguir los frutos de hueso redondo de los ovoformes. A esta gran familia no corresponden sólo las grandes ciruelas redondas de color azul violeta, sino también las ciruelas damascenas, las redondas y rojas, las pequeñas ciruelas amarillas Mirabel, las ciruelas claudias de color verde amarillento y las ciruelas ovaladas azules (Quetsche). Según la especie, las ciruelas tienen un sabor que va del dulce al amargo. Al comprarlas seleccione frutos de piel seca y sin arrugas. Para comerlas crudas, son apropiadas las especies tempranas por su carne más tierna; para tartas y para cocer, son mejores las tardías, especialmente las ciruelas azules, que contienen más azúcar y menos agua.

Cereza

Temporada: de mayo a agosto.
Entre las diferentes variedades de cerezas, se encuentra toda una gama de colores que oscila del rojo amarillento y el rojo oscuro hasta el negro, como las picotas. Las guindas tienen un color rojo a rojo oscuro, al igual que las guindas garrafales y las guindas agrias. Las jugosas picotas son una de la variedades más tardías.

Fresa

Temporada: de finales de mayo a julio.
Dentro de la gran variedad de fresas y fresones cultivados, los más pequeños, de color rojo oscuro, tienen el sabor más aromático. Las verdaderas fresas silvestres se ofrecen rara vez y sólo en pequeñas cantidades. Al comprar fresas y fresones debería seleccionar frutos maduros, secos, sin magulladuras. Consuma las fresas a ser posible el mismo día de su compra.

Frambuesa

Temporada: de junio a septiembre.
Las delicadas frambuesas crecen silvestres en las zonas de clima templado. Las frambuesas silvestres son más aromáticas que las cultivadas. Las bayas cónica o redondas tienen un sabor dulce y aromático y con ellas se preparan mermeladas, jaleas, confituras, zumos, jarabes y helados. Las frambuesas frescas se añaden siempre en el último momento a las ensaladas de frutas, por su sensibilidad a la presión. Deberían consumirse, a ser posible, el mismo día de su compra. De lo contrario, esparza las frambuesas en una fuente y guárdelas en el frigorífico.

Mora

Temporada: de julio a octubre.
Estas bayas de color negro azulado a brillantes, crecen silvestres en las lindes de los bosques, pero también se cultivan.
Las moras silvestres son más pequeñas, pero más aromáticas. Al contrario que las frambuesas, las moras sólo se separan de la rama si están totalmente maduras.

Arándano (Mirtilos, endrinas)

Temporada: de julio a septiembre.
Estas bayas de color azul mate y sabor agridulce, crecen silvestres en los bosques. Son muy ricas en vitaminas y como mejor saben es recién cogidas, espolvoreadas con azúcar y con una capa de crema de leche montada. Los arándanos cultivados son más grandes, pero no pueden competir con los silvestres en cuanto al sabor.

Grosella

Temporada: de junio a agosto.
Las grosellas son las bayas rojas, negras y blancas del grosellero. Las grosellas rojas tienen un sabor amargo ácido, las negras son un poco más amargas. Las grosellas negras tienen el contenido en vitamina C más alto dentro de todas las bayas y contienen muchísimo potasio. Las bayas blancas se pueden comprar muy raramente y se estropean en seguida.

Uva

Temporada: de julio a octubre.
En los meses de enero a julio se importan de Chile, Argentina y Sudáfrica.
En un 85 % se procesan para obtener vino, un 5 % del total de la cosecha se seca y se vende como pasas, sultanas y Corinto; únicamente un 10 % corresponde a las llamadas frutas de mesa. Las uvas de mesa son azules, amarillas o verdes y tienen una piel más o menos fina. Las pepitas y las pieles son materias fibrosas que estimulan la digestión. El gran contenido en glucosa hace que las uvas sean muy ricas en calorías. Las uvas se cosechan básicamente en Italia, España, Francia y Grecia. Las variedades más conocidas son las uvas moscatel, que huelen suavemente a nuez moscada; las uvas Almería sin pepitas y las uvas Chaselas, doradas y negras.

Pomelo

Naranja sanguina

Naranja

Mandarina

Uvas de mesa

Guindas

Grosellas

Frutas de todo el mundo

Naranja
Temporada: de noviembre a junio, aunque se encuentran todo el año.

El color de la piel no determina la calidad de los frutos. Las naranjas de piel descolorida pueden estar tan maduras como las de color naranja rojizo. Entre las variedades más populares, se encuentran las Valencia y las Navel. Las naranjas sanguinas tienen la corteza y la carne de color rojo y un sabor entre dulce y amargo. Si la corteza se va a rallar, o debe utilizarse para cortar en juliana, compre frutos que no hayan sido sometidos a ningún tratamiento.

Mandarina
Temporada: de octubre a febrero.
Pequeños cítricos con carne de aroma dulce, pepitas y cáscara fina, no adherida totalmente.

Las satsumas, especie de maduración temprana, provienen de Japón y casi no tienen pepitas. Las clementinas son un cruce entre mandarinas y naranjas agrias; llegan al mercado de noviembre a enero. Las mandarinas provienen de China, pero actualmente se cosechan en el Mediterráneo, Java y Sumatra.

Pomelo
Temporada: de octubre a mayo; se pueden obtener con mayor dificultad en los meses restantes.

Los pomelos son un cruce entre naranja y limón. La carne va del color amarillo al rosado, casi no tiene pepitas y tiene un sabor desde el jugoso seco hasta el amargo ácido; los frutos de carne rosada tienen un sabor más suave. Los pomelos se cosechan en Estados Unidos, Israel, España y África. Para consumirlos córtelos por la mitad, espolvoree la pulpa con un poco de azúcar y sáquela con una cucharita.

Las ensaladas de fruta se pueden servir de forma decorativa dentro de mitades de pomelo vaciadas.

Plátano
Temporada: todo el año.
Los plátanos son uno de los frutos de cultivo más antiguos. Proceden de las Indias Occidentales, América Central y del Sur, de las Islas Canarias y de África. El plátano carga, de 8 a 14 racimos con hasta 20 plátanos cada uno, que después de 3½ meses están maduros para su recolección. Su carne amarilla clara contiene un ácido que se transforma en azúcar, convirtiéndolos en blandos y dulces. Lo mejor es comprar los frutos maduros, pero todavía duros o compactos. De este modo se pueden conservar bien durante 1 semana a temperatura ambiente. Dado que una vez pelados adquieren color marrón, la carne inmediatamente debería rociarse con zumo de limón. Los plátanos cortados en rodajas son ingrediente fundamental de las ensaladas de fruta; también se preparan partidos por la mitad a lo largo fritos en mantequilla y eventualmente flameados o reducidos a puré para entrar en la composición de patos de cremas.

Manzana
Temporada: todo el año.
Ya en tiempos anteriores a Cristo se conocían como mínimo 3 variedades silvestres. Las manzanas de mesa son frutos de la mejor calidad. Las manzanas de cultivo biológico poseen un perfecto aroma. Las especies de manzana más vendidas son las reineta, Granng Smith, Cox Orange, Boskop, Golden Delicious y Starking Delicius. Para nuestras recetas recomendamos las Boskop o Cox Orange. La Boskop es una manzana típica de invierno tierna, de sabor tirando a ácido. Es especialmente apropiada para cocer y asar. La Cox Orange va bien para ensaladas de frutas u otras composiciones con fruta fresca.

Otras variedades se procesan industrialmente para mermeladas de manzana o compotas. Para fabricar hierbas de manzana, se cuece espeso el zumo con muy poco o ningún azúcar. Sufren un proceso químico, lo que tiene que ir indicado en el paquete. Actualmente se fabrica del mosto, sidra o calvados.

Pera
Temporada: de agosto a octubre.
Las peras son normalmente más dulces que las manzanas. Por su alto contenido en potasio tienen un efecto deshidratante. Las variedades de pera más importantes son las Williams, Conference, Beurré Hardy, Passe Crassanne, la limonera leridana y la blanquilla. Para los postres se cuecen las peras en un poco de vino blanco o tinto o se utilizan crudas, frecuentemente peladas.

Ruibarbo
Temporada: de abril a junio.
El ruibarbo se cree que procede de una especie silvestre de Siberia, aunque también puede ser de origen híbrido. Como ingrediente para preparaciones dulces, se utilizó por primera vez a mediados del siglo XIX en Holanda. Los tallos foliados de color rojo verdoso y de carne jugosa, tienen un sabor ligeramente amargo. Al igual que el melón o la calabaza, el ruibarbo, desde el punto de vista botánico, se cuenta entre los tipos de vegetales que se pueden utilizar como frutas en la preparación de mermeladas, confituras, compotas o tartas. Antes de consumir el ruibarbo, tiene que quitarle las hojas, el final del tallo y los gruesos hilos externos, cortarlos en trozos y cocerlo en un poco de agua con zumo de limón y azúcar. Puede conservar en el frigorífico las varas crudas sin perder calidad de 1 a 2 días.

Ruibarbo

Plátano

Pera Williams

Manzana Cox Orange

Manzana Golden

Pera limonera

Pera blanquilla

Arándanos

Moras

Manzana reineta

Los ingredientes más importantes para los postres

En la preparación de postres es válida una regla muy general que hay que tener en cuenta si se desean conseguir creaciones refinadas de delicioso sabor. El arte de aromatizar consiste en subrayar sólo ligeramente las cualidades aromáticas del ingrediente principal, utilizando de forma extremadamente moderada otros aromas fuertes.

A continuación se describen algunos aromatizantes importantes, que juegan un gran papel en los postres modernos. Tampoco podían faltar las especias en este apartado.

Alcoholes en su medida

Es absolutamente justificable la utilización de bebidas espirituosas o licores para la aromatización de los postres; las cantidades necesarias para ello son tan mínimas que el consumo de alcohol casi no entra en consideración. Un licor adecuado para las frutas del postre, condimenta deliciosamente. A continuación se citan las bebidas alcohólicas utilizadas en la parte de recetas de este libro. También se necesitan ocasionalmente cava o champán, así como vinos secos tintos, rosados o blancos.

Alquermes, licor de hierbas italiano.

Amaretto, licor de almendras italiano.

Calvados, aguardiente de manzanas de Normandía.

Cassis, licor de grosellas francés hecho con grosellas negras.

Coñac, aguardiente de la región francesa del mismo nombre (Cognac).

Cointreau, licor elaborado a partir de la corteza de naranjas amargas.

Licor de huevo, emulsión de yema de huevo, azúcar y alcohol.

Madeira, vino de postre de la isla atlántica portuguesa del mismo nombre.

Marrasquino, licor de cerezas procedente de Italia y Yugoslavia.

Ron, aguardiente de caña de azúcar.

Jerez, vino dulce o seco procedente de la Denominación de Origen del mismo nombre.

Miel

Un viejo producto alimenticio. La apicultura existía hace ya 4.000 años en Egipto. Hasta la introducción de la caña de azúcar, la miel de abejas era el único edulcorante en Europa. Existen dos tipos: miel de flores, del néctar de flores (por ejemplo, miel de acacias, de brezo, de trébol y de tilo), y miel de otras partes de las plantas (por ejemplo, miel de hojas, de abetos y de pinos).

Dado que la miel de abeja, igual que el azúcar refinado, consume vitamina B1 para su descomposición en el cuerpo humano, debería utilizarse moderadamente como «condimento». Calentándola, la miel pierde sus agentes activos biológicos, que son buenos para la salud. Se puede tener almacenada durante 1 año.

Jarabe de arce

Cuenta entre los productos edulcorantes alternativos de la cocina integral y es un producto de coste elevado. El jarabe de arce proviene originalmente de los extensos bosques de arces de Norteamérica, donde los indios dominaban ya el arte de extraer a los árboles su exquisita savia dulce y preparar ésta como jarabe. Dado que el azúcar era una rareza, el jarabe de arce era un producto alimenticio básico. Todavía se consigue el jarabe de arce en Canadá y América de los arces silvestres. Durante el proceso de extracción, de 4 a 6 semanas de duración, entre los meses de marzo y abril, se modifica la composición de la savia. El dulzor concentrado que la caracteriza al principio se pierde después, aumentando al mismo tiempo el contenido en minerales. Para elaborar 1 l de jarabe se ne-cesitan de 40 a 50 l de savia de arce. El jarabe de arce se ofrece en cantidades de 1/8 de l a 1 l. Los recipientes ya abiertos deben conservarse en el frigorífico y consumir el jarabe lo antes posible.

Azúcar de caña granulado

Un edulcorante alternativo redescubierto. El azúcar de caña integral —no confundirlo con el azúcar moreno— es el zumo seco, no refinado, de la caña de azúcar cultivada, por lo general, biológicamente. En la cuidada elaboración se conservan todos los agentes orgánicos, mientras que en el caso del azúcar blanco y el moreno, se eliminan por el proceso de refinado todos los agentes efectivos. En las tiendas de productos dietéticos encontrará azúcar de caña integral claro y oscuro. Su sabor malteado, que recuerda al regaliz, es más fuerte en el caso del azúcar de caña moreno. Si desea acostumbrarse a este edulcorante debería empezar por el tipo claro.

El azúcar de caña granulado endulza menos que el azúcar blanco, pero se suele encontrar más puro en cuanto al sabor.

Jengibre

Tiene un fuerte sabor aromático ligeramente dulce. Los rizomas de esta planta, parecida a la caña, se cultivan hoy en casi todos los países tropicales. El interés por la cocina del Extremo Oriente ha traído de nuevo el jengibre a Europa, el cual

Vino tinto

Jengibre en almíbar

Nougat

Vino blanco

Licor de huevo

Jerez

Miel

Ron

Coñac

Azúcar de jengit

Alquermes

Clavo

Canela en rama

Vaína de vainilla

Los aromas más finos

había caído imperdonablemente en el olvido. Las partes más gruesas del rizoma suelen llegar al comercio generalmente confitadas; las partes laterales finas como un dedo, peladas o sin pelar, cortadas en trozos o reducidas a polvo y los jóvenes retoños laterales se maceran en almíbar. El persistente aroma del jengibre casa bien con platos dulces y picantes.

Clavos

Las yemas florales secas del clavo pueden obtenerse en el comercio enteras o molidas. Tienen un sabor muy picante y huelen como los claveles. Los clavos, codiciados desde la Edad Media, son originarios de Indonesia. Del aceite de clavo se dice que tiene un efecto tonificante para el estómago, el hígado y el corazón. Además de para postres de frutas, se utilizan para condimentar el pan de especias, el pastel de manzana, las verduras agridulces, platos de carne y pescado, como ponches o vinos calientes. Los clavos pierden fuerza aromática si se tienen almacenados demasiado tiempo.

Canela

Una especia codiciada desde hace miles de años, la de mejor calidad viene de Ceilán. La canela es la corteza interna del canelo, que se enrolla por ambos lados y se vende como canela en rama. La casia, que viene en rollos más gruesos que la verdadera canela, tiene un aroma más fuerte y suele molerse. La canela tiene un sabor intenso, por ello debe dosificarse moderadamente.

Vainilla

La vainilla, una orquídea trepadora proveniente de América Central, puede adquirirse en vaina o molida; las vainas son unas barras marrón oscuro de unos 20 cm de largo. Las vainas se abren por la mitad a lo largo y se raspa su contenido. El azúcar vainillado puede prepararse en casa fácilmente a partir de las vainas vacías: para ello llene un frasco de cristal de cierre hermético con azúcar blanquilla, introduzca la vaina de vainilla vacía y cierre el recipiente herméticamente. Si prepara una pasta en el robot eléctrico, puede desmenuzar, justo con los ingredientes, un trozo de vainilla.

Chocolate

Un brillo sedoso y sin manchas es la indicación visible de su calidad. Los ingredientes básicos son pasta de cacao líquida, manteca de cacao, azúcar y leche o crema de leche en polvo. La adición de colorantes y conservantes está prohibida. Las lecitinas de soja como medios de emulsión, hacen la masa de chocolate másblanda. El chocolate se derrite al baño maría o se ralla antes de incorporarlo a cremas o adornos. Usted mismo puede elaborar fácilmente adornos (vea pág. 16); no obstante, se pueden comprar con las formas más diferentes.

Turrón

En nuestras recetas hemos utilizado el turrón de Jijona, elaborado con almendras molidas, azúcar y miel. También puede emplear satisfactoriamente una crema de avellana, cacao y azúcar (producto comercial).

Pasta cruda de mazapán

Se prepara en un porcentaje muy alto con almendras y no más de un 35 por 100 de azúcar. Es un producto elaborado industrialmente de alto estándar de calidad y que ahorra un montón de trabajo en casa. Para preparar mazapán, agregue a la pasta cruda azúcar glas y agua de azahar o agua de rosas.

Agua de rosas

Una gota de aceite de rosas perfuma de forma duradera ¼ l de agua. El agua de rosas se usa, como el agua de azahar, para aromatizar exquisitos postres, pastas o mazapán casero.

Agua de azahar

Se consigue mediante la destilación de las flores aún cerradas del naranjo. Se puede conseguir, igual que el agua de rosas, en droguerías y farmacias.

Zumo de naranja recién exprimido

Para ello se pueden utilizar las especies de naranjas normales, así como las naranjas sanguinas o las variedades más económicas. Para los postres finos el zumo industrial no es más que un pobre sustituto.

Zumo de escaramujo

Se saca de las bayas amarillo rojizas del escaramujo, ricas en vitamina C. El zumo sin endulzar, que se puede conseguir en las tiendas de productos dietéticos, es muy apreciado en la cocina integral.

Granadina

Es el zumo de las granadas, que se ha convertido en jarabe mediante su cocción con abundante azúcar. Las granadas se cultivan en las zonas mediterráneas y subtropicales. Además del jarabe se obtiene también licor. El jarabe sin alcohol tiene un vivo color rojo límpido. Da un color muy bonito y natural a postres y cócteles.

Mosto

Jarabe de arce

Granadina

Zumo de naranja

Agua de rosas

Agua de azahar

Chocolate

Pan de jengibre

Masa de mazapán

Jugo de escaramujo

Vainilla en polvo

Azúcar de caña granulado

Todo sobre la preparación de los helados

Trucos calientes para postres helados

El helado hecho en casa se puede preparar de muchas formas. Sobresale, sobre todo, por la calidad de sus ingredientes. El huevo y la leche en polvo, medios espesantes, emulsores artificiales y otros productos desnaturalizantes, quedan reservados, naturalmente, para la fabricación industrial.

Para la producción propia de helados, lo más importante es que los ingredientes sean muy frescos. La base, una crema de yemas y la crema de leche batida, que consta en un 30 % de grasa fácilmente digerible, garantizan el gusto cremoso del helado. Pero también los alcoholes o el azúcar evitan que el helado quede demasiado duro al helarse. Si empieza por primera vez a probar recetas de helado, podrá arreglárselas todavía sin una heladora. Lo importante es que la crema de huevo, que se pone a cuajar en el congelador de 2 a 5 horas en un molde metálico se remueva cada hora cuidadosamente con una espátula. Sólo en el caso de cremas especialmente ricas en yemas y/o crema de leche podrá renunciar a esto.

Los sorbetes o granizados de zumos de fruta endulzados, o de pulpa de frutas, a los que se añade poco o ningún alcohol, se tienen que remover cada media hora. La ventaja al trabajar con una heladora consiste, sobre todo, en que el helado queda cuajado tan sólo en 20 ó 30 minutos.

En la preparación de los helados, preste atención a las siguientes reglas básicas:

• Dado que los componentes básicos como leche, huevos frescos y crema de leche son foco de cultivo para bacterias, la limpieza absoluta durante la preparación del helado es una exigencia.

• El congelador tiene que indicar como mínimo −18 °C. Preste atención a que la puerta del mismo se abra siempre sólo por un instante.

• Los ingredientes básicos como huevos, crema de leche y leche deberían ser siempre lo más frescos posible; la leche o la crema de leche de larga duración perjudican el sabor del helado; además, la crema de leche enlatada no se deja montar tan bien como la fresca.

• La mezcla de yemas y azúcar debe batirse hasta que esté espumosa en un cazo al baño maría, después debe enfriarse de nuevo en un baño maría frío.

• Las claras y la crema de leche deben batirse muy firmemente, antes de mezclarlas cuidadosamente con el resto de los ingredientes. La preparación tiene que meterse inmediatamente en el congelador o en la heladora. La delicada crema espumosa se desinflaría rápidamente a temperatura ambiente y perdería finura.

• Las frutas aromáticas de temporada, los frutos secos ligeramente tostados, la vainilla pura, el chocolate, el turrón o la masa de mazapán, unas gotas de alcohol, azúcar blanquilla o azúcar de caña granulado, así como los tipos de miel sin sabor demasiado fuerte, son los aromatizantes apropiados para los helados; deben ser siempre de la mejor calidad. Prescinda de las ofertas especiales si se trata de productos de menor calidad.

• No vacile en elegir ocasionalmente para los sorbetes como sustancia principal, hortalizas aromáticas como el pepino, la remolacha, los tomates o los calabacines. Estos sorbetes aromatizados con hierbas frescas picadas finas y ligeramente endulzadas, se pueden servir como entrada refrescante o postre ligero.

• Para helar en el congelador, vierta la preparación en un recipiente metálico, el cual transmite bien el frío. Para que el helado adquiera una consistencia cremosa tiene que removerse la preparación cada hora, mezclando así los cristales helados de los bordes con la masa aún blanda del centro del recipiente.

• Si su heladora de tipo clásico produce el frío necesario mediante el añadido de cubitos de hielo y sal, tendrá que tener la cantidad requerida de cubitos de hielo en el congelador como reserva. Además de las cubiteras metálicas con separador de plástico para la fabricación de cubitos de hielo, también son muy prácticas las bolsas de plástico especiales con divisiones. No obstante, estos contenedores sirven sólo para una vez.

• El helado hecho con ingredientes frescos se conserva durante un par de semanas. No obstante, sabe mejor si se consume inmediatamente o no se conserva más de 1 semana. Para almacenarlo en el congelador, vierta el helado en contenedores de plástico herméticamente cerrados.

• El helado que se haya conservado en el congelador estará normalmente duro. Para evitarlo, póngalo en el frigorífico unos 30 minutos antes de servirlo, para que adquiera de nuevo una consistencia cremosa y se pueda sacar con las pinzas de bola. ¡No vuelva a congelar, en ningún caso, el helado derretido!

Recipiente para amasar

Molde para helados

Batidora eléctrica

Molde para «Cassata»

Pinza para helados

Copa para helados

Cuchara vaciadora

Utensilios prácticos

Además de una jarra medidora y una balanza de cocina, un robot o una batidora de varillas eléctrica (para algunas recetas es suficiente una sencilla batidora de varillas manual), son de gran ayuda en la preparación de los helados los cazos de acero inoxidable.

Un molde semiesférico con tapadera u otros moldes para helado, como, por ejemplo, el molde para «Cassata» de la foto, también de metal, pertenecen ya a un equipo de cocina de lujo. Si dispone de un molde pastelero semiesférico, de un molde para suflé y fuentes de porcelana o de cristal parecidos, puede trabajar también con ellos.

También necesitará una espátula para remover la preparación durante el proceso de helado en el congelador y algunos contenedores de plástico para el almacenamiento de hielo. Una bola o pinza para moldear de acero inoxidable de diferentes tamaños le permitirá (remojada en agua fría) formar bonitas bolas de helado. Con la cuchara vaciadora se raspan largas porciones del helado. Puesto que su mango está relleno con glicerina, transmite el calor de la mano al cucharón; de este modo se pueden sacar porciones del helado muy congelado con poco esfuerzo.

Parta el helado de espaguetis, que tanto gusta a los niños, pase el helado de vainilla por un cortapastas directamente sobre los platos de postre. Una salsa de puré de frambuesas y coco rallado les da un parecido asombroso con la salsa de tomate y el queso parmesano rallado. El helado se deshace más lentamente si se sirve en copas de helado clásicas de metal, bien enfriadas en el congelador.

Qué heladora elegir

El sistema para la preparación del helado es idéntico en todas las heladoras: a partir de una crema o puré que se remueve constantemente y gracias a la acción del frío, se obtiene el mismo. Si desea comprar una heladora, tendrá que elegir entre diferentes modelos.

El precio y la técnica difieren según el fabricante. Básicamente, se distingue entre dos tipos de heladoras, las que se manejan manual o eléctricamente. Ambas constan de un recipiente en el que se vierte la masa de helado o sorbete. La manual lleva una tapadera con una manivela giratoria. El tambor interno de cierre hermético se pone en un recipiente externo mayor y el espacio intermedio entre ambos se rellena con cubitos de hielo, de 250 a 500 g de sal gorda barata y un poco de agua helada. Entonces se dan vueltas a la manivela de 20 a 30 minutos hasta que se hiele el helado o se conecta el motor, que se desconectará automáticamente pasado el mismo tiempo, cuando la resistencia del helado congelado a un volumen determinado se haga notar en el brazo batidor. El helado estará entonces cremoso y no congelado y duro. De este modo se puede preparar de una vez, de 1¼ a ½ l de helado. Si desea preparar varios sabores deberá tener una reserva de cubitos de hielo.

En una de las heladoras más modernas se ahorra el trabajar con cubitos de hielo y sal. Produce el frío necesario mediante un líquido refrigerante, que se encuentra en el tambor de la heladora. Meta el tambor como mínimo 7 horas en el congelador a −18 °C, llénelo después con la preparación y ponga el tambor sobre la parte del motor. Igual que en la máquina clásica, el helado se hace mediante el batido constante de la masa. El enfriamiento del tambor es suficiente para preparar dos sabores diferentes que deberán hacerse uno tras otro. También en este tipo de heladoras, es importante que el helado que se deba almacenar en el congelador, se pase del recipiente metálico a uno de plástico, ya que es más difícil raspar el helado duro de un recipiente metálico; además rasparía sus paredes.

También hay otras heladoras preparadas para trabajar en el congelador del frigorífico. Funcionan allí eléctricamente; el cable se tiene que llevar, por tanto, desde el frigorífico hasta una toma de corriente, pudiéndose cerrar bien la puerta del congelador. En este tipo de máquina no son necesarios ni una mezcla de cubitos de hielo y sal, ni ningún otro sistema de refrigeración en la máquina. Estas pequeñas máquinas sólo tienen capacidad, sin embargo, para pequeñas cantidades de helado.

Una heladora, con motor refrigerador incluido, es el aparato más caro de todos. La crema se convierte en ella en helado sin grandes preparativos.

En las recetas para sorbetes, hemos recomendado, ocasionalmente, el uso de una sorbetera. Estos aparatos son difíciles de encontrar actualmente. En todas las heladoras descritas se pueden preparar también sorbetes sin mucho esfuerzo.

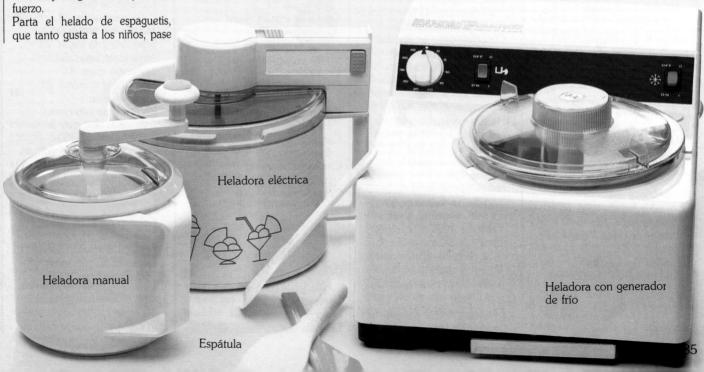

Heladora eléctrica

Heladora manual

Heladora con generador de frío

Espátula

Índice general de la A a la Z

Los autores

Annette Wolter

Es una de las autoras de libros de cocina más prestigiosa del ámbito lingüístico alemán. Desde hace más de veinte años está dedicada a la cocina y el cuidado del hogar, habiéndose dedicado a ellos ya en calidad de colaboradora de revistas para la mujer. Hoy, Annette Wolter es una experta reconocida en el campo de la cocina, autora de numerosos best-sellers en libros de cocina y premiada varias veces por la *Gaastronomische Akademie Deutschlands* (Academia Gastronómica Alemana). Las recetas de sus libros muestran claramente el éxito de la combinación entre los refinamientos culinarios y la comida moderna y sana.

Entre sus best-sellers están «Kochen heute» («Cocinar hoy»), «Kochvergnügen» («El placer de cocinar»), «Backvergnügen» («El placer de la repostería»), «Kalte Küche» (Cocina fría») y «Spezialitäten der Welt» («Especialidades del mundo»). Además es la editora de la nueva serie «Cocinar mejor que nunca», en la que aparece el presente libro.

Elke Alsen

Reunió una gran experiencia práctica como joven octrofóloga en las instituciones sociales más variadas y aprendió a alimentar a gente joven en condiciones no siempre favorables. Después pasó a formar parte de la redacción de cocina de una gran editorial hamburguesa, a la que dio un gran impulso dirigiendo la cocina experimental. Se trataba de encontrar recetas adecuadas para todos los temas imaginables, presentarlas ante la cámara muy fotogénicas y suministrar los textos a la redacción. Entretanto, la señora Alsen tiene marido e hijos, casa, jardín, perro y gato. Pero continuará siempre ejerciendo su profesión. Le gusta, por ejemplo, trabajar como estilista en estudios de food-fotos o revela sus recetas favoritas a los libros de cocina ilustrados con fotos en color de la editorial Gräfe und Unzer.

Marieluise Christl-Licosa

Nació y creció en el Tirol. Vivió junto con su marido y sus cuatro hijos muchos años en Milán. Durante este tiempo recopiló con verdadera pasión y en numerosos viajes por todas las regiones las recetas italianas de campesinos de la montaña, pescadores, cocineros principescos y en último lugar de cocineros jefes de locales gastronómicos conocidos. En la Universidad popular Gernering, de Munich, enseña lengua italiana y da cursos sobre cocina italiana. Como experta en este campo, la señora Christl-Licosa, de la que se han publicado ya en Editorial Everest, S. A., «Italienisch kochen» («El gran libro de la cocina italiana») y diferentes manuales de cocina sobre este tema, ha contribuido para el presente libro «Postres» sobre todo con las variantes italianas.

Marey Kurz

Procede de una familia germano-báltica. Desde hace más de veinte años cocina para su marido y sus hijos, esforzándose por hacer las comidas de cada día lo más sabrosas posible. Sus propios problemas de salud motivaron a la señora Kurz para ocuparse cada vez más de las comidas integrales. La adaptación consecuente no sólo le proporcionó su propia salud, sino el reconocimiento entusiasta de toda la familia por la nueva forma de nutrición. Así, la señora Kurz escribió su primer libro, «Die neue Vollwertküche» («La nueva cocina integral»), y —animada por el éxito— poco después «Soja in der Vollwertküche» («La soja en la cocina integral»), así como «Vollwertkost, die Kindern schmeckt» («La cocina integral que gusta a los niños»). Para este libro nos proporcionó, naturalmente, sus mejores recetas integrales.

Hannelore Mähl-Strenge

Vive con su familia en Hamburgo. Como octrofóloga graduada administró durante dos años el restaurante de una gran editorial de Hamburgo antes de favorecer con sus amplísimos conocimientos y sus experiencias prácticas en el desarrollo de recetas y realización de nuevas ideas a las diferentes cocinas experimentales de prestigiosas revistas. Desde hace ya muchos años trabaja como estilista gastronómica independiente para redacciones, agencias, food-fotógrafos y compañías cinematográficas publicitarias. Además le sigue haciendo tanta ilusión como antes dejarse inspirar por las ofertas del mercado semanal y mimar a su marido, sus hijos e invitados queridos con sus opíparas creaciones. Algunos de sus mejores postres los ha cedido para la editorial Gräfe und Unzer.

Bernd Schiansky

Tiene como hobby la cocina y la repostería por pasión. Dado que a la cocina de su mujer, por lo demás ampliamente variada, le faltan ocasionalmente platos dulces y pasteles, el ingeniero del ramo de seguros se propuso —con mucha alegría por parte de sus dos hijos pequeños— hacerse cargo de este área del goce de los glotones en la casa Schiansky. Ya desde hace algunos años, en su tiempo libre, desarrolla con mucha creatividad recetas peregrinas, entre otras también para postres; ha puesto sus creaciones más logradas a disposición de la editorial Gräfe und Unzer para el presente tomo.

Brigitta Stuber

Es una muniquesa auténtica y quiso convertirse sin rodeos directamente del colegio en esposa y madre. Este salto de trampolín la obligó a aprender por sí misma todo lo relacionado con la cocina y el cuidado del hogar. Sus artes culinarias y reposteras inventadas por ella misma encontraron tal aceptación entre sus amistades, que todo el mundo le pedía las recetas. El redactor de una revista creó una columna expresamente para las recetas stuberianas, lo que naturalmente, animó a la autora a realizar otros trabajos periodísticos. Y como quiere hacer siempre todo al cien por cien, hizo un curso de meritoria en una redacción, trabajando durante años para revistas especializadas. Desde 1980, Brigitta Stuber es lectora de la Editorial Gräfe und Unzer. En este tomo dedicado a los «Postres» ha colaborado también activamente.

Rolf Feuz

Acudió a la Escuela de Artes y Oficios en Zurich y terminó allí los estudios de fotógrafo. Sus años de viaje le condujeron por los estudios de prestigiosos fotógrafos publicitarios, y ya en 1980 abrió el joven fotógrafo su propio estudio en Zurich especializado en fotografía gastronómica (food-foto). Desde entonces produce sus interesantes publicaciones para editoriales profesionales y grandes agencias. En 1987 inaguró Rolf Feuz un segundo estudio en Munich. Las seductoras fotografías de este libro demuestran con qué arte pone los deliciosos platos en la luz correcta.

Karin Messerli

Su historial la llevó a través de una formación como profesora de economía doméstica y trabajos manuales hasta la fotografía gastronómica. La joven suiza daba clases en la Escuela del Hogar de Berna en cursos de ampliación de cocina/alimentación, economía doméstica y trabajos manuales, antes de tomar la responsabilidad como redactora especializada en una gran revista femenina de la cocina experimental, el desarrollo de recetas y la producción fotográfica. Entretanto trabaja como periodista autónoma y estilista gastronómica y responsable de las páginas de recetas de conocidos periódicos. Las fotos en color del presente libro las realizó junto con Rolf Feuz.

La foto en color de la cubierta nos muestra un plato de piña Sarah Bernard (receta de la pág. 118). El postre en este caso se ha servido con una salsa de frambuesa, cubierta con nata líquida.

«Cocinar mejor que nunca»

Aves
Las más incitantes maneras de cocinar aves de caza y de corral, con indicaciones sobre su compra, limpieza, trinchado y presentación

Pescado
Las más codiciadas maneras de cocinar pescados y mariscos, con indicaciones sobre su compra, limpieza, preparación y presentación.

Ensaladas
Los modos más delicados de preparar ensaladas, con indicaciones sobre su compra y presentación.

Carnes
Las más delicadas recetas para cocinar y servir las más diversas carnes, con indicaciones sobre su compra, trinchado y presentación.

Repostería
Las recetas más apetitosas para preparar pasteles, tartas, pastas y bollos, con indicaciones sobre su horneado y presentación.

Verduras
Las mejores maneras de cocinar y servir verduras, con indicaciones sobre su compra y preparación sin que pierdan su valor nutritivo.

Sopas y guisos
Las más atractivas maneras de cocinar y servir sopas, caldos, cremas, menestras, cocidos y guisos.

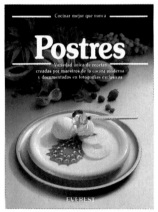

Postres
Las más sabrosas maneras de preparar y servir postres nuevos y tradicionales: helados, frutas, dulces, etc.

Pasta
Las más seductoras maneras de cocinar y servir todo tipo de pasta, con indicaciones sobre su compra, cocción y presentación.

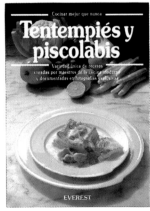

Tentempiés y piscolabis
Las más ingeniosas maneras de preparar y presentar tapas, canapés, aperitivos y entremeses calientes o fríos.

Título original: *Desserts*

Traducción: *ASEL S.A. (Marta Caneda Schad)*

SEGUNDA EDICIÓN

© Gräfe und Unzer GmbH, München, y
EDITORIAL EVEREST, S. A.
Carretera León-La Coruña km 5 - LEÓN
ISBN: 84-241-2385-9
Depósito Legal: LE: 438-1994
Printed in Spain - Impreso en España

EDITORIAL EVERGRÁFICAS, S. L.
Carretera León-La Coruña km 5
LEÓN (ESPAÑA)

Creative Decorating
with Ribbons

Creative Decorating
with Ribbons

Mary Jo Hiney
Marinda Stewart
Katheryn Tidwell Foutz
Vanessa-Ann

Sterling Publishing Co., New York
A Sterling/Chapelle Book

Chapelle, Ltd.

Owner: Jo Packham
Editor: Laura Best

Staff: Marie Barber, Areta Bingham, Malissa Boatwright, Kass Burchett, Rebecca Christensen, Holly Fuller, Marilyn Goff, Michael Hannah, Shirley Heslop, Holly Hollingsworth, Susan Jorgensen, Leslie Liechty, Pauline Locke, Ginger Mikkelsen, Barbara Milburn, Linda Orton, Karmen Quinney, Rhonda Rainey, Leslie Ridenour, and Cindy Stoeckl

Photographer: Kevin Dilley for Hazen Photography
Photography Styling: Susan Laws

A special thank you to C.M. Offray & Son, Inc., who provided all ribbons used in this book.

Library of Congress Cataloging-in-Progress Data Available

10 9 8 7 6 5 4 3 2 1

Published in paperback 2004 by
Sterling Publishing Co., Inc.
387 Park Avenue South, New York, NY 10016
©1998 by Chapelle Ltd.
Distributed in Canada by Sterling Publishing
c/o Canadian Manda Group, One Atlantic Avenue, Suite 105
Toronto, Ontario, Canada M6K 3E7
Distributed in Great Britain by Chrysalis Books Group PLC
The Chrysalis Building, Bramley Road, London W10 6SP, England
Distributed in Australia by Capricorn Link (Australia) Pty. Ltd.
P.O. Box 704, Windsor, NSW 2756, Australia

Printed in China
All rights reserved

If you have any questions or comments please contact:
Chapelle, Ltd., Inc.
P.O. Box 9252
Ogden, UT 84409
(801) 621-2777
(801) 621-2788 Fax

Sterling ISBN 0-8069-9708-7 Hardcover
       ISBN 1-4027-1354-1 Paperback

Ribbon Work

Ribbon work is a centuries-old needle art that has been used to adorn women's garments throughout history. Although there are few historic documents on the subject of ribbon work, this fascinating needle art has been rediscovered. Today ribbon crafting is a means of expressing creativity.

The adorned pillows, frames, and elegant keepsakes featured in this book are excellent examples of the beauty that can be achieved when creating by inspiration and mixing together several different techniques and mediums.

By using basic embroidery stitches and dimensional ribbon work techniques, combined with taffeta wire-edge ribbon, satin ribbon, metallic ribbons, antique laces, and more, the author fashions delicate floral sprays that offer a pleasant blend of textures and colors.

The ribbon flowers in this book do not require the use of any unusual tools or equipment. The ribbon color, size, and texture, combined with construction techniques for different petals, determine the shape and appearance of each flower created. The wire-edge ribbon helps keep the flowers resilient. Wire-edge ribbon flowers can be shaped and reshaped as desired.

The key to ribbon work is maintaining control over the ribbon. Understanding what each ribbon length will do is of utmost importance in creating petals and flowers.

Create a dimensional masterpiece by combining the fine artistry of ribbon work with the amazing technique of transferring actual pieces of art to fabric and other project surfaces.

Let creativity bloom by substituting different ribbons for those suggested and combining flowers to design original arrangements.

Table of

Contents

Embroidery Work Basics

Ribbon Tips

Always keep ribbon flat and loose while working stitches. Untwist ribbon often and pull ribbon softly so it lies flat on top of fabric. Be creative with stitching. Exact stitch placement is not critical, but make certain any placement marks are covered.

Needles

A size 3 crewel embroidery needle works well for most fabrics when using 4mm ribbon. For 7mm ribbon, use a chenille needle, size 18 to 24. As a rule of thumb, the barrel of the needle must create a hole in the fabric large enough for ribbon to pass through. If ribbon does not pull through fabric easily, a larger needle is needed.

Floss

Floss colors are outlined in project stitch guides. Separate floss into one or more strands according to project instructions.

Threading Ribbon on Needle

Thread ribbon through eye of needle. With tip of needle,

pierce center of ribbon ¼" from end. Pull remaining ribbon through to lock ribbon on needle.

Knotting End of Ribbon

1. Drape ribbon in a circular manner to position end of ribbon perpendicular to tip of needle. Pierce end of ribbon with needle. Pierce again ¼" up ribbon.
2. Pull needle and ribbon through to form a knot at end of ribbon.

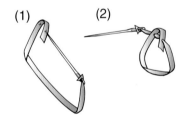

(1)   (2)

Ending Stitching

Secure stitches in place for each small area. Do not drag ribbon from one area to another. Tie a slip knot on the wrong side of needle work to secure stitch in place and end ribbon.

Note: Please refer to a book on basic embroidery stitches to complete projects in this book that may require embroidery work.

Tool Basics

Fabric Scissors

Designate a pair of scissors for cutting fabrics and non-wire edge ribbons. Using fabric scissors to cut other materials will dull blades and make them less effective at cutting fabric.

Hot Glue Gun & Glue Sticks

Hot glue is best for constructing projects. Use the "cloudy" glue sticks when working with fabric. Clear glue sticks do not penetrate fabric very well.

Marking Tools

Marking tools include an air- or water-soluble dressmaker's pen, and an erasable marking pen. Use marking tools to mark general placement. Try to use as few marks as possible-too many marks can be confusing.

Transferring

Materials
Tracing paper
Transfer paper

Tools
Marking tools:
    disappearing pen;
    dressmaker's pen;
    erasable pen; pencil
Photocopy machine
Scissors: craft; fabric
Straight pins
Tape of choice

1.   If directions indicate to enlarge pattern, place pattern directly in photo-copy machine. Enlarge required percentage.
2.   If using natural light-box technique, trace design on a piece of tracing paper or mylar. Tape tracing paper onto a sun-lit window. Hold or tape fabric in place over design and trace design onto fabric with marking tool of choice.
3.   Color photocopies can be transferred to project in three steps. Brush photo transfer medium on color photocopy. Press medium side down on project as desired and allow to dry. Remove paper using a wet sponge or following manufacturer's instructions.

Transferring Basics

Artwork provided in this book is to be used for transferring directly to paper, fabric, and other surfaces. Copy artwork from this book and enlarge as indicated at a professional copy center.

Photo Transfer Medium
Transfer color photocopies to any project in three steps. Brush medium on color photocopy. Press medium side down on project as desired and allow to dry. Remove paper using a wet sponge or as directed in manufacturer's instructions.

Transferring Art to Fabric

Heat Transferring
Copy artwork using photo transfer paper purchased at a crafts store, and a color laser copier at a professional copy center. Trim to ¼" around transfer. Set iron to highest and driest setting. Preheat fabric where transfer will be positioned until area is hot. Place transfer in position with image side down while fabric is still hot. Iron lightly over transfer for 20 seconds. Iron, applying heavy even pressure to transfer for three minutes. Peel off paper backing while still hot.

Dimensional Ribbon Work

Stem Work
It is recommended that a small loop be bent in one end of wire before inserting it into the flower. Secure wire with a dab of craft glue.

Baste Stitch
Make a baste stitch with thread using long, even running stitches. The lines of basting serve as a guide for positioning main elements and shapes or for adhering two fabrics together temporarily.

Basic Bud
Make a point by crossing one end of a length of ribbon down and across other end of ribbon.

Apple Blossom
1.   Evenly space five pulled petals specified in project's instructions around stamen attached to stem. Wrap base of petals securely with wire to hold. Attach to stem wire as project instructions specify to simulate a branch.
2.   Completed Apple Blossom.

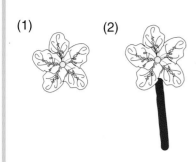

(1)   (2)

Bachelor Button

1.   Stitch raw edges together allowing ⅛" seam allowance. Gather ribbon.
2.   Gather one edge of ribbon tightly. Knot to secure.
3.   Insert stem wire with stamens attached through center. Wrap stem wire with green florist tape.
4.   Completed Bachelor Button.

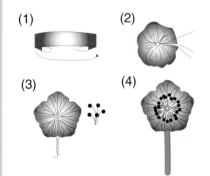

(1)   (2)

(3)   (4)

Bead Stringing

Knot thread and/or bring needle and thread to front of fabric. Thread on desired number of beads. Reverse needle and string back through pervious beads to the first. Knot thread again or take needle back through original hole on fabric and tie off on back.

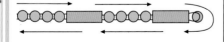

Bleeding Heart

1.   Stitch raw edges, using a ⅛" seam allowance, to create a tube. Turn raw edges to the inside.
2.   Gather-stitch around top edge of ribbon and pull tightly. Knot to secure.
3.   Gather-stitch around lower edge ¼" from edge of ribbon. Insert a small amount of fiberfill or cotton ball. Pull gathers tightly to create a ruffle. Knot off to secure.
4.   Glue stamens into ruffled end for completed Bleeding Heart.

(1)

(2)

(3)

(4)

Boat Leaf

1.   Fold ribbon in half lengthwise.
2.   Fold both ends of ribbon at 45 degree angle.

3.   Gather-stitch down one angle, across the bottom and up the other angle. Pull threads loosely. Knot to secure. Trim excess ribbon from folded angles. Open ribbon.
4.   Completed Boat Leaf.

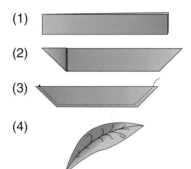

(1)

(2)

(3)

(4)

Buckram Rose

1.   Slash buckram circle to center.
2.   Overlap and stitch to hold.
3.   Turn under one end of ribbon ¼" and stitch on three sides over center of buckram cone with double thread.
4.   Fold ribbon on bias across cone to top right corner. Stitch across width of ribbon to secure.
5.   Continue folding on bias and stitching across width in thirds or quarters across cone.
6.   Never cover center or previous folds completely.
7.   When cone is covered, trim remaining ribbon and stitch to back of buckram. Add leaves if desired.
8.   Completed Buckram Cone.

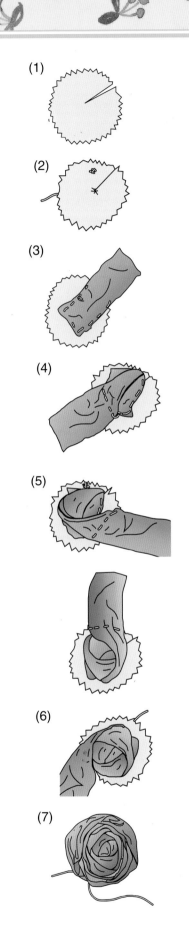

(1)

(2)

(3)

(4)

(5)

(6)

(7)

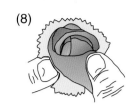

(8)

Calyx

1. Fold ribbon ⅛" under on one raw edge.
2. Secure unfolded edge to stem of previously constructed flower with a dab of glue.
3. Place a small line of glue along top edge of ribbon. Glue in a circle around underside of flower. Overlap folded edge to cover raw edges. Twist bottom open end of ribbon around stem wire. Cover with florist tape to finish.
4. Completed Calyx.

(1)

(2) 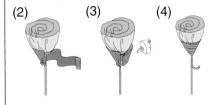 (3) (4)

Cascading

Tie a bow near center in length of ribbon. Attach bow to project using hot glue or needle and coordinating thread, making small tacking stitches. Loosely loop and twist ribbon tails around design as indicated in project instructions, randomly tacking to project as desired.

Circular Ruffle

1. Fold ribbon in half, matching cut ends. Seam cut ends.
2. Gather-stitch along selvage. Pull gathers tightly and secure thread.
3. Completed Circular Ruffle.

(1)

(2)

(3)

Doily Flower

1. Fold doily in half, then in thirds.
2. Fold bottom corner over. Glue bottom folded rolled edge to hold it in place. Place thin bead of glue around center of second doily. Fold up around glue to slightly ruffle second doily. Glue first doily into center of second doily.
3. Completed Doily Flower.

(1)

(2) 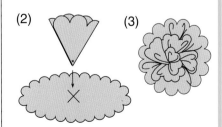 (3)

Fluting

Attach one ribbon end to fabric. Fold down diagonally and glue. Fold up and down diagonally again and glue. Repeat for entire area to be fluted. Fluting should extend ¼" past edge to be fluted.

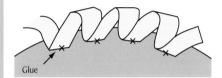

Glue

Fold-Over Leaf

1. Fold right half of ribbon length forward diagonally.
2. At center of fold, fold back left half of ribbon. Gather-stitch across bottom edge of ribbon ends.
3. Tightly pull gather stitch and secure thread for a completed Fold-Over Leaf.

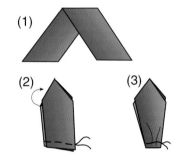

(1)

(2)   (3)

Folded Flower

1. Beginning with ribbon end facing downward, fold ribbon diagonally and forward and back so fold is about 1" deep. Fold again diagonally forward and back, as for first fold. Pin bottom folded edge for better control. After ten folds have been pinned, gather-stitch along bottom edge. Remove

pins after stitching. Fold, pin, and stitch another ten petals until entire length of ribbon has been stitched. Tightly gather and secure thread. Straighten folds so all are facing same direction.
2. Beginning at one end, roll folds into flower. Secure on underside as needed to keep rolls in place. Completed Folded Flower.

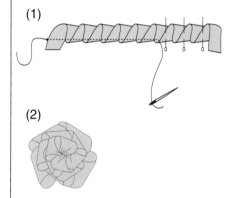

(1)

(2)

Folded Leaf

1. Fold ends of one ribbon length forward diagonally.
2. Gather-stitch across bottom edge of folds.
3. Tightly pull gather stitch and secure thread for a completed Folded Leaf.

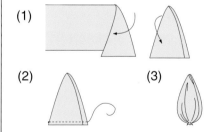

(1)

(2)   (3)

Folded & Rolled Rose

1. Cut a length of ribbon. Fold one end of the ribbon down at a right angle, creating a post to hold onto.
2. Fold the folded end in half. Stitch this in place

securely with thread. Roll and fold ribbon.
3. Continue rolling and folding ribbon as shown, stitching to secure.
4. Upon folding and rolling at least half of the length of ribbon, hand-stitch a gathering stitch along bottom edge of remaining length of ribbon. Pull gathers tightly and wrap gathered section around folded rose. Stitch in place to secure.

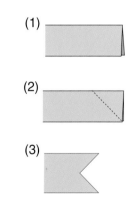

(1)   (2)

(3)   (4)

Fork Cut

1. Fold desired ribbon in half lengthwise.
2. Cut end of ribbon diagonally from corner point on selvage edge.
3. Completed Fork Cut.

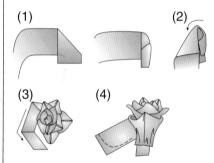

(1)

(2)

(3)

Forsythia

1. Fold two ribbons in half. Insert a 3" piece of paddle wire in fold of ribbons.

2. Twist wire tightly around ribbons to secure. Cover twisted wire with brown tape. Repeat Steps 1 and 2 for specified number of forsythia flowers.

3. Completed Forsythia.

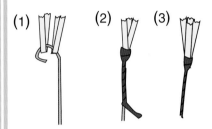

(1)　　(2)　　(3)

Gathered Leaf

1. Fold ribbon in half, matching short ends. Gather-stitch along edge.

2. Pull to gather and secure thread. Open and shape leaf.

3. Completed Gathered Leaf.

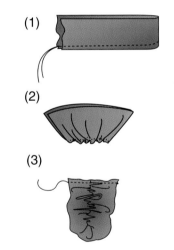

(1)

(2)

(3)

Gathered Rose

1. Fold one short edge of ribbon at a right angle.

2. Fold point back to ribbon keeping bottoms even.

3. Roll folded end of ribbon and secure with thread. Gather-stitch half of remaining ribbon. Pull thread and wrap gather

around folded ribbon.

4. Gather-stitch remaining ribbon. Wrap gather around.

5. Completed Gathered Rose.

(1)

(2)
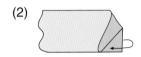

(3)

(4)
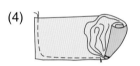

(5)

Gathered Ruffle Flower

1. Gather-stitch along selvage edge. Pull gathers as tightly as possible and secure thread.

2. Slightly overlap and tack ribbon ends together for a completed Gathered Ruffle Flower.

(1)

(2)

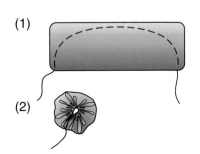

Knotted Mum

1. Cut ribbon to desired length. Tie knot at center of each length. Fold in half and pin ends.

2. Place knotted petals side by side and sew together with gathering stitch, taking desired seam. Pull gathers as tightly as possible and secure thread.

3. Completed Knotted Mum.

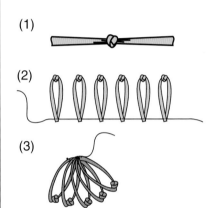

(1)

(2)

(3)

Large Flower

1. Mark ribbon as instructions state.

2. Fold ribbon diagonally at marks, securing with pins. Stitch a gathering stitch along outside edge. Pull tightly to gather.

3. Completed Large Flower.

(1)

(2)

(3)

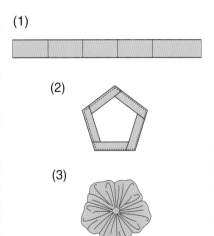

Lily

1. Surround one brown chenille stamen with six yellow chenille stamens. Using paddle wire, attach to top of 12" piece of stem wire.
2. Attach three petals, evenly spaced around stamens, with seam side upward. Attach three more petals, evenly spaced between first three petals. Wrap base of petals tightly with wire to hold. Cover with dk. green stem tape. Attach two leaves to stem of flower wrapping with green florist tape.
3. Completed Lily.

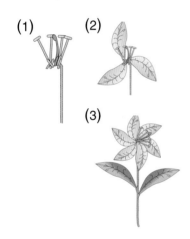

(1)   (2)

(3)

Mountain Fold

Fold desired length of ribbon diagonally back and forth, forming desired number of mountain-shaped folds. Pin bottom fold edge for better control. Gather-stitch along bottom edge, removing pins after stitching. Pull gathers as tightly as possible and secure thread.

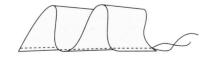

Multi-Loop Bow

1. Leaving a length of ribbon for one tail, make a figure eight with desired size loops. Hold ribbon in center with thumb and forefinger and make second figure eight on top of first.
2. Continue until desired number of loops are formed and leave a second tail. Pinch together center of loops.
3. Wrap and knot craft wire around center to secure for completed Multi-Loop Bow.

(1)

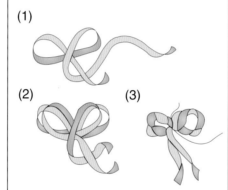

(2)   (3)

Multiple Petal Section

1. Using a disappearing-ink fabric marker, mark a length of ribbon at four equal intervals, beginning and ending ¼" from raw ends. Run a hand-gathering stitch in a semicircular shape within each interval.
2. Pull the gathering thread tightly so that each petal measures about the same. Knot thread to secure.

(1)

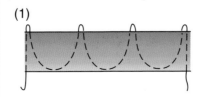

(2)

Narcissus

1. Make Stitched Flower on page 17. Insert stem wire into stitched flower.
2. Cut ⅞" orange ombré wire edge ribbon into five 4" lengths. Refer to Trumpet on page 17 for making center of flower. Stop after step 2.
3. Cut ⅞" green ombré wire-edged ribbon into five 4" lengths. Refer to Calyx on page 11 and attach to underside of each flower.
4. Make quantity of leaves specified in project instructions, referring to Boat Leaf on page 10. Attach leaf to stem by wrapping with green florist tape.
5. Completed Narcissus.

(1)   (2)

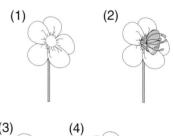

(3)   (4)

(5)

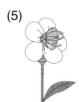

Pansy

1. Cut ribbon to desired length. Fold one long edge down. Pin to hold. Mark intervals.
2. Fold on marks. Gather-stitch. Pull thread as tightly as possible. Secure thread. Join petals together.
3. Completed Pansy.

¼"　　　(1)　　　¼"

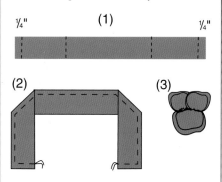

(2)　　　　　　(3)

Pointed Petal or Leaf

1. Cut ribbon to desired length. Overlap ends of ribbon.
2. Gather-stitch at bottom edge.
3. Gather tightly to form petal. Wrap thread around stitches to secure. Trim excess ⅛" past stitching.
4. Do not trim if making a chain of Pointed Petals or Leaves. Completed Pointed Petal or Leaf.

(1)

(2)

(3)

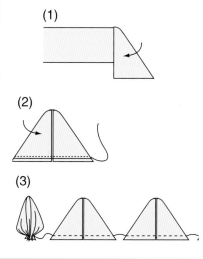

(4)

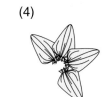

Variations:

A. No-Sew: Cut ribbon a little longer than needed. Fold ribbon as shown in Diagram 1. Twist ends as shown in Diagram A. Attach twist of petal/leaf to stem wire as shown in Diagram B.

(A)

B. Cluster: Cluster 5-9 pointed petals/leaves the length of stem wire. Attach to stem wire with floral tape.

(B)

Pulled Petal or Leaf

1. Fold wired ribbon length in half. matching raw edges.
2. Push ½" to ¾" of ribbon back on wires on one side. Pull wires evenly until gathered. Overlap ends of wires. Twist to secure.
3. Open and shape leaf for a completed Pulled Petal or Leaf.

(1)

(2)　　　　　　(3)

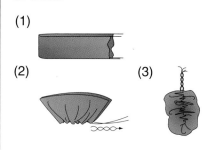

Ribbon Weaving

1. Transfer the pattern onto a sheet of paper and lay it right side up on work surface (a sheet of foam core or cardboard is recommended). Lay fusible webbing over pattern. Arrange ribbons side by side in a lengthwise direction in neat straight lines; pin or tape in place along the top edge. Also pin or tape the bottom edge about 1" below the pattern outline. Continue to lay strips of ribbon until the entire pattern has been covered. Repeat this process in a crosswise direction, pinning the left side edge only and leaving the right side free for weaving.
2. Weave ribbons one at a time over and under each lengthwise strip. To ease weaving, thread each ribbon length on a large blunt needle. Another trick is to take a bamboo skewer and weave it over and under the ribbons, creating a space to easily thread the ribbon through. After weaving is finished, fuse ribbons together with iron-on fusible webbing, following manufacturer's instructions. Remove pins and tape as the edges are pressed. Remove the woven ribbons from the work surface and cut pattern along edge and stitch as desired.

(1)

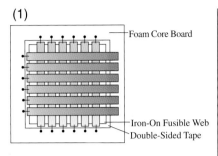

Foam Core Board

Iron-On Fusible Web
Double-Sided Tape

(2)

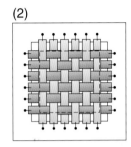

Rose

1. Knot one end of length of wired ribbon.
2. At opposite end, gently pull wire from one side to gather. Continue gathering ruffled and curling naturally. Leave wire end free; do not cut off.
3. To form rose, hold knotted end in one hand and begin to spiral gathered ribbon loosely around knot with other hand. Wrap tightly at first to form a bud, then continue wrapping lightly so that it flares out and acquires an open rose effect. To end, fold raw edge down to meet gathered edge. Secure by wrapping wire length around knot tightly and catching in free end; cut wire end off.
4. Completed Rose.

(1)

(2)

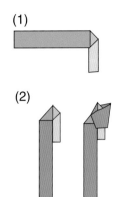

(3)   (4)

Variations:
A. Double Rose: Knot one end of ribbon. Pull both wires evenly to gather both sides of ribbon. Complete rose as instructed.
B. Antique Rose: Crush rose with palm of hand or wad in a ball in fist, then gently open, retaining as many folds as desired.
C. Crinkled Rose: After ribbon is gathered, but before wrapped into rose shape, finger pleat top edge of ribbon. Complete as instructed.

Rosette

1. Beginning at one end, fold end forward at right angle. Fold vertical end of ribbon forward upon itself.
2. Fold horizontal end of ribbon back and at right angle. Fold vertical ribbon over once. Continue folding ribbon forming the rosette.
3. Upon reaching center mark, secure with a stitch, leaving needle and thread attached. Gather-stitch

bottom edge of remaining ribbon. Gather tightly. Wrap gathered ribbon around bud.
4. Completed Rosette.

(1)

(2)

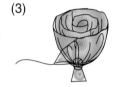

(3)

(4)

Ruching

1. Starting ½" from one end on one side of ribbon, mark 1" equal intervals. Starting 1" from same end on other side of ribbon, mark equal 1" intervals. Gather-stitch, connecting dots, from side to side, in a zigzag fashion.
2. Pull gathers and secure thread. Completed Ruched Ribbon.

(1)

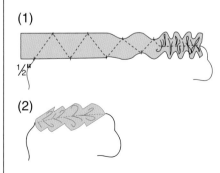

½"

(2)

16

Seed Pod

1.   Stitch raw edges, using ⅛" seam allowance, to create a tube. Turn raw edges to the inside.

2.   Gather-stitch around top edge of ribbon and pull tightly. Knot to secure.

3.   Gather-stitch around lower edge ⅛" from edge of ribbon. Insert a small amount of fiberfill or cotton ball. Pull gathers tightly. Knot off to secure.

4.   Completed Seed Pod.

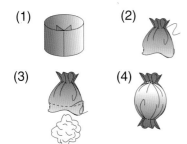

Single Petal

1.   Run a gathering stitch along sides and one long edge of a length of ribbon.

2.   Pull the gathering thread tightly until the ribbon is ruffled. Knot thread to secure. Repeat to make as many petals as required. Note: For a smooth, rounded petal, length of ribbon should equal width of ribbon multiplied by three. For a cupped petal, length should equal width multiplied by two. For a very ruffled petal, length should equal width multiplied by four.

Spiral Rosetta

1.   Gather-stitch along selvage edge and raw edges.

2.   Pull gathers and secure thread. To form rose, hold one end in one hand and begin to spiral gathered ribbon loosely around end with other hand. Wrap tightly at first to form a bud, then continue wrapping lightly so that it flares out and acquires an open rose effect. Secure by stitching through gathered edge several times.

3.   Completed Spiral Rosetta.

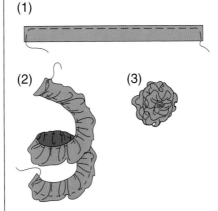

Squared-Off Petal

1.   Run a gathering-stitch along three sides of ribbon. The length of the gathered ribbon needs to be greater than width of ribbon. Pull thread to gather and secure.

2.   Completed Squared-Off Petal.

Stacked Bow

1.   Fold ribbon back and forth as desired. Gather-stitch down center of stacked bow. Tightly gather and secure thread.

2.   Completed Stacked Bow.

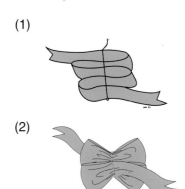

Stitched Flower

1.   Fold ribbon according to project instructions. Gather-stitch down one side, across the bottom, up one side of fold and down the other side of fold. Repeat for specified number of petals. Gather into a circle. Stitch petals together to hold.

2.   Completed Stitched Flower.

(2)

Tendril
1.   Holding a length of wired ribbon at one end, begin twisting the ribbon in one direction until tight.
2.   Ribbon will twist on itself for a completed Tendril.

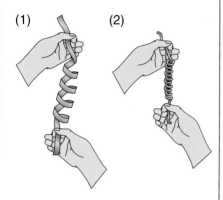
(1)   (2)

Trumpet
1.   Stitch raw edges, using ⅛" seam allowance, to create a tube. Turn raw edges to the inside.
2.   Gather-stitch around top edge of ribbon and pull tightly. Knot to secure.
3.   Gather-stitch around lower edge ½" from edge of ribbon. Leave an opening 1" to 1¼" in diameter. Knot to secure. Turn back bottom edge and open into a ruffle.
4.   Glue stamens into ruffled end for a completed Trumpet.

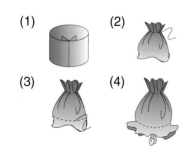
(1)   (2)

(3)   (4)

Twisted Rosebud
1.   Hold ribbon between thumb and forefinger of left hand. Wrap ribbon around tip of forefinger to create a small cone.
2.   Continue wrapping ribbon around fingertip giving ribbon a half twist inward every 1"-½". Wrap entire length of twisted ribbon around fingertip. Remove bud from finger. Fold loose ends into center of bud.
3.   Completed Twisted Rosebud.

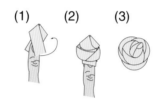
(1)   (2)   (3)

Wrapped Bud
1.   Cut a length of ribbon. Lay a previously made Basic Bud in the center of the ribbon length.
2.   Cross one end of ribbon down and across other end of ribbon, wrapping bud. Run a gathering stitch across this wrapped piece.
3.   Pull the gathering thread tightly and wrap the thread around the base. Knot to secure. Completed Wrapped Bud.

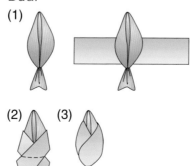
(1)

(2)   (3)

Painting Techniques
—Base
To base paint an area, apply two to three even coats of acrylic paint. This will ensure best coverage and an even look to paint.

—Dry-brush
Dip brush into paint. Work out paint on dry paper towel until almost no paint is visible when brushing. Brush on project in circles, starting in the center and working outward, releasing pressure while painting.

—Line
Outline a project, or areas within a project, using a liner brush. Line thickness is determined by amount of paint loaded on brush.

—Wash
Mix paint with water in a 1:3 ratio. Apply this paint wash to sealed wood. Several coats of light wash produce a soft, but deep, transparent color. Allow wash to dry between coats. If wash causes wood grain to raise, lightly sand washed surfaces before applying additional coats.

Mary Jo Hiney

Mary Jo Hiney's love of age-old needle arts evolved from sewing skills that she learned from her mother. Having mastered the basics, Mary Jo's creativity blossomed after attending the Fashion Institute of Design and Merchandising in Los Angeles. Following graduation, she worked in the downtown Los Angeles garment industry before beginning her stint in the wardrobe departments of many Hollywood studios. There she performed duties as a "dresser" for live television. Mary Jo's background in the garment industry and as a costumer has given her an unusual frame of reference that mixes reality with the dramatic.

Today, Mary Jo is the author of many "how to" books and articles as well as a designer for various companies in the craft industry. Teaching ribbon embroidery, ribbon work, and box-making around the world keeps her very busy. Mary Jo's primary motivation has always been to promote the beauty of creativity.

Pewter Frame

Note: Please refer to a book on basic embroidery stitches to complete this project.

Materials

Pewter frame: small with
   3" x 4" opening
Fabric: moiré, mauve, (¼ yd.)
Embroidery ribbon: 4mm
   lt. lavender (¾ yd.), dk.
   lavender (1¼ yds.), olive
   green (1¼ yds.), dk. olive
   green (½ yd.), dk. rose (¾ yd.)
Taffeta ribbon: 1½"-wide,
   mauve (1 yd.)
Wire-edge ribbon: ⅞"-wide
   green/peach/rose ombré
   (⅞ yd.); ⅞"-wide green
   ombré (⅜ yd.)
Ribbon roses: premade,
   small, cinnamon (2)
Cording: ⅛"-wide, mauve
   (¼ yd.)
Poster board: 4" x 5"
Quilt batting: 4" x 5"

General Supplies & Tools

Glue: craft
Needles: hand-sewing
Pen: disappearing ink
Pencil
Scissors: craft; fabric
Thread: coordinating

Instructions

1. Remove back and glass from pewter frame. Discard glass. Using pencil, trace an opening that is ⅛" larger than frame opening onto poster-board. Using craft scissors, cut out opening from poster board and set aside.

2. Refer to General Instructions for Transferring on page 9. Center and trace pewter frame opening onto wrong side of mauve moiré fabric.

3. Using hand-sewing needle and coordinating thread, baste-stitch on traced line. Refer to Pewter Frame Transfer Pattern on page 21. Center pattern and, using disappearing pen, transfer design to right side of fabric. Embroider design, following Pewter Frame Stitch Guide on page 21.

Pewter Frame Transfer Pattern

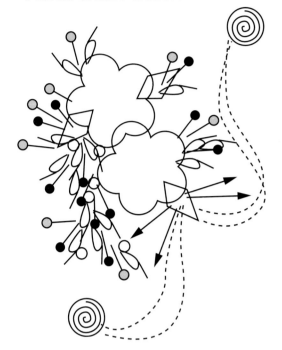

Pewter Frame Stitch Guide

Description	Ribbon	Stitch
1. Bud	dk. Lavender	Bullion Lazy Daisy
2. Bud	dk. Rose	1-Twist Ribbon Stitch
3. Leaf	olive Green	1-Twist Ribbon Stitch
4. Bud	lt. Lavender	French Knot (2 wraps)

4. Using craft glue, lightly glue quilt batting to poster board. Using fabric scissors, trim quilt batting flush with poster board's edge, slightly beveling quilt batting inward.

5. Trim embroidered moiré fabric ¾" larger than basting stitching. Center and snugly wrap embroidered moiré fabric around poster board. Trim all bulk and secure fabric edges to poster board with glue. Place poster board into frame opening and replace frame backing to close.

6. Cut green/peach/rose ombré wire-edge ribbon in two 7½" lengths. Using Pattern A circle, trace five half-circles onto each ribbon, leaving ¼" on each side of first and last traced half circles as shown in Diagram A. Gather-stitch along traced circles. Tightly gather to form petals; secure thread.

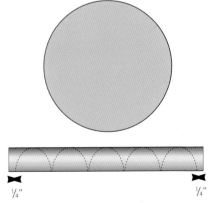

¼"   ¼"

Pattern A/Diagram A

7. Shape ribbon so five rose petals are on one edge and five green petals are on opposite edge. Join first petal to last at seam to form flower. Secure thread. Cup petals downward. Glue onto embroidery, referring to Pewter Frame Stitch Guide for placement.

8. Cut an 18" length of olive green and dk. olive green embroidery ribbon. Hold together, tie as one into 1½"-wide bow. Knot ribbon tails. Glue bow underneath bottom right flower. Drape ribbon tails and glue premade ribbon roses over knotted tails.

9. Cut green ombré wire-edge ribbon in three 4" lengths. Refer to General Instructions for Pointed Petal or Leaf on page 15. Fold and stitch each ribbon to form a pointed petal leaf. Glue gathered ends of leaves underneath flowers. Refer to Pewter Frame Placement for location.

10. Using pencil, measure and mark 11" from one end of mauve taffeta ribbon. Beginning at mark, measure three 3" intervals along ribbon, with spaces in-between those intervals of ½" as shown in Diagram B.

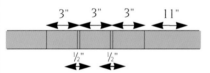

Diagram B

11. Fold ribbon together on first interval marks and gather-stitch, creating a loop, as shown in Diagram C. Secure thread.

Diagram C

12. Repeat for additional two intervals as shown in Diagram D. Wrap remaining ribbon ends around spaces in-between loops.

Diagram D

13. Glue frame to bow, 2" below loops. Refer to General Instructions for Fork Cut on page 12. Fork-cut ribbon ends.

14. Refer to General Instructions for Gathered Rose on page 13. Fold and stitch remaining green/peach /rose ombré wire-edge ribbon to form a gathered rose.

15. Cut remaining green ombré wire-edge ribbon into three 3" lengths. Refer to General Instructions for Pointed Petal or Leaf on page 15. Fold and stitch each ribbon to form a pointed petal leaf.

16. Glue gathered rose and leaves to center of bow.

17. Knot mauve cording into a loop. Glue cording to back of bow to act as a hanger.

Pewter Frame Placement

Optional Color Combination

Christmas Stocking

Materials

Stocking: premade, ivory muslin

Embroidery ribbon: 4mm bronze (¾ yd.), cinnamon (¾ yd.), dk. green (1¾ yds.), dk. rose (1½ yds.), rust (¾ yd.)

Wire-edge ribbon: 1½"-wide, green (⅝ yd.), green metallic ombré (2 yds.)

Trim: 3"-wide taupe crocheted (½ yd.); 5"-wide ivory crocheted (½ yd.)

Pine cones: small (2)

General Supplies & Tools

Glue: craft

Needles: hand-sewing; large-eyed blunt

Scissors: fabric

Sewing machine

Straight pins

Thread: coordinating

Instructions

1. Fold taupe crocheted trim in half, matching cut ends. Using hand-sewing needle and coordinating thread, stitch a narrow seam as shown in Diagram A. Press seam open.

Diagram A

2. Using straight pins, pin taupe crocheted trim around top edge of stocking with seam at center front of stocking. Using large-eyed blunt needle, weave dk. green embroidery ribbon through top edge of crocheted trim while stitching trim onto top edge of stocking.

3. Using hand-sewing needle and coordinating thread, gather-stitch each end of ivory crocheted trim. Tightly gather and secure thread as shown in Diagram B. Position and pin trim underneath bottom edge of taupe crocheted trim, having gathered ends at right side seam of stocking. Using sewing machine and a narrow zigzag-stitch, sew trim to stocking.

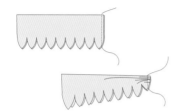

Diagram B

4. Mark green metallic ombré wire-edge ribbon into Pattern A and Pattern B as shown in Diagram C.

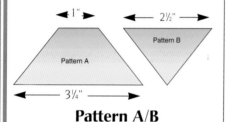

Pattern A/B

Diagram C

5. Using fabric scissors, cut green metallic ombré wire-edge ribbon at markings to yield eighteen A pieces and fifteen B pieces. Set aside B pieces. Gently pull to remove wire from 1"-long edge of each A piece of ribbon. Separate these ribbons into two piles—one with eleven ribbons and one with seven ribbons. From larger pile, gather-stitch ribbon.

6. Refer to General Instructions for Pointed

Petal or Leaf on page 15. Tightly gather to form a petal and secure thread as shown in Diagram D. Without removing thread from first petal, gather-stitch second ribbon. Tightly gather to form a second petal and secure thread.

Diagram D

7. Repeat process, adding another nine petals in the same manner. Join first petal to last and shape flower.

8. Using craft glue, attach flower on top of taupe crocheted trim at top front center edge of stocking.

9. Repeat steps 6–9 using remaining pile of ribbons to form a seven-petal pointed flower. Using craft glue, attach flower on center top of first flower.

10. Return to B pieces of ribbon. Gently pull to remove wire from 2½"-long edge of each B piece of ribbon. Separate ribbons into three piles of five ribbons each.

11. From first pile, gather-stitch first ribbon as shown in Diagram E. Tightly gather to form petal and secure thread. Without removing thread from first petal, gather-stitch second ribbon as shown in Diagram E.

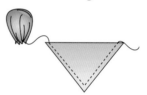

Diagram E

12. Repeat process, adding another three petals in the same manner to form half-bloom as shown in Diagram F.

Diagram F

13. Secure thread. Repeat process for second and third set of five petals. Glue three half-blooms underneath top right side of flower as shown in Christmas Stocking Placement on page 25.

14. Cut dk. rose embroidery ribbon into fifteen 2" lengths. Refer to General Instructions for Knotted Mum on page 13. Join first ribbon to last at seam. Glue knotted mum on top center of flower.

15. Cut green wire-edge ribbon into one 12" length and one 8" length. Refer to General Instructions for Mountain Fold on page 14. Fold 12" ribbon into a triple mountain fold, having each fold 2" deep. Gather-stitch along bottom edge of mountain folds.

16. Tightly gather to form a fan and secure thread. Glue fan underneath left side of flower.

17. Refer to General Instructions for Mountain Fold on page 14. Fold 8" green wire-edge ribbon into double mountain fold, having each fold 2" deep. Gather-stitch along bottom edge of mountain folds.

18. Tightly gather to form fan and secure thread. Glue fan underneath right side of flower.

19. Cut dk. green embroidery ribbon in one 8" length and one 12" length. Fold each ribbon in half. Glue folded center of each ribbon to top of small pine cones. Let glue dry.

20. Tie ribbon ends together and glue underneath lower left side of flower.

21. Hold bronze, cinnamon, rust and remaining dk. rose and dk. green embroidery ribbons together as one. Tie into a 3½"-wide bow. Glue bow underneath left side of flower. Drape ribbon ends and tack in place.

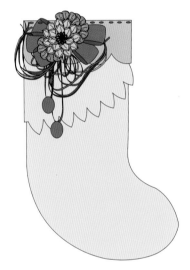

Christmas Stocking Placement

Materials
Place mat: white linen, hem-stitched
Embroidery ribbon: 4mm ivory, antique white, pale yellow (1 yd. each)
Sheer ribbon: 1⅜"-wide, white (¾ yd.)
Wire-edge ribbon: ⅞"-wide, pale yellow (1¼ yds.)
Ribbon roses: premade, small, ivory (9)
Blooming roses: premade, ivory grosgrain (5)

General Supplies & Tools
Glue: craft
Iron/ironing board
Needles: hand-sewing
Scissors: fabric
Sewing machine
Stuffing
Thread: coordinating

Instructions
1. Fold one short edge of place mat up 7". Using iron and ironing board, press fold. Machine-stitch side edges together at hem-stitches. Fold remaining short edge of place mat down and press fold. Fill pocket with stuffing. Hand-tack top folded edge along front edge.

2. Refer to General Instructions for Stacked Bow on page 17. Use white sheer ribbon to form stacked bow.

3. Hand-stitch bow to bottom center edge of pillow's top fold as shown on Linen Pillow Placement on page 26. Invisibly hand-tack bow loops to pillow at

8. Glue one blooming rose on top center of each petal. Glue rose/petal on each center of pillow top side at hemstitching.

9. Hold ivory, pale yellow and antique white embroidery ribbons together as one and tie a bow, leaving 7" tails. Glue bow underneath bottom left side of flower cluster.

10. Drape and tack left ribbon tails underneath rose/petal on left side. Knot remaining ribbon ends.

Linen Pillow Placement

Optional Color Combination

random locations to create a tufted appearance.

4. Using fabric scissors, cut pale yellow wire-edge ribbon into three 10" lengths and two 6" lengths. Refer to General Instructions for Circular Ruffle on page 11. Stitch each 10" ribbon to form a circular ruffle.

5. Glue one blooming rose on top center of each circular ruffle as shown in Diagram A.

Diagram A

6. Glue circular ruffles on top center bow in a triangular cluster as shown in Linen Pillow Placement. Glue three sets of three ribbon roses around triangular cluster.

7. Refer to General Instructions for Squared-Off Petal on page 17. Stitch each 6" yellow ribbon to form a squared-off petal.

Crystal Perfume Bottle

Materials
Crystal perfume bottle
   with cap
Embroidery ribbon: 4mm
   olive green, dk. olive green,
   pastel green (¾ yd. each)
Sheer ribbon: ⅝"-wide
   lt. lavender (1 yd.); 1½"-wide
   lavender floral (1 yd.)
Wire-edge ribbon: ⅜"-wide
   lavender (1⅛ yds.); ⅞"-wide
   sage green (¼ yd.)

General Supplies & Tools
Adhesive: industrial-strength
Needles: hand-sewing
Scissors: fabric
Straight pins
Thread: coordinating

Instructions
1. Refer to General
Instructions for Mountain
Fold on page 14. Using
straight pins, fold and pin
lavender floral sheer ribbon

into 13 mountain folds,
having each fold ¾" deep.
Tightly gather and join ends
together to form petaled
flower.

2. Slip petaled flower over
bottle cap and pull gathers
snug to fit cap. Secure
thread. Using industrial-
strength adhesive, attach
flower to bottle cap.

3. Using fabric scissors, cut
lt. lavender sheer ribbon into
nine 4" lengths. Refer to
General Instructions for
Knotted Mum on page 13.
Do not join ends. Trim seam
to ¼".

4. Glue knotted mum to
center back of bottle cap,
inside lavender floral flower.

5. Cut lavender wire-edge
ribbon into four 10" lengths.
Refer to General Instructions
for Rosette on page 16.
Stitch each ribbon into a
rosette.

6. Glue three rosettes to
front of cap, laying petaled
flower downward and flat.
Glue remaining rosette to

center back of cap, laying petaled flower upward and flat.

7. Refer to General Instructions for Pointed Petal or Leaf on page 15. Fold and stitch sage green wire-edge ribbon to form three pointed petal leaves.

8. Glue gathered ends of leaves underneath front three rosettes as shown on Front Cap Placement.

9. Remove bottle cap. Hold olive green, dk. olive green and pastel green embroidery ribbons together as one. Tie into bow around bottleneck. Knot ribbon ends.

Front Cap Placement

Back Cap Placement

Crystal Perfume Bottle Placement

Optional Color Placement

Vanity Set

Materials
Vanity mirror, brush, and
 comb set
Embroidery ribbon: 4mm
 ivory, antique white
 (¾ yd. each)
Picot-edge ribbon: ⅝"-wide
 ivory sheer stripe (1¼ yds.)
Sheer ribbon: ⅞"-wide
 antique white stripe (¾ yd.);
 1½"-wide ivory (⅞ yd.)

General Supplies & Tools
Glue: craft
Needles: hand-sewing
Scissors: fabric
Thread: coordinating

Instructions
1. Refer to General Instructions for Stacked Bow on page 17. Hold ivory and antique white embroidery ribbons together as one to form a 12-stacked bow that is 3½" wide.

2. Using craft glue, attach stacked bow to top back of brush handle.

3. Using fabric scissors, cut antique white stripe sheer ribbon in one 12" length. Refer to General Instructions for Circular Ruffle on page 11. Stitch ribbon into a circular ruffle. Set aside.

4. Cut ivory sheer stripe picot-edge ribbon into one 14" length. Refer to General Instructions for Rosette on page 16. Stitch ribbon to form a rosette. Glue rosette on center top of circular ruffle. Glue circular ruffle on top of embroidery ribbon bow on brush.

5. Refer to General Instructions for Stacked Bow on page 17. Fold ivory sheer ribbon back and forth to form a 4-stacked bow that is 4½" wide with 7" tails.

Brush Placement

6. Glue stacked bow to top back of mirror handle. Refer to General Instructions for Fork Cut on page 12. Fork-cut ribbon tails.

7. Cut remaining ivory sheer stripe picot-edge ribbon in half. Refer to General Instructions for Rosette on page 16. Stitch each ribbon to form a rosette. Set aside.

8. Cut remaining antique white stripe sheer ribbon into three 4" lengths to make a bud. Refer to General

Instructions for Gathered Rose on page 13. Follow steps 1, 2, and 3, and continue to roll ribbon creating a bud. Secure with thread. Glue rosettes and buds to center of bow.

Mirror Placement

Bookends

Materials

Wall frames: 5" x 7" decorative wood (2)

Picture insert of choice: (2)

Bookends: 5" x 7" brown metal (1 pair)

Wire-edge ribbon: ⅝"-wide peach (½ yd.); 1½"-wide brown/dusty/peach ombré (1½ yds.), ivory sheer (2 yds.)

Ribbon roses: premade, rust, large (2)

General Supplies & Tools

Glue: craft; industrial-strength

Needles: hand-sewing

Pencil: marking

Scissors: fabric

Straight pins

Thread: coordinating

6. Cut ivory sheer wire-edge ribbon into two equal lengths. With one length, tie bow that is 5½" wide with 7" tails, making a 4-loop bow. Gather-stitch down center of each looped bow. Tightly gather and secure thread. Repeat for second length.

7. Glue one bow behind large flower at center back of each bookend. Secure ribbon tails to side of bookends with glue as shown in Bookend Placement. Shape bow loops as desired.

Bookend Placement

Instructions

1. Insert picture of choice into each decorative wood wall frame. Using industrial-strength glue, attach wall frames to brown metal bookends. Let glue dry.

2. Using fabric scissors, cut brown/dusty peach ombré wire-edge ribbon into two 26½" lengths. Refer to General Instructions for Large Flower on page 13. Using a marking pencil, mark each ribbon with four 5" and one 6½" intervals. Make two large flowers.

3. Fold each flower in half and glue together using craft glue. Glue one flower to top center of each wood frame.

4. Cut peach wire-edge ribbon into two 7" lengths. Refer to General Instructions for Circular Ruffle on page 11. Stitch each ribbon into a circular ruffle.

5. Glue one circular ruffle to center of each large flower. Glue one ribbon rose in center of each circular ruffle.

Floral Pillow

Materials

Pillow: premade, 15"-square
  ivory/rose floral print with
  ruffles
Sheer ribbon: ⅝"-wide cream
  (2¾ yds.); 1½"-wide pink
  floral print (2 yds.)
Wire-edge ribbon: ⅞"-wide
  lt. pine (1 yd.); brown/dusty
  peach ombré (1 yd.);
  1½"-wide dk. rose taffeta
  (½ yd.); pale yellow (1⅛ yds.)

Woven ribbon: 1½"-wide,
  ivory (½ yd.)
Ribbon roses: premade,
  dk. rose, small (8)

General Supplies & Tools

Fray preventative
Glue: craft
Needles: hand-sewing
Pencil: marking
Scissors: fabric
Straight pins
Thread: coordinating

Instructions

1. Using fabric scissors, cut
pink floral print sheer ribbon
and pale yellow wire-edge
ribbon each into nine 3½"
lengths.

2. Using straight pins, layer
and pin one pale yellow wire-
edge ribbon on top of one
pink floral print sheer ribbon.
Repeat process for remaining
ribbons.

3. Refer to General
Instructions for Pointed Petal
or Leaf on page 15. Make
nine pointed leaves and join
leaves together.

4. Refer to General
Instructions for Gathered
Rose on page 13. With
selvage edges matching, fold
remaining pink floral print
sheer ribbon in half and pin.
Stitch to form gathered rose.
Glue rose on top center of
flower. Using craft glue,
attach flower just below
middle at center.

5. Cut dk. rose taffeta wire-
edge ribbon into three pieces
using Pattern A on page 32.
Gently pull to remove wire
from each 1½"-long edge.

Gather-stitch each ribbon along edges as shown in Diagram A.

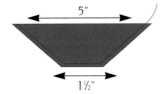

Pattern A/Diagram A

6. Tightly gather and secure thread. Fold ends over to center to form a bud as shown in Diagram B. Secure thread. Repeat process for remaining ribbon pieces.

Diagram B

7. Glue gathered edges of two buds underneath lower right side of flower and gathered edge of one bud underneath top right side of flower.

8. Cut lt. pine wire-edge ribbon in five 7" lengths. Refer to General Instructions for Gathered Leaf on page 13. Fold and stitch each ribbon to form a gathered leaf.

9. Glue gathered edges of four leaves underneath flower and around buds. Set fifth leaf aside.

10. Cut cream sheer ribbon in seven 14" lengths. Refer to General Instructions for Rosette on page 16. Stitch each ribbon to form a rosette.

11. Glue rosettes in a winding fashion, starting at top center of pillow and ending among bottom leaves and buds. Glue gathered edge of remaining leaf underneath one of top rosettes as shown on Floral Pillow Placement.

12. Cut brown/dusty peach ombré wire-edge ribbon in ten equal lengths. Refer to General Instructions for Pointed Petal or Leaf on page 15. Fold and stitch each ribbon to form a pointed petal, alternating light and dark edge outward.

13. Glue leaves underneath rosettes. Randomly glue premade ribbon roses among rosettes.

14. Refer to General Instructions for Mountain Fold on page 14. Using marking pencil, mark 7" from one end of ivory woven ribbon. At mark, fold and pin ribbon into two mountain folds that are 2" deep. Gather-stitch across bottom

edge of folds, not ribbon edge. Tightly gather and secure thread. Leave 7" tail at remaining end of ribbon.

15. Refer to General Instructions for Fork Cut on page 12. Fork-cut ribbon tails. Using fray preventative, following manufacturer's instructions, seal cut ends.

16. Glue mountain folds underneath bottom left side of flower.

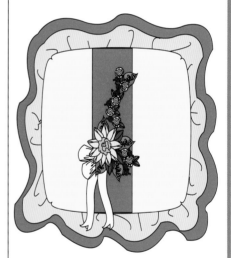

Floral Pillow Placement

Ivory Moiré Box

Materials

Oval box: 20"-diameter,
  covered with ivory moiré
  fabric
Fabric: moiré, lt. peach (⅓ yd.)
Embroidery ribbon: 4mm
  ivory, pastel green
  (1 yd. each)
Satin ribbon: ¼"-wide lt. pine
  (2½ yds.)
Sheer ribbon: 1½"-wide
  peach floral print (2 yds.)
Wire-edge ribbon: ⅞"-wide
  lt. pine (½ yd.)

Woven ribbon: 1½"-wide
  peach moiré taffeta (1 yd.)
Lace: gold delicate (⅓ yd.)
Poster board: 6" x 8"
Quilt batting: ¼ yd.

General Supplies & Tools

Glue: craft
Needles: hand-sewing
Pencil
Scissors: craft; fabric
Straight pins
Thread: coordinating

Instructions

1. Using pencil, trace box lid onto poster board. Using craft scissors, cut out traced lid.

2. Trace poster board lid onto wrong side of lt. peach fabric and gold lace, ¾" larger than lid. Using craft glue, glue quilt batting to poster board. Using fabric scissors, trim batting flush to poster board's edge, slightly beveling quilt batting inward. Center and snugly wrap fabric and lace to back of poster board. Trim all bulk and secure fabric and lace to poster board with glue.

3. Using fabric scissors, cut lt. pine satin ribbon in one 21" length. Using thin layer of craft glue, snugly attach ribbon to bottom edge of box. Overlap ribbon at center back and glue in place.

4. Cut peach floral print sheer ribbon into one 21" length. Snugly wrap ribbon around top of box lid. Glue ribbon to lid at back center only so that glue will not show through ribbon. Wrap upper edge of ribbon over top of box and secure in place with glue.

5. Refer to General Instructions for Fluting on page 12. Flute while gluing lt. pine satin ribbon to inside edge of padded box lid. Glue padded lid to box top, making certain peach floral print sheer ribbon is tucked down and lt. pine satin flutes are pointed up.

6. Cut peach moiré taffeta ribbon in three 6" lengths. Refer to General Instructions for Squared-Off Petal on page 17. Using hand-sewing needle and coordinating thread, stitch each ribbon to form a squared-off petal. Glue petals on center of padded lid.

7. Cut peach floral print sheer ribbon into three 8" lengths. Refer to General Instructions for Squared-Off Petal on page 17. Stitch each ribbon to form a squared-off petal. Tightly gather and secure thread. Glue petals on top of peach taffeta petals.

8. Cut peach moiré taffeta ribbon and peach floral print sheer ribbon each into three 6" lengths. Using straight pins, layer and pin one sheer ribbon over one solid ribbon.

Repeat process for remaining ribbons.

9. Fold one set of layered ribbons in half to mark center. Fold one cut edge down ¼". Fold opposite edge over ¼" past center mark. Fold the folded down edge over to meet center mark as shown in Diagram A. Pin to hold.

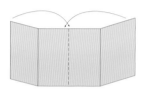

Diagram A

Gather-stitch as shown in Diagram B.

Diagram B

Tightly gather to form flower and secure thread as shown in Diagram C.

Diagram C

10. Repeat process for remaining two layered ribbons. Glue flowers, with points facing upward, on top center of taffeta/sheer petals.

11. Cut lt. pine wire-edge ribbon into two 7" lengths. Refer to General Instructions for Gathered Leaf on page 13. Make a gathered leaf pulling gathers so that ribbon measures 1".

12. Repeat process for remaining ribbon. Glue leaves underneath top right side of peach petals.

13. Refer to General Instructions for Stacked Bow on page 17. Hold ivory and pastel green embroidery ribbons together as one and form a stacked bow that is 3½"-wide with 7" tails.

14. Knot ends of ribbon tails. Glue stacked bow in-between left side of sheer and taffeta petals.

Ivory Moiré Box Placement

Miniature Violin

Materials

Miniature wooden violin
  and bow
Embroidery ribbon: 4mm
  gold (¾ yd.), olive green
  (⅜ yd.), dk. rose (⅜ yd.)
Velvet ribbon: ³⁄₁₆"-wide
  green (⅞ yd.)
Wire-edge ribbon: ⅞"-wide
  burgundy/mauve ombré
  (1 yd.); 1½"-wide burgundy
  (1¼ yd.), green (1½ yd.)
Filigrees: antique brass (5)

General Supplies & Tools

Glue: craft
Adhesive: industrial-strength
Needles: hand-sewing
Pencil: marking
Pliers: needlenose
Scissors: fabric
Straight pins
Thread: coordinating

Instructions

1. Using fabric scissors, cut
green wire-edge ribbon into
one 44" length. Refer to
General Instructions for
Stacked Bow on page 17.
Form a stacked bow that is
5½" wide with 5" tails.

2. Using craft glue, attach
stacked bow to back of
violin neck.

3. Refer to General
Instructions for Fork Cut on
page 12. Fork-cut ribbon tails.

4. Cut burgundy wire-edge
ribbon in one 30" length.
Refer to General Instructions
for Stacked Bow on page 17.
Form a stacked bow that is
4" wide with one 7" tail and
one 10" tail. Glue bow to top
of violin neck, in front of
green bow.

5. Refer to General
Instructions for Fork Cut on
page 12. Fork-cut ribbon
tails.

6. Cut burgundy/mauve
ombré wire-edge ribbon into
three 10½" lengths. Refer to
General Instructions for
Pansy on page 15. Make
three pansies.

7. Cut gold embroidery ribbon into three 9" lengths. Tie each ribbon into a small bow. Trim ends short.

8. Glue one bow to each pansy center. Glue two of the pansies on top of burgundy bow. Set third pansy aside.

9. Cut green velvet ribbon into five 3½" lengths. Refer to General Instructions for Knotted Mum on page 13. Make five petals. Do not join first to last.

10. Glue knotted mums to burgundy bow, beneath top left side of pansies.

11. Hold olive green and dk. rose embroidery ribbons together as one and tie into a 2½"-wide bow at center of ribbons.

12. Glue bow to burgundy bow, underneath lower left side of pansies.

13. Using industrial-strength adhesive, glue two filigrees on top of violin neck, one slightly above burgundy bow and one slightly below burgundy bow.

14. Using needlenose pliers, bend remaining three filigrees. Glue two filigrees to burgundy bow, one slightly beneath green velvet bow and one slightly beneath top right side of pansy.

15. Refer to General Instructions for Mountain Fold on page 13. Fold remaining green wire-edge ribbon into a triple mountain fold, having each fold 1¼" deep. With folds facing downward, glue ribbon to front top of violin bow.

16. Using craft glue, glue remaining pansy over stitched edge of green wire-edge ribbon.

17. Tie remaining burgundy wire-edge ribbon into 3"-wide bow with 3" tails. Refer to General Instructions for Fork Cut on page 12. Fork-cut bow tails.

18. Glue to violin bow, underneath top of pansy. Using industrial-strength adhesive, glue remaining antique brass filigree to flower, underneath left side.

Miniature Violin Placement

Miniature Violin Bow Placement

Porcelain Box

Instructions

1. Fit white embroidered fabric onto lid of porcelain box.

2. Using marking pencil and beginning and ending with a ¼"-mark, mark lavender wire-edge ribbon so there are seven ¾" intervals on one edge and six ¾" intervals on the other edge as shown on Diagram A.

Using hand-sewing needle and coordinating thread, gather-stitch in a zigzag as shown in Diagram A. Tightly gather and secure thread. Shape petals to cup downward.

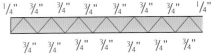

Diagram A

3. Using fabric scissors, cut pale yellow wire-edge ribbon into five 1½" lengths. Refer to General Instructions for Gathered Rose, steps 1, 2, and 3 on page 13. Stitch each ribbon into a gathered rosebud.

4. Cut coral wire-edge

Materials

Porcelain box: with lid suitable for covering
Embroidered fabric: 4½"-square, white
Embroidery ribbon: 4mm soft blush (½ yd.), pastel green (½ yd.), lt. orchid (1⅓ yds.)
Sheer ribbon: 1½"-wide, white (½ yd.)
Wire-edge ribbon: ⅜"-wide coral (⅜ yd.); ⅝"-wide lavender, pale yellow (¼ yd. each)
Ribbon roses: premade, small, dk. mauve (3)

General Supplies & Tools

Glue: craft
Needles: hand-sewing
Pencil: marking
Scissors: fabric
Straight pins
Thread: coordinating

ribbon into three 4" lengths. Using Pattern A circle, trace three half-circles onto each ribbon, leaving ¼" on each side of first and last half circles as shown in Diagram B.

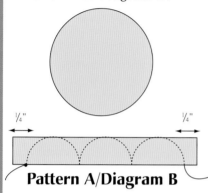

Pattern A/Diagram B

5. Gather-stitch along traced circles. Tightly gather to form petals and secure thread. Keep petals from twisting to opposite sides. Join first petal to last at seam. Secure thread. Cup petals downward.

6. Cut lt. orchid embroidery ribbon into six 5" lengths. Refer to General Instructions for Rosette on page 16. Stitch each ribbon into rosette.

7. Position rosettes, and ribbon roses, on lid. Attach to lid using craft glue.

8. Refer to General Instructions for Mountain Fold on page 14. Using straight pins, fold and pin white sheer ribbon into four mountain folds.

9. Glue gathered edge behind floral arrangement.

10. Hold soft blush, pastel green and remaining lt. orchid embroidery ribbons together as one and tie in a 2½"-wide bow with 5" tails. Knot tail ends.

11. Glue to lid in between floral arrangement and sheer bow. Drape and secure ribbon ends to lid with craft glue.

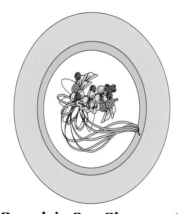

Porcelain Box Placement

Mini Chair

Materials

Iron chair: miniature
Ribbon roses: premade, small, lt. lavender (2), dk. mauve (3)
Wired ribbon, ¾"-wide: black floral-print (1 yd.)
Wire-edge ribbon: ⅞"-wide olive green ombré (2¼ yds.); 1½"-wide green (⅜ yd.)

General Supplies & Tools

Glue: craft
Needles: hand-sewing
Pencil: marking
Ruler
Scissors: fabric
Straight pins
Thread: coordinating

Instructions

1. Refer to General Instructions for Mountain Fold on page 14. Using ruler and marking pencil, measure and mark 7" from left end of olive green ombré wire-edge ribbon. Beginning at mark and using straight pins, fold and pin five mountain folds that are ¾" deep. Tightly gather to form fan and secure thread, but do not cut ribbon.

2. Measure and mark a 3½" space from end of gathered mountain folds. Beginning at mark, fold and pin three mountain folds as in step 1 that are ¾" deep as shown in Diagram A. Gather-stitch as in step 1. Do not cut ribbon.

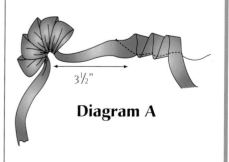

3½"

Diagram A

Pointed Petal or Leaf on page 15. Form five sets of pointed petal leaves with two petals in each set as shown in Diagram B.

Diagram B

8. Using craft glue, attach each pair of leaves in front of each set of olive green mountain folds. Glue ribbon roses on top center of petal leaves, alternating colors.

9. Gather-stitch along one selvage edge of green wire-edge ribbon. Tightly gather to form fan and secure thread. Using craft glue, attach ribbon fan to back of top center ribbons shown as in Diagram C.

Diagram C

Mini Chair Placement

3. Measure and mark a 3½" space from end of gathered mountain folds from the second set. Beginning at mark, fold and pin five mountain folds that are ¾" deep.

4. Measure and mark a 3½" space from end of third set of mountain folds. Beginning at mark, fold and pin three mountain folds that are ¾" deep. Gather-stitch as in step 1. Do not cut ribbon.

5. Measure and mark a 3½" space from end of gathered mountain folds from the fourth set. Beginning at mark, fold and pin five mountain folds that are ¾" deep.

6. Refer to General Instructions for Fork Cut on page 12. Fork-cut ribbon tails. Evenly drape and stitch ribbon cascade to back of chair as shown on Mini Chair Placement.

7. Using fabric scissors, cut black floral print ribbon into five equal lengths. Refer to General Instructions for

Bear's Outfit

Materials

Plush bear: 12"
Embroidery ribbon: 4mm green (¼ yd.)
Wire-edge ribbon: ⅞"-wide green ombré (⅓ yd.); 2¼"-wide floral print (1¾ yds.)
Ribbon roses: premade, small, lt. lavender (2), mauve (2)
Doll hat: small, mauve, woven

General Supplies & Tools

Glue: craft
Iron/ironing board
Needles: hand-sewing
Scissors: fabric
Sewing machine
Thread: coordinating

Instructions

1. Using fabric scissors, cut floral print wire-edge ribbon into one 6" length, one 8" length, one 20" length, and one 28" length.

2. Gently pull wires to remove them from both edges of 6" ribbon and from one edge of 20" and 28" ribbons. Knot and secure remaining wire at one end of 20" and 28" ribbons. Pull wire to gather ribbons.

3. Using sewing machine, sew 20" gathered ribbon to one edge of 6" ribbon. Sew 28" gathered ribbon to remaining edge of 20" ribbon to form bodice and layered skirt. With right sides together, sew raw edges of bodice together.

4. Place bear in bodice and skirt. Fold top edge of bodice under ¼" and hem.

5. Fit bodice to bear by turning raw edges of ribbon inward accordingly. Using hand-sewing needle and coordinating thread, stitch bodice where needed.

6. Sew long edges of 8" ribbon together. Position seam in center of ribbon. Press ribbon with iron.

7. Tuck one end of ribbon into bodice. Wrap ribbon around neck of bear and tuck remaining end of ribbon into bodice to form V-neck line. Tack ribbons to bodice. Sew one mauve ribbon rose over tack.

8. Refer to General Instructions for Fork Cut on page 12. Gently pull wires to remove them from both edges of green ombré wire-edge ribbon. Tie ribbon around waist. Fork-cut ribbon ends.

9. Using craft glue, wrap and glue green embroidery ribbon around hat to form a hat band, leaving ribbon tails to overlap as shown in Bear's Outfit Placement.

10. Glue remaining ribbon roses to hat band at overlap.

11. Place bear in iron chair. Place hat on bear's lap or on head as desired.

Bear's Outfit Placement

Lace Shoes

Fold on page 14. Fold each ribbon into two mountain folds that are 2½" deep. Using hand-sewing needle and coordinating thread, gather-stitch along bottom edge of mountain folds. Tightly gather and secure thread.

2. Using craft glue, attach two ribbon loops to each dress shoe, ½" from top center as shown in Diagram A.

Diagram A

3. Glue three swirl roses to top center of each dress shoe.

4. Glue one petal rose underneath each swirl rose, pushing the top petals downward to form a half-bloom as shown in Diagram B.

Diagram B

Materials
Dress shoes: ivory lace
Picot-edge ribbon: ⅝"-wide ivory sheer stripe (1⅛ yds.)
Wire-edge ribbon: ⅝"-wide cream (¾ yd.); 1½"-wide pale yellow polka dot (1¼ yds.)
Petal roses: ivory (2)
Swirl roses: ivory, miniature (6)

General Supplies & Tools
Glue: craft
Needles: hand-sewing
Scissors: fabric
Thread: coordinating

Instructions
1. Using fabric scissors, cut pale yellow polka dot wire-edge ribbon into four 10½" lengths. Refer to General Instructions for Mountain

5. Cut cream wire-edge ribbon into two 12" lengths. Refer to General Instructions for Squared-Off Petal on page 17. Make each ribbon into a squared-off petal.

6. Tightly wrap each squared-off petal above each rose cluster as shown in Diagram C.

Diagram C

7. Glue gathered ends, evenly positioned, beneath each rose cluster.

8. Cut ivory sheer stripe picot-edge ribbon into two 20" lengths. Refer to General Instructions for Squared-Off Petal on page 17. Gather-stitch each ribbon to form a squared-off petal.

9. Tightly wrap each squared-off petal below each rose cluster and above ribbon loops as shown in Diagram D. Glue gathered ends, evenly positioned, beneath each rose cluster.

Diagram D

10. Allow the shoe embellishments to dry before wearing shoes.

Lace Shoe Placement

Lace Shoes Optional Color Combination
Materials
Dress shoes: black linen
Picot-edge ribbon: ⅜"-wide gray (1⅛ yds.)
Wire-edge ribbon: ⅝"-wide red (¾ yd.); 1½"-wide dk. green (1¼ yds.)
Petal roses: white (2)
Swirl roses: white, miniature (6)

General Supplies & Tools
Glue: craft
Needles: hand-sewing
Scissors: fabric
Thread: coordinating

Instructions
Follow instructions for Lace Shoes. Substitute original materials with those outlined in Materials and General Supplies & Tools lists.

Diagram A

Diagram B

Diagram C

Diagram D

Lace Shoe Placement

Gift Gazebo

into one 36½" length. Refer to General Instructions for Large Flower on page 13. Using marking pencil, mark ribbon with six 5" and one 6½" intervals. Make ribbon into a large flower.

2. Place large flower on top of gazebo and gather until flower fits 2" below top of gazebo. Stitch ribbon flower to gazebo to hold in place.

3. Cut fruit-print wire-edge ribbon into one 30½" length. Mark ribbon with five 5" and one 6½" intervals. Make ribbon into a large flower.

4. Place ribbon flower on top of gazebo and gather until flower fits on top of first ribbon flower. Stitch ribbon flower to gazebo to hold in place.

5. Cut brown/dusty peach ombré wire-edge ribbon into one 26½" length. Mark ribbon with four 5" and one 6½" intervals. Make ribbon into a large flower.

6. Place flower on top of gazebo and gather until

Materials
Wrought-iron gazebo
Sheer ribbon: ⅝"-wide pink
    azalea with gold-edge
    (1¾ yds.)
Embroidery ribbon: 4mm
    bronze, burgundy, olive
    green, lt. olive green,
    mauve (⅝ yd. each)
Wire-edge ribbon: 1½"-wide
    brown/dusty peach
    ombré (¾ yd.), fruit-print
(1⅞ yds.), purple ombré
    (1½ yds.)

General Supplies & Tools
Needles: hand-sewing
Pencil: marking
Scissors: fabric
Straight pins
Thread: coordinating

Instructions
1. Using fabric scissors, cut fruit-print wire-edge ribbon

flower fits on top of second ribbon flower. Stitch ribbon flower to gazebo to hold in place.

7. Cut pink azalea sheer ribbon into one 36" and one 27" length. Refer to General Instructions for Circular Ruffle on page 11. Make each ribbon into a circular ruffle.

8. Place large circular ruffle on top of third ribbon flower. Stitch circular ruffle to gazebo to hold in place. Repeat process for small circular ruffle.

9. Refer to Stacked Bow on page 17. Fold purple wire-edge ribbon to form a Stacked Bow with 9" tails. Stitch bow to gazebo, just below first ribbon flower, to hold in place.

10. Refer to General Instructions for Fork Cut on page 12. Fork-cut ribbon ends.

11. Hold all embroidery ribbons together as one and knot one set of ribbon ends. Make one 6" loop and stitch end of loop to knotted end to hold in place. Drape loose ends downward. Knot ribbon tails. Stitch to top of bow.

12. Fill with desired gift or items.

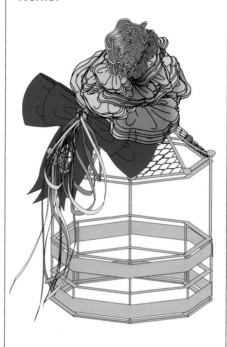

Gift Gazebo Placement

Kissing Ball

Materials

Ornament: 13" silver ball
Metallic ribbon: ¼"-wide silver (1¾ yds.); ⅞" metallic ribbon (⅛ yd.)
Wire-edge ribbon: 1½"-wide pink metallic ombré (1¾ yds.); 2¼"-wide pink/green plaid (1⅛ yds); ⅞"-wide pink ombré (1½ yds.)
Beads: silver
Mistletoe: 1 package
Tassel: silver

General Supplies & Tools

Glue: craft
Needles: embroidery; hand-sewing
Scissors: fabric
Thread: coordinating; transparent (¼ yd.)

Instructions

1. Fill ornament with mistletoe.

2. Use wire-edged pink ombré ribbon to package-wrap around ornament. Refer to Kissing Ball Placement on page 45.

3. Refer to General Instructions for Mountain Fold on page 14. Fold pink/green plaid wire-edge ribbon into six mountain folds, having each fold 3" deep. Using hand-sewing needle and coordinating thread, gather-stitch along edge with cut ends. Shape into a flower.

4. Using craft glue, attach flower to top of ornament so that folds do not meet at center front.

5. Using fabric scissors and pattern provided, cut pink metallic ombré wire-edge ribbon into 10 equal lengths of Pattern A on page 45.

edge ribbons into pointed petals. Join first petal to last and shape into a flower. Glue flower on center top of pink metallic ombré flower.

9. Cut silver metallic ribbon into fifteen 3" lengths. Refer to General Instructions for Knotted Mum on page 13. Make ribbons into knotted mums.

10. Glue knotted mum on center top of flower.

11. Using embroidery needle and ⅞" metallic ribbon. Thread ribbon though bottom center of ornament. Run needle through beads and attach tassel to end with needle. Knot to secure.

12. Loop transparent thread through top of ornament and knot for hanger.

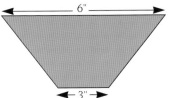

Pattern A

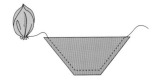

Diagram A

6. Refer to General Instructions for Pointed Petal or Leaf on page 15. Remove wire from 3"-long edge of each cut ribbon. Without removing thread from first petal, gather-stitch second ribbon as shown in Diagram A. Tightly gather to form a second petal and secure thread.

7. Repeat process, adding the remaining five petals. Join first petal to last and shape into a flower. Glue flower on top of pink/green plaid flower made in step 3.

8. Refer to General Instructions for Pointed Petal or Leaf on page 5. Make the remaining three pink metallic ombré wire-

Kissing Ball Placement

45

Marinda Stewart

Marinda Stewart's work has appeared in countless books and magazines in a career that spans more than 20 years. She is the author of four specialty books along with her own line of patterns for clothing and accessories. Marinda has demonstrated various needlework techniques and her projects have been on television and in instructional videos.

Marinda's imaginative use of fabrics and trims along with her design sense, combines to produce consistently interesting and popular projects. She has coordinated for many wearable art fashion shows and acted as commentator. Several celebrities are counted among the people who own her wearable art while a number of other pieces are in corporate collections.

Box

Materials

Box: 5" square, covered in
   mauve moiré fabric
Wire-edge ribbon: 1½"-wide
   gold mesh (1¾ yds.),
   green/pink metallic ombré
   (⅞ yd.), sage taffeta (½ yd.)
Trim: ¾"-wide metallic gold
   (½ yd.)
Beads: miniature pearl (3)
Cotton ball

General Supplies & Tools

Hot glue gun and glue sticks
Needles: hand-sewing
Scissors: fabric
Thread: coordinating

Instructions

1. Using fabric scissors, cut
gold mesh wire-edge ribbon
into two 8½" lengths and two
14" lengths. Wrap ribbons
around box lid and box
bottom as shown on
Diagram A. Using hot glue
gun and glue stick, attach
ribbon ends to inside of box
lid and box bottom.

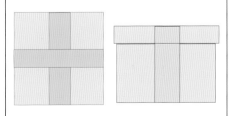

Diagram A

2. Glue metallic gold trim
in a circle on top of box lid.

3. Cut remaining gold mesh
wire-edge ribbon into six 3"
lengths. Refer to General
Instructions for Pointed
Petal or Leaf on page 15.
Make each ribbon into a
pointed leaf.

4. Cut sage wire-edge
ribbon into six 3" lengths.
Make each ribbon into a
pointed leaf.

5. Evenly space and glue gold mesh leaves on top of box lid, inside gold trim circle. Glue sage green leaves on top and between gold mesh leaves as shown in Diagram B.

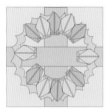

Diagram B

6. Cut green/pink metallic ombré wire-edge ribbon into one 4" length. Refer to General Instructions for Seed Pod on page 17. Make one seed pod. Glue miniature pearl beads over pink gathered edge.

7. Refer to General Instructions for Stitched Flower on page 17. Use 5" of remaining green/pink metallic ombré ribbon to make one five-petal stitched flower, marking five intervals spaced 1" apart.

8. Glue bottom of seed pod to center of stitched flower. Glue bottom of stitched flower to top of leaves. Refer to Box Placement.

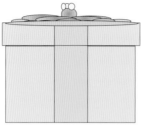

Box Placement

Pen
Materials
Wire-edge ribbon : ⅜"-wide sage taffeta (½ yd.); 1½"-wide green/pink metallic ombré (⅞ yd.), sage taffeta (¼ yd.)
Embroidery ribbon: 4mm mauve (½ yd.)
Leaf: velvet
Cotton ball
Pen: ballpoint

General Supplies & Tools
Hot glue gun and glue sticks
Needles: embroidery; hand-sewing
Scissors: fabric
Thread: coordinating

Instructions
1. Using ⅜"-wide sage wire-edge ribbon, tightly wrap pen. Fold any raw edges under. Secure ends with a dab of hot glue.

2. Using fabric scissors, cut 1½"-wide sage wire-edge ribbon into two equal lengths. Refer to General Instructions for Pointed Petal or Leaf on page 15. Fold and stitch each ribbon into a pointed leaf.

3. Cut green/pink metallic ombré ribbon into one 4" length. Refer to General Instructions for Seed Pod on page 17. Make each ribbon into a seed pod.

4. Refer to Spider Web Rose on page 50. Using embroidery needle and mauve embroidery ribbon, stitch a spider web rose on top of seed pod.

5. Refer to General Instructions for Stitched Flower on page 17. Use 3" of green/pink metallic ombré ribbon to make one five-petal stitched flower, marking five intervals spaced ½" apart.

6. Glue seed pod, with rose side up, in center of stitched flower.

7. Cut small slit in center of velvet leaf. Slip leaf over top of pen and secure with a dab of glue. Glue pointed leaves to bottom of velvet leaf as shown in Diagram A on page 49. Glue stitched flower to velvet leaf.

Diagram A

Pen Placement

Note Card
Materials
Note card: 5" x 5" with
   scalloped edges
Cardstock: 3½" x 3½" tan
Sheer ribbon: ½"-wide peach
   (⅝ yd.)
Wire-edge ribbon: ⅜"-wide
   sage taffeta (⅛ yd.); 1½"-
   wide green/pink metallic
   ombré (⅜ yd.), sage taffeta
   (½ yd.)
Ribbon rose: premade,
   small, mauve (1)

General Supplies & Tools
Hot glue gun and glue sticks
Needles: hand-sewing
Scissors: fabric; pinking
   shears
Thread: coordinating

Instructions
1. Using pinking shears, cut edges of tan cardstock paper.

2. Using fabric scissors, cut peach sheer ribbon into four equal lengths. Wrap each ribbon around edges of tan cardstock paper creating a frame. Refer to Note Card Placement. Using hot glue gun and glue stick, secure ribbons to underside of paper with a dab of hot glue.

3. Diagonally center paper and glue to top of note card.

4. Using 3" of 1½"-wide sage wire-edge ribbon, refer to General Instructions for Stitched Flower on page 17. Make one five-petal stitched flower, marking five intervals spaced ½" apart.

5. Using 2½" of green/pink metallic ombré wire-edge ribbon, make one five-petal stitched flower, marking five intervals spaced ½" apart.

6. Glue bottom of green/pink flower on top of sage flower, with petals between each other as shown in Note Card Placement.

7. Gently pull to remove wire from one edge of ⅜"-wide sage wire-edge ribbon. Gather-stitch edge. Tightly gather into a circle and tack

ends together. Glue to center of green/pink flower.

8. Glue premade mauve ribbon rose to center of flower as shown on Note Card Placement.

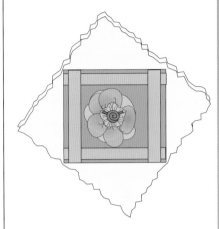

Note Card Placement

Spider Web Rose
1. Using two strands of floss, securely work Straight Stitches to form five spokes as shown on page 50. These are anchor stitches to create web with ribbon.

2. Bring ribbon up through center of spokes.

3. Weave ribbon over one spoke.

4. Weave under next spoke; continue weaving over then under, in one direction until spokes are covered.

5. Completed Spider Web Rose.

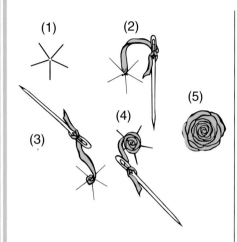

(1)

(2)

(3)

(4)

(5)

Sachet

Materials

Wire-edge ribbon: 1½"-wide olive green ombré (½ yd.); 2¼"-wide peach (1 yd.)
Netting: peach (¼ yd.)
Potpourri beads

General Supplies & Tools

Hot glue gun and glue sticks
Needles: hand-sewing
Thread: coordinating
Scissors: fabric

Instructions

1. Refer to General Instructions for Rose on page 16. Using peach wire-edge ribbon, make a rose.

2. Using fabric scissors, cut peach netting into a 4"-diameter circle. Using hand-sewing needle and coordinating thread, gather-stitch around netting. Place potpourri on netting. Gather netting around potpourri to form scented stamen. Sew stamen to center of rose.

3. Cut olive green ombré wire-edge ribbon into two equal lengths. Refer to General Instructions for Pulled Petal or Leaf on page 15. Pull wire on opposite edges of each ribbon to form one light leaf and one dark leaf.

4. Using hot glue gun and glue stick, glue leaves to back of rose.

Sachet Placement

Materials
Lamp: 24" with brocade
  shade and gold base
Sheer ribbon: ⅞"-wide pale
  pink/gold-edge chiffon
  (2 yds.); 1½"-wide pale
  pink/gold-edge (5¼ yds.)
Wire-edge ribbon: 1½"-wide
  sage taffeta (3⅛ yds.),
dusty pink taffeta (5 yds.)
Florist tape: pale green
Florist wire: 16-18 gauge

General Supplies & Tools
Hot glue gun and glue sticks
Needles: hand-sewing
Scissors: fabric
Thread: coordinating

Wire cutters

Instructions
1. Using fabric scissors, cut sage wire-edge ribbon into sixteen 3" lengths and twelve 4" lengths. Refer to General Instructions for Pointed Petal or Leaf on page 15. Make each 3" length into a pointed petal leaf. Use No-Sew Variation for 4" lengths of ribbon.

2. Using wire cutters, cut florist wire into twelve 5" lengths. Using pale green florist tape and florist wires, wrap 4" No-Sew Variation leaves in clusters of three.

3. Cut dusty pink wire-edge ribbon into two 12" lengths, three 18" lengths, and two 24" lengths. Refer to General Instructions for Rose on page 16. Make each ribbon into a rose, using Crinkled Rose Variation to finish.

4. Cut remaining dusty pink ribbon into six 7" lengths. Refer to General Instructions for Twisted Rosebuds on page 18. Make each ribbon into a twisted rosebud.

5. Measure circumference of lampshade at bottom. Triple the measurement. Cut pale pink/gold sheer ribbon to length. Sew a gather-stitch down center of ribbon. Gather ribbon to fit base of lampshade. Repeat for top of lampshade.

6. Using hot glue gun and glue stick, attach ribbon to lampshade. Repeat process for top of lampshade.

7. Glue one 18" rose, two 24" roses, pointed leaves and rosebuds to lampshade as shown on Diagram A.

Diagram A

8. Cut florist wire into four 7" lengths.

9. Cut remaining sage green ribbon into four equal lengths. Refer to General Instructions for Calyx on page 11. Attach roses to stem wire. Finish underside of each rose with a calyx.

10. Wrap roses and leaf clusters together with pale green florist tape.

11. Cut ⅞"-wide pale pink/gold-edge sheer ribbon into one 54" length. Refer to General Instructions for Multi-Loop Bow on page 14. Make one multi-loop bow. Tie bow to rose arrangement as shown in Diagram B.

Diagram B

12. Refer to General Instructions for Fork Cut on page 12. Fork-cut ribbon ends.

13. With remaining 18" pale pink/gold wire-edge sheer ribbon, tie rose arrangement to lamp base. Trim excess florist wire as desired. Shape as desired.

Brocade Lamp Placement

Brocade Pillow

Materials
Flanged pillow: 15" x 11" pale green brocade
Sheer ribbon: 1½"-wide moss green chiffon (1⅜ yd.)
Wire-edge ribbon: ⅜"-wide sage taffeta (¼ yd.); ⅝"-wide ivory satin (½ yd.); ⅞"-wide gold mesh (⅞ yd.); 1½"-wide ivory taffeta (½ yd.), sage taffeta (1 yd.), mauve taffeta (1⅛ yds.), yellow taffeta (1¼ yds.)
Trim: metallic gold (1¼ yds.)
Pearls: 7-8 mm (7)
Florist tape: pale green
Florist wire: 16-18 gauge

General Supplies & Tools
Hot glue gun and glue sticks
Needles: hand-sewing
Pencil
Scissors: fabric
Thread: coordinating
Wire cutters

Instructions
1. Refer to General Instructions for Rose on page 16. Using 1½" ivory taffeta wire-edge ribbon,

ribbon into one 18" length and three 7" lengths. Refer to General Instructions for Rose on page 16. Make 18" ribbon into a rose.

6. Refer to General Instructions for Twisted Rosebud on page 18. Fold each 7" ribbon into a twisted rosebud.

7. Cut 1½" sage wire-edge ribbon into twelve 3" lengths. Refer to General Instructions for Pointed Petal or Leaf on page 15. Make each ribbon into a pointed leaf.

8. Cut gold mesh wire-edge ribbon into eleven 2½" lengths. Make each ribbon into a pointed leaf, using No-Sew Variation.

9. Using wire cutters, cut florist wire into two 8" lengths. Using pale green florist tape, wrap leaves in one stem of five and one stem of six.

10. Sew gold metallic trim onto pillow at flange seam.

11. Using hot glue gun and glue stick, *attach flowers, leaves, leaf clusters, and pearls onto pillow top. Refer to Brocade Pillow Placement on page 54.

make one rose, using Antique Rose Variation on page 16.

2. Using fabric scissors, cut ivory satin wire-edge ribbon into three 6" lengths. Refer to General Instructions for Twisted Rosebud on page 18. Make each ribbon into a twisted rosebud.

3. Cut mauve wire-edge ribbon into one 24" length and two 7" lengths. Refer to General Instructions for Rose on page 16. Make 24" ribbon, using Crinkled Rose Variation on page 16.

4. Refer to General Instructions for Twisted Rosebud on page 18. Fold each 7" ribbon into a twisted rosebud.

5. Cut yellow wire-edge

12. Cut moss green sheer ribbon into one 12" length and one 10" length. Loosely knot middle and one end of 12" ribbon. Knot one end of 10" ribbon. Glue onto pillow top. Refer to Brocade Pillow Placement.

13. Refer to General Instructions for Fork Cut on page 12. Fork-Cut knotted ribbon ends.

14. Make four loops from remaining moss green sheer ribbon. Glue between leaves around mauve rose as shown in Diagram A.

Diagram A

15. Tightly twist ⅜"-wide sage wire-edge ribbon into a cord. Twist cord around a pencil to form a tendril. Refer to Diagram B.

Diagram B

16. Glue tendril onto pillow top at base of one leaf cluster as shown on Brocade Pillow Placement.

*All flowers may be stitched onto pillow if desired.

Brocade Pillow Placement

Rose Frame

Materials
Frame: 8" x 10" as desired
Photo mat: 8" x 10" precut oval, sage
Sheer ribbon: ⅞"-wide pale pink/gold-edge (1 yd.)
Wire-edge ribbon: 1½"-wide sage taffeta (2 yds.), dusty pink taffeta (3½ yds.)
Fabric: coordinating small print (¼ yd.)
Florist tape: pale green
Florist wire: 16-18 gauge

General Supplies & Tools
Hot glue gun and glue sticks
Pencil
Scissors: fabric
Thread: coordinating
Wire cutters

Instructions
1. Using pencil, trace precut oval photo mat opening onto wrong side of small print fabric. Using fabric scissors and decreasing opening size by ½", cut out opening. Clip curves.

2. Using hot glue gun and glue stick, attach fabric to mat by folding and gluing fabric edges to back of mat. Insert covered mat into frame.

3. Using wire cutters, cut florist wire into four 12" lengths and five 9" lengths. Set aside.

4. Cut sage wire-edge ribbon into seventeen 4" lengths. Set aside five ribbons. Refer to General Instructions for Pointed Petal or Leaf on page 15. Make twelve ribbons into a pointed leaf, using No-Sew Variation on page 15.

10. Refer to General Instructions for Fork Cut on page 12. Fork-cut ribbon ends.

11. Arrange and glue roses, rosebuds, leaf clusters, and bow on left side of frame as shown on Rose Frame Placement.

Rose Frame Placement

5. Using pale green florist tape, wrap leaves in clusters of three on florist wire. Make four clusters.

6. Cut dusty pink wire-edge ribbon into two 24" lengths and three 12" lengths. Refer to General Instructions for Rose on page 16. Make each ribbon into a rose, using Crinkled Rose Variation on page 16.

7. Refer to General Instructions for Calyx on page 11. Using 9" wires, attach roses and use five remaining 4" sage ribbons to make calyxes.

8. Cut remaining dusty pink wire-edge ribbon into five 8" lengths. Refer to General Instructions for Twisted Rosebud on page 18. Make each ribbon into a twisted rosebud.

9. Refer to General Instructions for Multi-Loop Bow on page 14. Using pale pink/gold-edge sheer ribbon, make a multi-loop bow.

Materials
Baseball cap: ivory satin, quilted
Sheer ribbon, 1½"-wide: peach organdy/satin striped (1 yd.)
Wire-edge ribbon: ⅝"-wide sage taffeta (1 yd.); 1½"-wide dk. peach taffeta (½ yd.); 2¼"-wide peach (1½ yds.)

General Supplies & Tools
Hot glue gun and glue sticks
Needles: hand-sewing

lengths. Refer to General Instructions for Twisted Rosebud on page 18. Fold each ribbon into a twisted rosebud.

6. Refer to General Instructions for Rose on page 16. Using peach wire-edge ribbon, make Double Rose Variation on page 16.

7. Glue rose, rosebuds, and leaves to front of cap as shown on Satin Cap Placement.

Satin Cap Placement

Scissors: fabric
Thread: coordinating

Instructions

1. Using peach organdy/ satin striped sheer ribbon, make a Multi-Loop Bow on page 14 with 5" ribbon tails.

2. Refer to General Instructions for Fork Cut on page 12. Fork-cut ribbon ends using fabric scissors.

3. Using hot glue gun and glue stick, attach bow to center front of cap.

4. Cut sage wire-edge ribbon into six 6" lengths. Refer to General Instructions for Pulled Petal or Leaf on page 15. Make each ribbon into a pulled leaf.

5. Cut dk. peach wire-edge ribbon into two equal

Hat Stand

by Vanessa-Ann Designers
Materials
Willow branches: corkscrew (10-12)
Embroidery ribbon: 4mm olive green (1 yd.), yellow (2 yds.)
Wire-edge ribbon: ⅞"-wide olive green chiffon (1⅜ yds.), lavender chiffon (2 yds.); ⅞"-wide teal ombré taffeta (½ yd.); 1½"-wide lavender taffeta (⅞ yd.); 2¼"-wide

Instructions

1. Crisscross willow branches together, leaving 8" legs.

2. Using florist wire and hot glue gun and glue stick, tightly wrap and glue branches. Let glue dry.

3. Wrap raffia around center of branches to cover florist wire. Tuck raffia into itself to secure.

4. Using fabric scissors, cut olive green chiffon wire-edge ribbon into eight 6" lengths. Refer to General Instructions for Pulled Petal or Leaf on page 15. Make each ribbon into a pulled leaf.

5. Using wire cutters, cut florist wire into four 3" lengths, two 5" lengths, one 4" length and one 6" length. Set 3" wires aside.

6. Attach three pulled leaves to each 5" wire and one leaf each to the 4" and 6" wires. Wrap wires with florist tape.

7. Cut 1½"-wide lavender wire-edge ribbon into four 4" lengths. Refer to General Instructions for Seed Pod on page 17. Make each ribbon into a seed pod.

lavender taffeta (1½ yds.); 2¼"-wide lavender chiffon (½ yd.)
Fabric: muslin (¼ yd.)
Double-sided fusible web (⅓ yd.)
Raffia
Dried berries
Leaves: paper (2 stems), velvet (2)
Stamen: beaded (5), small yellow (4)
Beads: medium pearl (2)

Florist wire: gauge
Florist tape: green
Cotton balls (5)
Paddle wire: 24-26 gauge
Stuffing

General Supplies & Tools
Hot glue gun and glue sticks
Needles: hand-sewing
Scissors: fabric
Sewing machine
Thread: coordinating
Wire cutters

8. Cut yellow embroidery ribbon into eighteen 4" lengths. Knot one end of each ribbon. Group ribbons into six clusters of three to form stamens for trumpets. Vary length of each ribbon in each cluster by cutting lengths between 1½"-2½".

9. Cut olive green embroidery ribbon into six 6" lengths. Thread needle. Knot one end of each ribbon. Thread three stamens onto one ribbon as shown in Diagram A.

Diagram A

10. Cut 2¼"-wide lavender wire-edge ribbon into three 5" lengths. Cut lavender chiffon wire-edge ribbon into three 5" lengths. Refer to General Instructions for Trumpet on page 18. Make each ribbon into a trumpet, using stamen clusters from Steps 8 and 9 as centers.

11. Insert needle with stamen into trumpet. Pull stamens to top as shown in Diagram B. Take a

continued on page 59

Bird Pattern   Enlarge 220%

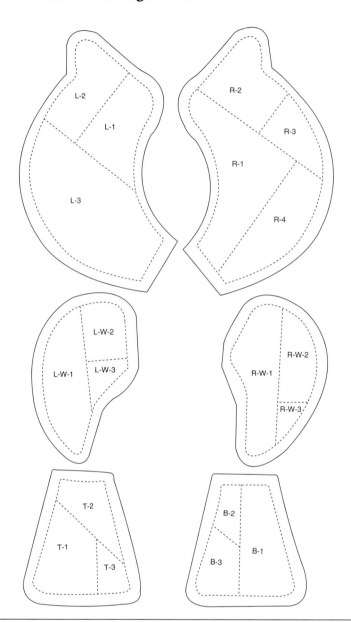

Chevron Stitch
Bring needle up at A, down at B, up at C, down at D, up at E, down at F, back up at G, down at H, up at I, and down at J.

Cretan Stitch
Working left to right come up at A and go down at B and up at C. Go down to the right at D and up at E. Continue working in this manner until area is filled.

continued from page 58

small stitch at top of trumpet flower to anchor stamens in flower. Repeat for each trumpet.

Diagram B

12. Cut ⅝"-wide lavender wire-edge ribbon into twenty 3½" lengths. Refer to General Instructions for Pulled Petal or Leaf on page 15. Make each ribbon into a pulled petal.

13. Evenly space five pulled petals around one small yellow stamen to form a flower. Secure base of petals to stamen with small amount of paddle wire. Attach flower to 3" florist wires. Wrap wires with green florist tape to cover.

14. Glue berries, beaded stamens, all leaves, ribbon flowers, and seed pods to raffia and branches as desired.

15. To make bird, enlarge Bird Pattern on page 58. Transfer design onto muslin

fabric. Cut two each of wing patterns. Cut one each of tail and bird body patterns.

16. Using enlarged Bird Pattern and remaining 2¼"-wide lavender wire-edge ribbon, cut two each of R-W-1, R-W-2, L-W-1, and L-W-3. Cut one each of R-1, R-2, R-3, L-1, L-3, T-2, T-3, B-1, and B-3 pattern pieces. Allowing ¼" seam, stitch ribbon together as needed to match muslin pieces.

17. Use teal ombré wire-edge ribbon to cut two each of R-W-3 and L-W-2. Cut one each of R-4, L-2, T-1, and B-2 pattern pieces. Allowing ¼" seam, stitch ribbon together as needed to match muslin pieces.

18. Using fusible web and following manufacturer's instructions, fuse ribbon to muslin pieces.

19. Right sides together, sew top and bottom tail pieces, and top and bottom wing pieces together, leaving an opening at small end of tail and inner wings. Turn right side out. Hem-stitch openings closed.

20. Right sides together,

sew left and right body pieces together, leaving an opening at back end of body to insert tail. Stitch opening closed. Tack wings to body.

21. Use Chevron and Cretan stitches on page 58 to embellish bird along seams as desired.

22. Sew pearl beads to both sides of bird's head.

23. Glue bird to hat stand in desired location.

Bird Placement

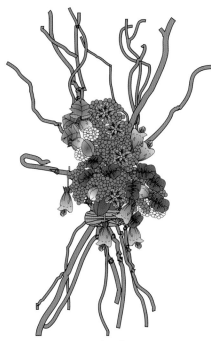

Hat Stand Placement

Spring Hat

2. Using hot glue gun and glue stick, attach a pearl stamen cluster to center of each rose.

3. Cut one length of dk. green wire-edge ribbon to fit as a hat band. With seam at center front, glue in place.

4. Using remaining dk. green wire-edge ribbon, cut two 4" lengths. Refer to General Instructions for Fork Cut on page 12. Fork-cut one end of each ribbon.

5. Cut remaining dk. green ribbon into two equal lengths. Loop each ribbon in half. Twist ends together to hold.

6. Glue fork-cut ribbon to each front side of hat. Glue ribbon loop to each front side of hat as shown in Diagram A.

Diagram A

7. Center and glue roses to front of hat. Glue velvet leaf

Materials
Straw hat
Wire-edge ribbon: 2¼"-wide pale yellow (3 yds.); 2¾"-wide dk. green (1½ yds.)
Leaves: velvet (2 clusters)
Stamen: pearl (3 clusters)

General Supplies & Tools
Hot glue gun and glue sticks

Scissors: fabric
Thread: coordinating

Instructions
1. Using fabric scissors, cut pale yellow wire-edge ribbon into three equal lengths. Refer to General Instructions for Rose on page 16. Make each ribbon into a rose, using Antique Rose Variation.

clusters between roses. Refer to Spring Hat Placement.

Spring Hat Placement

Materials

Vase: 4" x 6" oval

Wire-edge ribbon: ⅜"-wide dusty pink taffeta (6¼ yds.); ⅞"-wide pink ombré taffeta (1¾ yds.), purple ombré taffeta (4¼ yds.); 1½"-wide olive green taffeta ombré (7⅜ yds.)

Pom-poms: black, medium (17), small (7)

Glass pebbles: black

Floral styrofoam oasis

Florist tape: olive green

Stamens: black and white (24 clusters)

Stem wire: 16-18 gauge

General Supplies & Tools

Hot glue gun and glue sticks
Knife
Needles: hand-sewing
Scissors: fabric
Thread: coordinating
Wire cutters

Instructions

1. Using knife, trim and shape floral styrofoam oasis to fit vase. Using hot glue gun and glue stick, attach oasis to inside of vase.

2. Using fabric scissors, cut olive green ombré wire-edge ribbon into seventy-two 3 ½" lengths. Refer to General Instructions for Pointed Petal or Leaf on page 15. Make each ribbon into a pointed leaf, using No-Sew Variation on page 15.

3. Using wire cutters, cut stem wire into twenty-four 4" lengths, ten 12" lengths, and twenty-four 10" lengths.

4. Refer to General Instructions for Pointed Petal or Leaf on page 15. Using olive green florist tape and

4" wires, wrap leaves in clusters of three.

5. Cut dusty pink wire-edge ribbon into ninety 2½" lengths. Refer to General Instructions for Pointed Petal or Leaf on page 15. Make each ribbon into a pointed leaf, using No-Sew Variation on page 16.

6. Using florist tape and 12" wires, make ten 9-bud stems, using Cluster Variation on page 15.

7. Cut purple ombré wire-edge ribbon into seventeen 9" lengths. Refer to General Instructions for Bachelor Button on page 10. Make each ribbon into a bachelor button, stitching along dark purple edge of ten ribbons and along light purple edge of seven ribbons.

8. Cut pink ombré wire-edge taffeta ribbon into seven 9"-lengths. Make each ribbon into a bachelor button, stitching along light pink edge of three ribbons and along dark pink edge of four ribbons.

9. Gently open stamens with fingers. Glue a small pom-pom to center of each

pink flower and a medium pom-pom to center of each purple flower. Refer to Diagram A.

Diagram A

10. Wrap flowers and leaf clusters together with remaining pink ombré wire-edge ribbon as desired.

11. Arrange flowers and bud stems in vase as desired. Gently bend and shape wires as desired. Refer to Fantasy Flower Placement.

Fantasy Flower Placement

Heart Wreath

Materials
Twig wreath: heart-shaped
Wire-edge ribbon: ⅝"-wide olive green ombré taffeta (2¼ yds.); ⅞"-wide white/magenta ombré taffeta (2⅛ yds.); 1½"-wide white/magenta ombré taffeta (1⅞ yds.), dk. pink ombré taffeta (2¾ yds.)
Stamens: black and white (15 clusters), pearl (1 cluster), yellow (1)
Florist tape: dk. green
Leaves: velvet (11); maidenhair fern (1 stem)
Cotton balls: small (15)
Stem wire: 16-18 gauge

General Supplies & Tools
Hot glue gun and glue sticks
Needles: hand-sewing
Scissors: fabric
Thread: coordinating
Wire cutters

Instructions
1. Using fabric scissors, cut olive green ombré wire-edge ribbon into thirteen 6" lengths. Refer to General Instructions for Pulled Petal or Leaf on page 15. Make each ribbon into a pulled leaf, pulling wire on lightest edge of ribbon.

edge of ribbon. Using hot glue gun and glue stick, place a small line of glue down the center seam of each petal. Glue seam closed to finish each petal.

5. Using wire cutters, cut florist wire into one 4" length and three 15" lengths.

6. Using hot glue gun and glue stick, attach yellow stamen bead to center of pearl cluster stamen. Attach stamen to 4" wire.

7. Using stem wire, attach white/magenta pulled petals to pearl/bead stamen to form a flower. Attach base of petals to stamen stem with stem wire. Begin with smallest petals at center and work randomly with medium and large petals until all are used. Refer to Diagram A.

Diagram A

2. Cut dk. pink ombré wire-edge ribbon into two 12" lengths and two 18" lengths. Refer to General Instructions for Rose on page 16. With darkest edge of ribbon on outside, make each ribbon into a rose.

3. Cut remaining dk. pink ombré ribbon into five 8" lengths. Refer to General Instructions for Twisted Rosebud on page 18. Make each ribbon into a twisted rosebud.

4. Cut ⅞"-wide white/magenta wire-edge ribbon into two 6" lengths, four 8" lengths, and three 10" lengths. Refer to General Instructions for Pulled Petal or Leaf on page 15. Make each ribbon into a pulled petal, pulling wire on darkest

8. Cut 1½"-wide white/magenta wire-edge ribbon into fifteen 4½" lengths. Refer to General Instructions for Bleeding Heart on page 10. Make each ribbon into a bleeding heart with darkest edge of ribbon at top of flower.

9. Cut fifteen 3" pieces of wire. Using glue, attach one piece of wire at top of each bleeding heart. Cut three 12" pieces of stem wire. Attach four bleeding hearts and five pulled leaves. Attach five bleeding hearts and five leaves to second wire. Attach six bleeding hearts and four leaves to third wire. Bend and shape wires to fit wreath.

10. Arrange and glue flowers and leaves to wreath as shown on Heart Wreath Placement. Fill in with maidenhair fern and velvet leaves as desired.

Heart Wreath Placement

Single Rose Pillow

Materials
Fabric: taffeta, crinkled-pleated burgundy 10"-square (2);
cherub print, scrap
Wire-edge ribbon: 1½"-wide olive green taffeta (½ yd.); 2¾"-wide dk. iridescent burgundy taffeta (1 yd.)
Button kit with fabric-covered cherub
Pillow form: 9"
Thread: burgundy

General Supplies & Tools
Hot glue gun and glue sticks
Needles: hand-sewing
Sewing machine
Scissors: fabric

Instructions
1. With right sides together,

sew ¼" seam on all three sides of 10" squares of burgundy taffeta. Turn fabric square inside out and fill with pillow form. Stitch opened side closed.

2. Using fabric scissors, cut olive green wire-edge ribbon into two 9" lengths. Refer to General Instructions for Pulled Petal or Leaf on page 15. Make each ribbon into a pulled leaf.

3. Refer to General Instructions for Rose on page 16. Using dk. iridescent burgundy wire-edge ribbon, make a rose.

4. Make fabric button following manufacturer's instructions. Center cherub on button.

5. Using hot glue gun and glue stick, attach cherub button to center of rose. Glue leaves underneath rose.

6. Glue rose arrangement to center top of pillow as shown on Single Rose Pillow Placement.

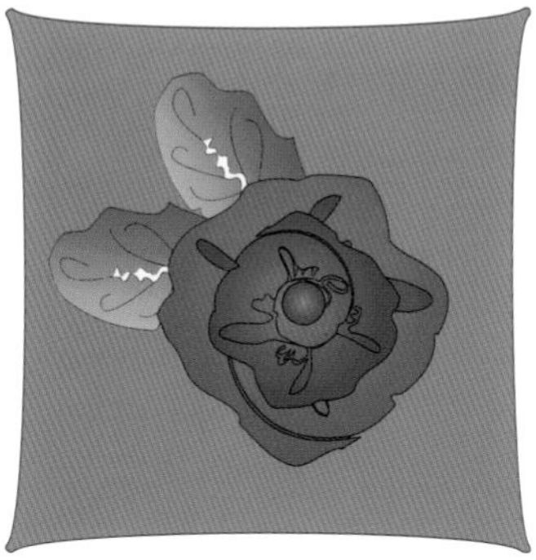

Single Rose Pillow Placement

Hat Box

Materials

Hat box: burgundy fabric-covered octagonal

Wire-edge ribbon: 1½"-wide burgundy taffeta (2 yds.), dk. iridescent burgundy taffeta (1 yd.); 2¾"-wide dk. iridescent burgundy taffeta (2½ yds.)

General Supplies & Tools

Hot glue gun and glue sticks

Needles: hand-sewing

Scissors: fabric

Thread: coordinating

Instructions

1. Using fabric scissors, cut burgundy wire-edge ribbon into nine 8" lengths. Refer to

General Instructions for Twisted Rosebud on page 18. Make each ribbon into a twisted rosebud.

2. Refer to General Instructions for Stitched Flower on page 17. Make each like-size interval into a stitched flower. Using 2¾"-wide dk. burgundy wire-edge ribbon, mark three 5" lengths, four 7" lengths, and five 9" lengths on ribbon.

Gather three 5" intervals, Row 1, into a circle. Stitch petals to hold together. Gather four 7" intervals, Row 2, into a circle. Surround Row 1. Stitch petals to hold together. Gather five 9" intervals, Row 3, into a circle. Surround Row 2. Stitch petals to hold together to complete Rows 1-3 of stitched flower.

3. Glue one twisted rosebud to center of stitched flower.

4. Glue stitched flower to top center of box lid as shown in Diagram A.

Diagram A

5. Gently swag 1½"-wide dk. burgundy wire-edge ribbon around side of box lid, twisting ribbon at beginning and ending of each swag to hold. Secure with hot glue at center of each panel, and make certain ribbon ends swag together. Glue a rosebud at each twist. Conceal beginning and ending of ribbon under a rosebud.

Hat Box Placement

Lily Wreath

Materials
Wreath: grapevine 16"
Wire-edge ribbon: 1½"-wide white taffeta (3 yds.), orange ombré taffeta (4½ yds.), yellow ombré taffeta (3⅛ yds.), green ombré taffeta (¾ yd.); ⅞"-wide orange ombré, taffeta (⅝ yd.), green ombré taffeta (4 yds.)
Satin ribbon: ¼"- wide, yellow

(7½ yds.)
Branches: premade, ivy
Chenille stems: yellow (10), brown (1)
Florist tape: green, pale green, brown
Paddle wire: 24-26 gauge
Stamens: red, white
Stem wire: 16-18 gauge

General Supplies & Tools
Hot glue gun and glue sticks
Needles: hand-sewing
Pliers: needlenose
Thread: coordinating
Marking pen: brown, indelible

Instructions
1. Cut 1½"orange ombré wire-edge ribbon into eighteen 9" lengths. Refer to General Instructions for Boat Leaf on page 10. Make each ribbon into a petal using boat leaf technique.

2. Using marking pen, dot each petal with dots to simulate tiger lily petals.

3. Cut brown chenille stem into three 3" pieces. Using needlenose pliers, roll over one end into a ball.

4. Cut yellow chenille stems into eighteen 3" pieces. Fold one end of stem into a "T" shape. Using pale green florist tape, wrap bottom of "T" to cover yellow.

5. Cut ⅞" green ombré wire-edge ribbon into eleven 12" lengths. Refer to General Instructions for Boat Leaf on page 10. Make each ribbon into a boat leaf.

6. Refer to General Instructions for Lily on page 14. Make orange petals into a lily, using items from Steps 1-5.

7. Cut wire-edge white ribbon into five 21" lengths. Refer to General Instructions for Stitched Flower on page 17, marking each length into six 3½" intervals.

8. Cut ⅞" orange ombré wire-edge ribbon into five 4" pieces. Refer to General Instructions for Trumpet on page 18. Make each ribbon into a trumpet. Attach red and white stamens to a 9" stem wire. Insert stamen in center of orange trumpet.

Secure stamens in trumpet with a small amount of glue.

9. Refer to General Instructions for Narcissus on page 14. Make five narcissuses, using remaining items from Step 5, and items from Step 7, and 8.

10. Cut stem wire into three 18-20" lengths. Cover each wire with brown florist tape. Cut yellow satin into 2" lengths. Refer to General Instructions for Forsythia on page 12. Attach 19-25 forsythias to each stem using brown stem wire. Stagger pattern of placement. Use all forsythias.

11. Refer to General Instructions for Multi-Loop Bow on page 14. Using yellow ombré ribbon, make a multi-loop bow with eight 9" loops. One tail should be 18", the remaining tail should be approximately 22".

12. Secure loops with small amount of wire to hold.

13. Glue bow to wreath.

14. Arrange flowers as shown on Lily Wreath Placement. Arrange forsythia branches as shown. Trim stems as needed. Glue stems

in place. Add lilies and narcissus to arrangement. Fill in with ivy as desired.

15. Arrange bow tails throughout flowers. Glue in place to hold.

Lily Wreath Placement

Blossom Vase

Materials
Vase
Wire-edge ribbon: 1½"-wide, yellow ombré taffeta; ⅜"-wide white taffeta (4⅜ yds.); ⅜"-wide green ombré taffeta (4½ yds.)
Chenille stems: yellow (5), brown (1)
Florist tape: brown, green, pale green
Moss
Oasis
Stamens: pearl (9), yellow (9)
Stem wire: 16-18 gauge
Wire cutters

General Tools & Supplies

Needles: hand-sewing
Pliers: needlenose
Scissors: fabric
Thread: coordinating

Instructions

1. Using wire cutters, cut two 12" pieces and fifteen 2" pieces of stem wire for two apple blossom branches. Wrap each piece of stem wire with brown florist tape.

2. Cut wire-edge yellow ombré ribbon into eighteen 9" lengths. Refer to General Instructions for Boat Leaf on page 10. Make each ribbon into a petal using boat leaf technique, stitching along darkest edge of ribbon. Set aside. Cut wire-edged green ombré ribbon into six 12" lengths. Make each ribbon into a boat leaf. Set aside.

3. Cut brown chenille stem into three 3" pieces. Using needlenose pliers roll one end into a ball. Cut yellow chenille stems into eighteen 3" pieces. Fold one end of each piece into a "T" shape. Using pale green florist tape, wrap bottom of "T" to cover yellow.

4. Refer to General Instructions for Lily on page 14. Make three lily flowers using yellow petals.

5. Cut wire-edge white ribbon into fifty 3½" lengths. Refer to General Instructions for Pulled Petal or Leaf on page 15. Make each ribbon into a pulled petal. Set aside.

6. Cut wire-edge green ombré ribbon into fifteen 6" lengths. Refer to General Instructions for Pulled Petal or Leaf on page 15. Make each ribbon into a pulled leaf. Set aside.

7. Glue pearl stamens around yellow stamen for a total of nine stamens. Attach stamens to stem wire.

8. Refer to General Instructions for Apple Blossom on page 9. Make nine apple blossoms. Make five apple blossom buds by attaching each remaining white pulled petal to 2" stem wire cut in Step 1. Wrap stem wire with green florist tape to secure apple blossom and apple blossom bud.

9. Refer for Blossom Vase Placement to assemble two apple blossom branches. For one: (one 12" and seven 2" pieces stem wire, four apple blossoms, three apple blossom buds, eight pulled leaves.) Attach a total of eight pulled leaves to branch one. Secure pulled petals with brown florist tape. For branch two: (one 12" and seven 2" pieces stem wire, five apple blossoms, two apple blossom buds, seven pulled petals. Repeat for remaining apple blossom branch.

10. Insert oasis into vase. Secure with craft glue. Cover oasis with moss. Insert lilies and apple blossoms into oasis. Arrange as shown on Blossom Vase Placement.

**Blossom Vase
Placement**

Katheryn Tidwell Foutz

Katheryn Tidwell Foutz has always delighted in the creative process. She was raised in a very loving and supportive family who encouraged her creative endeavors, which, more often than not, ended up in disaster!

Katheryn enjoys designing, writing, and teaching many types of crafts from sewing and needlework to wood-working, clay and fabric sculpting, floral design, and doll making. Her love of ribbons and Victorian ribbon work reflect through all of these mediums. She also regularly teaches crafting on "Aleene's Creative Living" television program.

Katheryn believes that in design, as in life, you should try to turn your stumbling blocks into stepping stones. She says that you should never fret over making a mistake, but that you should find joy in the fact that you've created a new variation.

Inspiring Amulet

Note: *Please refer to a book on basic embroidery stitches to complete this project.*

Materials

Brocade ribbon: 1½"-wide ivory (⅜ yd.)

Embroidery ribbon: 4mm lt. green (½ yd.), med. green (½ yd.), ivory (½ yd.), lt. rose (¾ yd.), med. rose (½ yd.)

Jacquard ribbon: ¾"-wide tan with pink florals (⅜ yd.)

Brass charms: bee, heart

Cording: ⅛"-wide ivory (1 yd.)

Floss: metallic gold

General Supplies & Tools

Fabric marker: air soluble

Index card: 3" x 5"

Iron/ironing board

Needles: chenille, size 22; embroidery; hand-sewing

Scissors: fabric

Sewing machine

Thread: coordinating

Instructions

1. Using fabric scissors, cut a 9½" length from both brocade and jacquard ribbons. Lay ribbons side by side and machine-zigzag together to create amulet fabric.

2. Fold one end of fabric down ¼" twice. Using a hand-sewing needle and co-ordinating thread, hand-stitch to hem.

3. Measure and mark ½" from opposite end of fabric. With right sides together, fold fabric in half length-wise. Machine-stitch across width of fabric at mark. Open fabric so right sides are facing out and press flat to form pointed top flap.

4. Refer to General Instructions for Transferring on page 9. Enlarge Inspiring Amulet Transfer Pattern on page 71. Center and transfer design onto fabric.

5. Using embroidery and chenille needles, embroider fabric following Inspiring Amulet Stitch Guide on page 71.

6. When embroidery is completed, use number 10 sharp needle and thread to tack all ribbon ends to back of ribbon.

7. Measure and mark 3¼" from hemmed edge. With wrong sides together, fold fabric in half lengthwise. Machine-stitch across width of fabric at mark. Open so right sides are facing out and press fabric flat to form point for bottom of amulet.

8. Place fabric front side down on soft, white cloth and press with iron.

9. Cut one 10" length from med. rose embroidery ribbon. Tie ribbon into a 1½"-wide bow. Using a hand-sewing needle and co-ordinating thread, tack ribbon in place. Tack heart charm to knot of bow. Tack bee charm to flap. Refer to Inspiring Amulet Placement.

10. Fold fabric to form purse. Hand-stitch sides together and fold flap down.

11. Mark center of cording and place cording at bottom of purse. Using lt. green embroidery ribbon, whip-stitch cording to purse. Knot ends of cording.

12. Wrap lt. rose, ivory, and metallic gold floss length-

wise around index card six times. Slip a strand of floss under one end of wraps and tie into knot for top of tassel. Slip wraps off of index card and tie floss around wraps ½" from top of tassel. Cut bottom of wraps. Tack tassel to tip of purse as shown in Inspiring Amulet Placement.

Inspiring Amulet Stitch Guide

Description	Ribbon	Stitch
1. Rosebud Center	med. rose	Ribbon Stitch
2. Rosebud Petal	lt. rose	Ribbon Stitch
3. Leaf	med. green	Ribbon Stitch
4. Rosebud Base	med. green	French Knot
5. Rosebud Stem	med. green	Rolled Straight Stitch
6. Leaf	med. green	Ribbon Stitch
7. Leaf	lt. green	Ribbon Stitch
8. "I"	metallic gold floss	Chain Stitch
9. Letters	metallic gold floss	Stem Stitch
10. Flap Decor	metallic gold floss	Herringbone Stitch
11. Purse Decor	metallic gold floss	Straight Stitch

Inspiring Amulet Transfer Pattern   Enlarge 200%

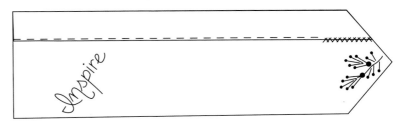

Inspiring Amulet Stitch Guide

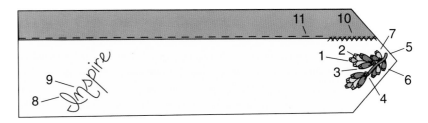

Inspiring Amulet Placement

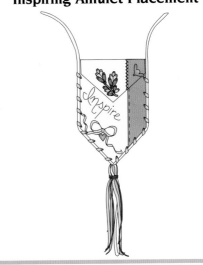

Sisterhood Pillow

General Supplies & Tools

Hot glue gun and glue sticks
Iron/ironing board
Marker: permanent black
Needle: hand-sewing
Scissors: fabric
Sewing machine
Thread: coordinating

Instructions

1. Using fabric scissors, cut lt. green moiré taffeta fabric into two 5" squares. Cut two 4½" squares from quilt batting. Refer to General Instructions for Baste Stitch on page 9. Using a hand-sewing needle and coordinating thread, baste quilt batting to fabric. Fold edges under ½" and press to form pillow front and pillow back.

2. Measure and mark green/gold wired silk fabric at a 5" and 10" interval. Clip marks and tear fabric into two strips. Hand-stitch ends together to form one large strip.

3. Sew a gather-stitch along one long edge of strip. Gather strip into a ruffle to

Materials

Fabric: lt. green moiré taffeta (¼ yd.); green/gold wired silk (⅜ yd.)
Sheer ribbon: ⅞"-wide green with gold edging (⅓ yd.)
Wire-edge ribbon: ⅜"-wide gold mesh (2 yds.); ½"-wide white/gold net (¼ yd.); ⅝"-wide peach (⅝ yd.); 1½"-wide sheer cream with gold edging (¼ yd.)

Beads: white seed
Butterfly: blue net, small
Floral stamens: white
Tatted lace: scraps
Leaves: silk (1); velvet (3)
Quilt batting
Ribbon roses: peach swirl, miniature (3)
Stuffing
Veiling: 8"-wide green hat (¼ yd.)

fit around pillow front and hand-stitch in place.

4. Lay pillow front on pillow back and hand-stitch together, leaving one side open for stuffing. Stuff pillow and hand-stitch opening closed. Machine-stitch ruffle seams together.

5. Tack tatted lace to upper left corner of pillow front. Randomly sew white seed beads to lace. Refer to Sisterhood Pillow Placement.

6. Refer to General Instructions for Rose on page 16. Make peach wire-edge ribbon into a rose.

7. Fold green sheer ribbon with gold edging into two pairs of 1" loops. Tack loops together at base of loops to form a plume.

8. Cut sheer cream with gold edging wire-edge ribbon into two equal lengths. Refer to General Instructions for Single Petal on page 17. Make each ribbon into a single petal.

9. Refer to Sisterhood Pillow Placement. Using a glue gun and glue sticks, attach velvet leaves over

tatted lace. Hot-glue rose on top of leaves. Hot-glue green sheer ribbon plume under rose, and hot-glue sheer cream ribbon petals under velvet leaves. Hot-glue stamen between ribbon loops. Hot-glue butterfly to edge of rose.

10. Tack green hat veiling across upper right corner of pillow front.

11. Gently pull to widen white/gold net ribbon. Pinch ribbon together at 1" intervals. Tack ribbon across

bottom edge of pillow front. Randomly sew white seed beads to peach swirl roses. Evenly space roses on ribbon and hot-glue in place.

12. Cut gold net wire-edge ribbon into four equal lengths. Tie each ribbon into a bow with 4" tails. Tack each bow to corner of pillow.

13. Using a black permanent marker, write desired word or message on silk leaf. Hot-glue silk leaf under velvet leaf.

Sisterhood Pillow Placement

73

Miracle Pillow

General Supplies & Tools
Embroidery hoop
Fabric marker: air-soluble
Hot glue gun and glue sticks
Iron/ironing board
Needles: embroidery; hand-sewing
Scissors: fabric
Straight pins
Thread: coordinating

Instructions

1. Enlarge Pattern A on page 75. Refer to General Instructions for Transferring on page 9. Transfer verse to center of ivory taffeta fabric. Place fabric in embroidery hoop.

2. Using an embroidery needle and metallic gold embroidery floss, embroider verse onto fabric.

3. Center and pin enlarged Pattern A over embroidered taffeta fabric. Using fabric scissors, cut out heart ½" larger than guide-line. Clip curves. Turn edge under and press. Using a hand-sewing needle and thread, tack heart to pillow front center.

Note: Please refer to a book on basic embroidery stitches to complete this project.

Materials
Pillow: purchased, 16" square, ivory brocade
Fabric: ivory taffeta (⅓ yd.)
Embroidery ribbon: 4mm ivory (1 yd.)
Sheer ribbon: 2"-wide ivory with satin edges and gold filaments (⅓ yd.)
Wire-edge ribbon: ⅞"-wide gold mesh (1 yd.), lt. gold mesh (½ yd.); 1½"-wide gold mesh (⅓ yd.), lt. gold mesh (1½ yds.), white taffeta with gold edges (¾ yd.); 2¼"-wide white taffeta with gold edges (1 yd.), ivory/gold brocade with gold edges (½ yd.)
Doily: 6" square ecru lace
Embroidery floss: metallic gold; ivory
Lace: 2"-wide ivory (¼ yd.)

Pattern A   Enlarge 235%

Expect a Miracle

Diagram A

4. Using an embroidery needle and ivory embroidery floss, sew a running stitch onto pillow front, around edge of heart.

5. Twist and weave ivory embroidery ribbon through running stitch. Weave two strands of metallic gold embroidery floss through running stitch.

6. Cut five 7" lengths from gold mesh wire-edge ribbon. Tie a knot in center of each ribbon. Lay ribbons side-by-side with knots at top. Sew a gather stitch ½" above the bottom edges. Pull gather to form a cluster for center of flower. Set aside.

7. Divide 1½"-wide white taffeta with gold edges wire-edge ribbon into five equal intervals. Divide 2¼"-wide white taffeta with gold edges wire-edge ribbon into six equal intervals. Divide 1½"-wide lt. gold mesh wire-edge ribbon into three equal intervals. Divide sheer ivory with satin edges and gold filament ribbon into three equal intervals. Divide ivory/gold brocade with gold edges ribbon into three equal intervals. Refer to General Instructions for Multiple-Petal Section on page 14. Make each ribbon into a multiple-petal section.

8. Layer and tack petals around cluster as in Diagram A. Using a hot glue gun and glue sticks, hot-glue flower

to top right corner of heart. Refer to Miracle Pillow Placement on page 76.

9. Sew a gather stitch along bottom edge of lace. Pull gather and shape lace into a fan. Hot-glue lace fan under top right outside edge of flower.

10. Cut four 4" lengths from ⅞"-wide lt. gold mesh wire-edge ribbon. Cut remaining 1½"-wide lt. gold mesh wire-edge ribbon into three equal lengths. Cut 1½"-wide gold mesh wire-edge ribbon into two equal lengths. Refer to General Instructions for Folded Leaf on page 12. Make each ribbon into a folded leaf.

11. Hot-glue leaves as shown in Miracle Pillow Placement on opposite page.

12. Tack doily to pillow front, above upper left corner of heart.

Miracle Pillow Placement

Expect a Miracle

Materials

Hand mirror: 12"

Fabric: ivory taffeta (¼ yd.)

Grosgrain ribbon: ⅜"-wide antique white (1 yd.)

Satin ribbon: ¼"-wide ivory (1 yd.); ⅝"-wide lt. peach (1 yd.)

Sheer ribbon: ⅝"-wide ivory stripe (1 yd.), white with gold edging (⅓ yd.); ⅞"-wide cream (½ yd.); 1½"-wide cream (⅓ yd.)

Wire-edge ribbon: ⅝"-wide lt. peach (3¼ yds.), cream (⅓ yd.); 1¼"-wide gold net (¼ yd.)

Ribbon roses: ivory swirl, miniature (3)

Brass charms: bee; leaf stems (3); ¾" letters B, E (3), I, L, V; rose

Cording: ⅛"-wide metallic gold (⅝ yd.)

Fusible web (¼ yd.)

Gimp: ivory (⅞ yd.)

Lace: 3" x 6" ivory, flat crocheted; medallions (2)

Quilt batting: lightweight (¼ yd.)

General Supplies & Tools

Foam core board: 12" square

Glue: craft; industrial-strength

Iron/ironing board

Needle: hand-sewing
Fabric marker: air-soluble
Scissors: fabric
Straight pins
Thread: coordinating

Instructions

1. Using fabric scissors, cut an 8" square from fusible web. Lay fusible web face up on foam core board. Refer to General Instructions for Ribbon Weaving on pages 15-16. Weave and pin the grosgrain, satin, and ⅜"-wide ivory stripe sheer ribbons until the fusible web is covered. Following manu-facturer's instructions, fuse ribbons.

2. Diagonally lay mirror over woven ribbons. Using a disappearing marking pen, trace around mirror and cut out.

3. Lay mirror on taffeta fabric. Trace around mirror and handle and cut out. Repeat process on quilt batting.

4. Fuse woven ribbons to right side of taffeta fabric.

5. Trace around handle only on taffeta fabric and quilt batting and cut out.

6. Apply a thin layer of craft glue to back of mirror and handle. Glue quilt batting in place. Apply glue to top of batting and attach woven ribbon/taffeta fabric to batting. Turn mirror over and repeat process for handle only, using batting and taffeta fabric.

7. Using ⅞"-wide cream sheer ribbon, wrap handle, tucking and gluing ends under.

8. Cut flat crocheted lace to fit diagonally across top of mirror back as shown in Diagram A. Glue lace edges to woven ribbons.

Diagram A

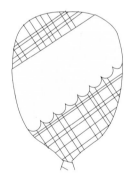

9. Glue gimp around outside edge of mirror and handle. Glue metallic gold cording around top edge of mirror back.

10. Cut one 10" length from cream wire-edge ribbon. Refer to General Instructions for Ruching on page 16.

Using a hand-sewing needle and coordinating thread, ruch ribbon and pull threads until ribbon measures 5". Glue ribbon on top edge of lace.

11. Cut two 9" lengths from lt. peach wire-edge ribbon. Refer to General Instructions for Multiple-Petal Section on page 14. Make each ribbon into a five-petal section. Clip leaves from swirl ribbon roses and glue one in center of each five-petal section. Glue one flower to top of mirror back. Glue remaining swirl ribbon rose to left of flower. Using industrial-strength glue, attach brass leaf stem charms to sides of flower.

12. Glue the B-E-L-I-E-V-E letters, bee, rose, and leaf stem in place as shown in Diagram B.

Diagram B

13. Using craft glue, attach lace medallions to top front and back of handle.

14. Tie 1½"-wide cream sheer ribbon into a bow. Glue bow to top handle, on back of mirror over lace medallion.

15. Cut gold net ribbon into two equal lengths. Refer to General Instructions for Folded Leaf on page 12. Make each ribbon into a folded leaf. Glue leaves to top of white sheer ribbon bow. Glue remaining five-petal section over folded leaves.

16. Pull wires on both sides of remaining lt. peach wire-edge ribbon. Gather ribbon to fit around front edge of mirror and glue in place.

17. Refer to General Instructions for Rose on page 16. Make cream wire-edge ribbon into a rose. Glue rose to top of lace medallion on handle front.

18. Tie white with gold edging sheer ribbon into a bow. Glue bow beneath rose.

Floral Mirror Back & Front Placement

Frame of Roses

Materials
Pewter frame: 8" x 10"
Photo mat: 5" x 7" precut green rectangle
Picot-edge ribbon: ⅜"-wide ivory striped (½ yd.)
Sheer ribbon: 2"-wide rose with satin edges and gold filaments (½ yd.)
Wire-edge ribbon: ⅞"-wide rose (1 yd.), sage green (1¾ yds.); 1½"-wide frosty forest green (½ yd.); 1¾"-wide green sculptor (⅜ yd.)
Lace: 3"-wide cream antique (¼ yd.)
Trim: 2"-wide gold metallic fringe (¼ yd.)

General Supplies & Tools
Hot glue gun and glue sticks
Needle: hand-sewing
Thread: coordinating hand-quilting
Scissors: fabric

Instructions
1. Using fabric scissors, cut one 18" length from frosty forest green wire-edge ribbon. Fold ribbon into ½" pleats, folding the raw edges at either end under twice. Using a hand-sewing needle and coordinating thread, sew a gather stitch along the sides and bottom of the

pleated ribbon. Gently pull gather up to create a fan. Set aside. Repeat process on gold metallic fringe trim and cream antique lace.

2. Cut one 16" length from rose sheer ribbon. Refer to General Instructions for Folded & Rolled Rose on page 12. Make into folded and rolled rose.

3. Cut two 5" lengths from green sculptor wire-edge ribbon, and cut seven 3" lengths from sage green wire-edge ribbon. Refer to General Instructions for Folded Leaf on page 12. Make each ribbon into a folded leaf.

4. Twist remaining sage green wire-edge ribbon into a vine.

5. Cut three 12" lengths from rose wire-edge ribbon. Refer to General Instructions for Rose on page 16. Make each ribbon into a rose.

6. Layer gathered lace, pleated ribbon, and gold metallic fringe fans one atop the other as shown in Diagram A. Using a hot glue gun and glue sticks, attach fans to top of frame.

Diagram A

7. Hand-stitch folded and rolled rose to top of large folded leaves and tack in place. Glue rose to fans.

8. Arrange and glue vine, no-sew ribbon roses and small folded leaves on right side of frame as shown in Rose Frame Placement.

9. Embellish the green

precut mat by gluing strips of picot-edge ribbon to front of mat as shown. Place mat inside frame.

Frame of Roses Placement

Romance & Love Pillow

Instructions

1. Using fabric scissors, cut two 6" x 9½" rectangles for pillow front and back from lt. green taffeta fabric. Lay sheer gold wired silk fabric over pillow front. Refer to General Instructions for Baste Stitch on page 9. Using a hand-sewing needle and coordinating thread, baste wired silk fabric to pillow front.

2. Cut a piece of vintage lace fabric as desired according to pattern in fabric. Lay fabric across left side of pillow front and hand-stitch in place.

3. Gently pull to widen white/gold net wire-edge ribbon. Pinch ribbon together at 1" intervals. Cut one 4½" length from gold/black fringe trim. Diagonally lay ribbon and gold/black fringe trim across right corner of pillow front and tack in place.

4. With right sides together and a ⅝" seam, machine-stitch pillow front to pillow back, leaving an opening for

Materials

Fabric: lt. green taffeta (¼ yd.); sheer gold wired silk (¼ yd.); vintage lace (¼ yd.)
Wire-edge ribbon: ½"-wide white/gold net (¼ yd.); ⅞"-wide purple/white ombré (1⅞ yds.); 1½"-wide lt. blue sheer (⅓ yd.); 3⅛"-wide gold net (1¼ yds.)
Buckram: ⅛ yd.
Floral stamens: white

Leaves: silk (2); velvet leaf branch; velvet (3)
Trim: ⅜"-wide gold/black fringe (¾ yd.)

General Supplies & Tools

Hot glue gun and glue sticks
Marker: black permanent
Needle: hand-sewing
Scissors: fabric
Sewing machine
Thread: coordinating

turning. Turn pillow right side out and stuff. Hand-stitch opening closed.

5. Hand-stitch gold net wire-edge ribbon around pillow edge, gathering ribbon at corners, for ruffle. Pinch ribbon together and tack to pillow edge at desired locations.

6. Cut two 3" squares and one 2" square from buckram. Cut purple/white ombré wire edge ribbon into three equal lengths. Refer to General Instructions for Buckram Rose on page 10. Using buckram squares, make each ribbon into a buckram rose.

7. Cut lt. blue sheer wire-edge ribbon into three equal

lengths. Refer to General Instructions for Folded Leaf on page 12. Make each ribbon into a folded leaf. Shape leaves as desired.

8. Fold remaining gold/black fringe trim into three loops and tack ends together to form a plume.

9. Arrange roses, ribbon leaves, velvet leaves and leaf stem, plume, and stamens on pillow front and hot-glue in place. Refer to Romance & Love Pillow Placement.

10. Using a black permanent marker, write desired word or message on each silk leaf. Hot-glue leaves to pillow front.

Materials
Pillow: purchased, 16" square ivory tapestry with fringe
Sheer ribbon: ⅜"-wide white (¾ yd.); 1½"-wide pink with gold edging (1¼ yds.)
Wire-edge ribbon: ⅞"-wide lt. gold mesh; 1½"-wide striped gold mesh (1 yd.), sheer white with gold edging (1 yd.); 2"-wide white/gold net (1 yd.)
Beads: strung pearls (5 strands)
Bridal netting: 7"-wide white (1 yd.)
Buttons: jeweled heart, pearl teardrop, round antique silver, round glass, jeweled rectangle
Doily: 2" round taupe (2)
Fabric: flesh cotton (¼ yd.)

General Supplies & Tools
Acrylic paints: black, blue, dk. rose, white
Cosmetic blush: rose
Fabric marker: air soluble
Hot glue gun and glue sticks
Iron/ironing board
Needle: hand-sewing
Paintbrush: fine point
Pens, pigment : black, gold, dk. brown
Scissors: fabric
Sewing machine
Thread: coordinating

Romance & Love Pillow Placement

Instructions

1. Enlarge Dream Pillow Transfer Pattern below. Refer to General Instructions for Transferring on page 9. Transfer head and facial features, neck, and bodice patterns to flesh fabric.

Dream Pillow Transfer Pattern   Enlarge 400%

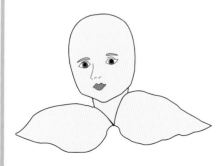

2. Using a dk. brown pen, trace over facial features. Using a fine point paint-brush, paint irises blue, pupils black, and lips dk. rose. Highlight pupil with a small white stroke. Lightly brush blush onto cheek area.

3. Machine-stitch around outline of head, neck, and bodice. Using fabric scissors, cut out patterns, leaving a ½" seam. Clip curves, turn under, and press.

4. Place head on neck, and neck on bodice. Using a hand-sewing needle and coordinating thread, sew head to neck at chin, and neck to bodice. Place sewn pieces on pillow front and hand-stitch around outside edge to secure.

5. Cut striped gold mesh wire-edge ribbon and lt. gold mesh wire-edge ribbon into appropriate lengths for hair. Shape ribbons into wavy hair to cascade onto shoulders. Tack in place as shown on Dream Pillow Placement on opposite page.

6. Pinch and shape white/gold net wire-edge ribbon to cover bodice.

7. Cut one 9" length from sheer white with gold edging wire-edge ribbon. Shape into waves. Using a glue gun and glue sticks, hot-glue ribbon to bodice at tip of neck. Hot-glue jeweled heart button onto ribbon at tip of neck.

8. Tie sheer white ribbon into a 4" bow with cascading tails. Hot-glue bow below heart button. Hot-glue pearl teardrop button under knot of bow.

9. Cut bridal netting into one 24" length. Drape bridal netting below bodice and tack in place.

10. Cascade strung pearl beads down left side of hair. Hot-glue jeweled rectangle button to hair.

11. Tie pink with gold edging sheer ribbon into an 8" bow. Hot-glue bow in upper left corner of pillow. Knot ribbon tails 4" above ends. Cascade ribbon tails down side and across top of pillow front, tacking in place as desired. Refer to General Instructions for Fork Cut on page 12. Fork-cut ribbon ends.

12. Refer to General Instructions for Doily Flower on page 11. Make taupe doilies into a flower.

13. Hot-glue doily flower, round glass button, and round antique silver button to knot of bow as shown on Dream Pillow Placement.

14. Drape remaining bridal netting across upper left corner of pillow front, above bow. Tack in place.

15. Using black pen, center and write "Sweet Dreams" on remaining piece of sheer white with gold edging wire-edge ribbon. Outline words with gold pen. Shape ribbon into a banner. Tack ribbon to pillow front. Refer to General Instructions for Fork Cut on page 12. Cut ribbon ends.

Dream Pillow Placement

Lamp Shade

Materials
Lace lamp shade kit
Ribbon roses: premade, ivory swirl (12); ivory rosebuds, small (18)
Beads: strung pearl (1 yd.)
Brass charms: ¾" letters I, N, S, P, I, R, E

General Supplies & Tools
Hot glue gun and glue sticks
Needle: beading
Scissors: fabric
Straight pins
Thread: coordinating

Instructions
1. Apply lace to lamp shade according to kit instructions.

2. Using fabric scissors, trim lace away from alternating panels on lamp shade.

3. Using a hot glue gun and glue sticks, attach swirl roses around top edge of lamp shade as shown on Lamp Shade Placement on page 84.

4. Cut leaves from rosebuds. Glue three rosebuds in a cluster below every fourth swirl rose.

5. Glue rosebuds onto lace on shade panels.

Materials

Fabric: taupe brocade (⅓ yd.);
   brown silk (⅓ yd.)

Photo mat: 8½" x 10"
   precut oval

Cardboard, heavy: 9" x 11"
   rectangles (2)

Wire-edge ribbon, brown
   ombré: ⅞"-wide (3 yds.);
   1½"-wide (3 yds.)

Cording: ⅛"-wide taupe
   (1 yd.)

Gimp: ½"-wide brown
   (1¾ yds.)

Poster board: ¼" x 6" strips
   (2); ¼" x 4" strip

Trim: ¼"-wide brown
   decorative (⅝ yd.)

General Supplies & Tools

Craft knife
Glue: craft; spray adhesive
Hot glue gun and glue sticks
Needle: hand-sewing
Pencil
Scissors: fabric
Thread: coordinating

Instructions

1. Using fabric scissors, cut
seven 4" lengths from ⅞"-
wide brown ombré wire-edge
ribbon. Cut five 6" lengths
from 1½"-wide brown ombré
wire-edge ribbon. Refer to
General Instructions for
Folded Leaf on page 12.

6. Evenly drape pearls
around lamp shade. Secure
to lamp shade by hot-gluing
pearls under swirl roses as
shown.

7. Using straight pins,
arrange and pin letters in
place. Using a beading
needle and coordinating
thread, hand-stitch letters to
lamp shade. Remove pins.

Lamp Shade Placement

Using a hand-sewing needle and coordinating thread, make each ribbon into a folded leaf.

2. Cut three 11" lengths from ⅞"-wide ribbon. Refer to General Instructions for Tendril on page 18. Twist each ribbon into a tendril.

3. Cut three 18" lengths and one 24" length from ⅞"-wide ribbon. Refer to General Instructions for Rose on page 16. Make each ribbon into a rose, gathering along light side of ribbon.

4. Cut one 18" length from ⅞"-wide ribbon. Make ribbon into a rose, gathering along dark side of ribbon.

5. Expose ends of wires on remaining 1½"-wide ribbon. Pull wires to gather ribbon into a 25" length. Set aside.

6. Using the outer edge of precut oval photo mat as a guide, trace two ovals onto heavy cardboard. Using a craft knife, cut out ovals.

7. Spray front of oval mat with spray adhesive. Cover mat with brown silk fabric. Cut excess fabric from inside and outside oval, leaving ¾" to turn under. Clip curves and fold fabric to back of mat. Secure fabric to back of mat using craft glue. Repeat process, covering front of cardboard ovals with taupe brocade fabric.

8. Lay gathered 25" length of ribbon around front of oval mat, aligning the darker edge of ribbon with outer edge of mat. Fit ribbon to mat by gathering inside ribbon edge more tightly and loosening outside edge. Evenly distribute gathers around mat. Using a hot-glue gun and glue sticks, secure ribbon to mat. Refer to Oval Frame Placement on page 86.

9. Glue brown decorative trim over inside edge of gathered ribbon. Glue brown gimp and taupe cording around outside edge.

10. Arrange and glue tendrils onto front of mat. Fold cut ends of folded leaves under and glue in place on tendrils.

There is nothing two people cannot do... if one of them is God.

11. Arrange and glue roses and remaining leaves onto front of mat.

12. With wrong sides together, glue fabric-covered ovals together. Glue gimp around seam of ovals.

13. Glue poster board strips around outer bottom and side edges of top fabric-covered oval. Glue back side of mat to strips only, leaving an opening for a photo. Insert photo.

Oval Frame Placement

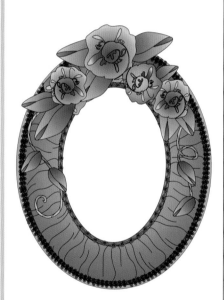

Friend Pillow

Materials
Fabric: lt. blue taffeta (¼ yd.); lt. green taffeta (⅓ yd.)
Sheer ribbon: ⅞"-wide green with gold edges (⅓ yd.)
Wire-edge ribbon: ⅜"-wide gold mesh (¾ yd.); ⅝"-wide gold mesh (½ yd.); ⅞"-wide purple/blue ombré (1½ yds.), purple/green ombré (¾ yd.), green/teal ombré (1 yd.); 1½"-wide sheer cream with gold edges (¾ yd.); 2¼"-wide gold net (¼ yd.)
Buckram: 3" square
Leaves: silk (2); velvet (4)
Ribbon rose: mauve swirl
Tatted lace: scraps
Trim: ⅜"- wide gold/black fringe (½ yd.)
Stuffing

General Supplies & Tools
Glue: craft
Hot glue gun and glue sticks
Iron/ironing board
Needle: hand-sewing
Scissors: fabric
Sewing machine
Straight pins
Thread: coordinating

Instructions

1. Enlarge Pattern A on page 88. Using fabric scissors and Pattern A, cut two hearts from lt. green taffeta fabric.

2. Cut a 5½" x 45" strip of lt. blue taffeta fabric. Fold fabric in half lengthwise and press folded edge. Machine-baste two rows of gathering stitches ¼" and ½" from selvages.

3. Taper each end of the ruffle by gathering and curving ends down to fit into the dip of the heart as shown in Diagram A. Continue gathering and pinning ruffle to fit around edge of heart.

Diagram A

4. Sandwich ruffle between hearts and, with right sides together, machine-stitch hearts together, leaving an opening for turning and stuffing. Turn pillow right side out and loosely stuff. Using a hand-sewing needle and coordinating thread, stitch opening closed.

5. Diagonally lay gold net wire-edge ribbon across top of pillow front. Fold ribbon ends under. Tack ribbon to pillow front. Gently stretch ribbon into desired shape. Refer to Friend Pillow Placement on page 88.

6. Tack tatted lace in upper left corner and below gold net ribbon on pillow front.

7. Cut three 9" lengths from purple/blue ombré wire-edge ribbon. Refer to General Instructions for Pansy on page 15. Make two pansies with purple edges and one pansy with a blue edge.

8. Cut remaining purple/blue ombré wire-edge ribbon into six equal lengths. Refer to General Instructions for Single Petal on page 17. Make each ribbon into a petal, gathering two along the blue side and four along the purple side. Repeat process using sheer cream with gold edges wire-edge ribbon.

9. Cut gold/black fringe trim into three 2" lengths. Roll up each trim and secure with craft glue. Glue trim to center of each pansy.

10. Tack sheer cream with gold edges ribbon petals to purple/blue ombré ribbon petals. Tack blue petals to purple pansies and tack purple petals to blue pansy.

11. Refer to General Instructions for Buckram Rose on pages 10-11. Using buckram square and purple/green ombré ribbon, make a buckram rose.

12. Cut three 10" lengths from green/teal ombré ribbon. Refer to General Instructions for Gathered Leaf on page 13. Make each ribbon into a gathered leaf.

13. Cut ⅝"-wide gold mesh wire-edge ribbon into five equal lengths. Refer to General Instructions for Folded Leaf on page 12. Make each ribbon into a folded leaf.

14. Fold green with gold edges sheer ribbon into four loops. Tack ends together. Fold remaining gold/black fringe trim into two loops. Tack ends together.

15. Tie ⅜"-wide gold mesh wire-edge ribbon into a bow with 8" tails.

16. Using a black permanent marker, write

desired words or message on one silk leaf.

17. Using a hot glue gun and glue sticks, glue flowers.

leaves, looped ribbons, and bow onto pillow front as shown on Friendship Pillow Placement.

Flower Pillow

Note: Please refer to a book on basic embroidery stitches to complete this project.

Materials
Fabric: 10" x 12" ivory
Pillow: purchased, 16" square, moss/lt. moss green striped with ivory fringe
Wire-edge ribbon: ⅞"-wide green ombré (1¾ yds.); 1½"-wide purple ombré (3 yds.)
Ribbon roses: ivory swirl (3); ivory feather-edge (2); ivory large (5); ivory blooming (1)
Buttons: rhinestone, ⅜"-wide (8)
Lace collar: vintage
Lace glove
Pen: metallic gold paint
Trim: ⅜"-wide gold/black fringe (1¼ yds.)

General Supplies & Tools
Embroidery hoop
Embroidery floss: green
Fabric marker: air-soluble
Needle: embroidery; hand-sewing
Scissors: fabric
Thread: coordinating

Instructions
1. Refer to General Instructions for Transferring on page 9. Transfer verse using Flower Pillow Transfer

Friend Pillow Placement

Pattern A   Enlarge 200%

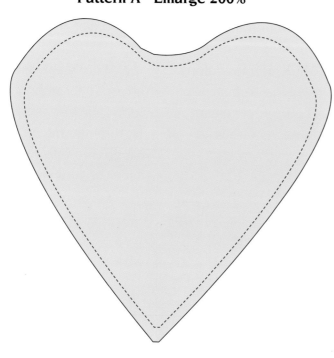

4. Cut ten 8" lengths from green ombré wire-edge ribbon. Refer to General Instructions for Gathered Leaf on page 13. Make each ribbon into a gathered leaf.

5. Turn edges of embroidered fabric under ½". Hem fabric. Diagonally place fabric onto pillow and stitch in place. Cover edge of fabric with gold/black fringe trim and stitch in place. Refer to Flower Pillow Placement.

6. Arrange flowers, leaves, lace collar, and glove on pillow top and tack in place.

7. Using a metallic gold paint pen, draw swirls onto pillow top.

Pattern on page 90 to center of ivory fabric. Place fabric in embroidery hoop.

2. Using an embroidery needle and green embroidery floss, embroider verse as desired onto fabric.

3. Using fabric scissors, cut eight 10½" lengths from purple ombré wire-edge ribbon. Fold dark edge of seven ribbons and light edge of one ribbon up ½". Divide each ribbon into five 2" sections with ¼" at each ribbon end. Refer to General

Instructions for Multiple-Petal Section on page 14. Make each folded ribbon into a five-petal section. Using a hand-sewing needle and coordinating thread, sew a button to center of each five-petal flower.

Flower Pillow Placement

Flower Pillow Transfer Pattern   Enlarge 200%

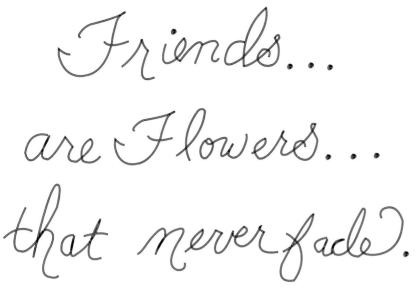

*Friends...
are Flowers...
that never fade.*

Rose Wreath

Materials

Grapevine wreath: 16"

Wire-edge ribbon: ⅜"-wide green ombré (1⅛ yds.); ⅞"-wide gold mesh (2 yds.), frosty rose (1⅛ yds.); 1½"-wide ivory taffeta (3 yds.), rose taffeta (4½ yds.), sheer cream with taupe edges (1¾ yds.), sheer cream with gold edges (2⅞ yds.); 1¼"-wide green sculptor (1⅜ yds.); 2¼"-wide gold net (1⅜ yds.)

Ribbon roses: mauve petal (2); ivory swirl (1); mauve swirl (3)

Buttons: ¾-1"-wide glass rhinestones (3)

Chenille stems (10)

Lace: 3"-wide ivory (¾ yd.)

General Supplies & Tools

Glue: craft

Hot glue gun and glue sticks

Needle: hand-sewing

Scissors: fabric

Skewer

Thread: coordinating

Instructions

1. Using fabric scissors, cut one 2½ yds. length and two 1 yd. lengths from rose taffeta wire-edge ribbon. Refer to General Instructions for Rose on page 16. Using a hand-sewing needle and co-ordinating thread, make each ribbon into a rose. Sew a rhinestone button in center of each rose.

2. Cut three 21½" lengths and one 35½" length from sheer cream with gold edges wire-edge ribbon. Divide each 21½" ribbon into three 7" sections and the 35½" ribbon into five 7" sections, with ¼" at each ribbon end. Refer to General Instructions for Multiple-Petal Section on page 14. Make each ribbon into a multiple-petal section. Pinch and shape each petal as desired. Sew a three-petal section around bottom of small roses and a three-petal and five-petal section around bottom of large rose.

3. Cut three 20½" lengths from sheer cream with taupe edges wire-edge ribbon. Divide each ribbon into five 4" sections with ¼" at each ribbon end. Refer to General Instructions for Multiple-Petal Section on page 14. Make each ribbon into a five-petal section. Pinch and shape each petal as desired. Using a glue gun and glue sticks, attach a mauve swirl ribbon rose in center of each five-petal section.

4. Cut three 1 yd. lengths from ivory taffeta wire-edge ribbon. Refer to General Instructions for Rose on page 16. Stitch each ribbon into a rose. Tightly pinch the top edges of the roses,

I love to bring the roses in
and here count them dearest friends.

Cut four 10" lengths from green ombré ribbon. Refer to General Instructions for Wrapped Bud on page 18. Wrap and stitch a ribbon around each bud.

8. Refer to General Instructions for Rosette on page 16. Make remaining frosty rose wire-edge ribbon into a rosette.

9. Cut three 9" lengths from lace. Sew a gather stitch around three sides of each lace piece. Pull gather and shape lace into a fan.

10. Arrange flowers, buds, leaves, tendrils, and lace fans on wreath and hot-glue in place as shown in Rose Wreath Placement.

drawing edges to center and pushing petals slightly upward.

5. Twist two chenille stems together to form five stems. Using craft glue, apply a small amount of glue at end of stem and begin wrapping stem with ⅞"-wide gold mesh wire-edge ribbon, securing ribbon to stem with glue. Repeat process on remaining stems. Tightly wrap stems around skewer to curl. Slide curled stems off skewer.

6. Cut seven 7" lengths from green sculptor wire-edge ribbon and 2¼"-wide gold net wire-edge ribbon. Refer to General Instructions for Folded Leaf on page 12. Make each ribbon into a folded leaf.

7. Cut four 6" lengths from frosty rose wire-edge ribbon. Refer to General Instructions for Basic Bud on page 9. Make each ribbon into a bud.

Rose Wreath Placement

*It is something to be able
to paint a particular picture,
or to carve a statue and so
to make a few objects beautiful;
But it is far more glorious
to carve and paint the very
atmosphere and medium
through which we look.
To affect the quality of the day...
that is the highest of the arts.*

—Henry David Thoreau

General Supplies & Tools

Glue: industrial strength;
   spray adhesive
Hot Glue gun and glue sticks
Needle: hand-sewing
Scissors: fabric
Thread: coordinating

Instructions

1. Spray front of photo mat with spray adhesive. Attach quilt batting to front of mat. Using fabric scissors, trim batting close to edges. Spray batting with spray adhesive. Cover batting with taffeta fabric. Trim fabric to within ¾" of inside and outside edges. Fold excess fabric to back of mat. Using a glue gun and glue sticks, secure excess fabric to back of mat.

2. Cover one side of poster board rectangles with remaining taffeta fabric. Trim fabric to within ¾" of outside edges. Fold excess fabric to back of poster board and hot-glue to secure. Hot-glue rectangle backs together and lay heavyweight object on top until dry.

3. Cut two 36" lengths from

Materials

Fabric: taupe taffeta (½ yd.)
Photo mat: 11" x 14" precut
   rectangle
Poster board: 11" x 14"
   rectangle (2)
Sheer ribbon: ⅝"-wide pink
   with gold edge (¾ yd.)
Wire-edge ribbon: ⅝"-wide
- green with gold edge
   (¾ yd.); 1½"-wide brown
   ombré (1 yd.), green
   ombré (1¼ yds.), gold net

(½ yd.), peach/green ombré
(⅓ yd.), purple ombré
(4½ yds.)
Brass charms, dragonfly:
   large (1), small (1)
Cording: ¼"-wide taupe (1 yd.)
Gimp: taupe (1½ yds.)
Lace: ⅞"-wide taupe (½ yd.);
   3"-wide ivory (¼ yd.); 4"-
   wide ivory crocheted (¼ yd.)
Quilt batting: lightweight
   (½ yd.)
Rhinestones: ¼" (2); ⅜"

purple ombré wire-edge ribbon. Refer to General Instructions for Rose on page 16. Using a hand-sewing needle and coordinating thread, make each ribbon into a rose.

4. Cut four 12" lengths from purple ombré wire-edge ribbon and one 12" length from peach/green ombré wire-edge ribbon. Refer to General Instructions for Multiple-Petal Section on page 14. Make each ribbon into a three-petal section, two with a dark purple edge, two with a light purple edge, and one with a green edge.

5. Cut two 3" lengths and two 7" lengths from remaining purple ombré wire-edge ribbon. Refer to General Instructions for Basic Bud on page 9. Make each 3" ribbon into a bud. Refer to General Instructions for Wrapped Bud on page 18. Wrap and stitch each 7" ribbon around the buds.

6. Cut gold net wire-edge ribbon into three equal lengths. Cut seven 6" lengths from green ombré wire-edge ribbon and nine 3" lengths from green with gold edge wire-edge ribbon. Refer to General Instructions for

Folded Leaf on page 12. Make each ribbon into a folded leaf.

7. Cut pink with gold edge sheer ribbon into three equal lengths. Divide each ribbon into five 1½" sections with ¼" at each ribbon end. Refer to General Instructions for Multiple-Petal Section. Make each ribbon into a five-petal section.

8. Cut brown ombré wire-edge ribbon into two equal lengths. Refer to General Instructions for Tendril on page 18. Twist each ribbon into a tendril.

9. Diagonally wrap 3"-wide ivory lace across top right corner of mat. Secure edges to underside of mat with hot glue. Diagonally wrap taupe lace across top right and bottom right corners of mat. Secure edges to underside of mat with hot glue. Gather one long edge of 4"-wide crocheted lace and shape over top left corner of mat. Secure gathered

edge to top of mat with hot glue. Refer to Blooming Fabric Frame Placement.

10. Glue cording around inside edge of photo mat.

11. Apply beads of hot glue around sides and bottom edges of rectangle back. Attach mat to rectangle back.

12. Glue gimp around seam of rectangle backs.

13. Arrange flowers, leaves and tendrils on front of mat and hot-glue in place.

14. Using industrial-strength glue, attach dragonflies to mat and rhinestones to center of each pink with gold edges five-petal section.

Blooming Fabric Frame Placement

93

Gilded Rose Frame

Love is like
a beautiful flower
which I may not touch, but
whose fragrance makes the
garden a place of delight
just the same.
—Helen Keller

Materials
Frame: purchased, 7" x 9"
   ecru fabric-covered
Sheer ribbon: ⅜"-wide lt. pink
   with gold edging (2 yds.)
Wire-edge ribbon: 1¼"-wide
   gold mesh (1¼ yds.)
Ribbon rose: cream swirl

General Supplies & Tools
Hot glue gun and glue sticks
Needle: hand-sewing
Scissors: fabric

Thread: coordinating

Instructions
1. Refer to General
Instructions for Folded
Flower on page 12. Using a
hand-sewing needle and
coordinating thread, stitch
lt. pink with gold edging
sheer ribbon into a folded
flower.

2. Using a hot glue gun and
glue sticks, hot-glue ribbon
rose to center of folded
flower.

3. Cut gold mesh wire-edge
ribbon into seven equal
lengths. Refer to General
Instructions for Folded Leaf
on page 12. Make each
ribbon into a folded leaf.

4. Hot-glue folded flower to
top center of frame. Hot-glue
three folded leaves on each
side of folded flower as
shown in Gilded Rose Frame
Placement.

5. Insert desired photo or
inspirational message into
frame.

Gilded Rose Frame Placement

Vanessa-Ann

The Vanessa-Ann Collection has been, for more than 15 years, in the forefront of the needlework and craft industry. Working from offices in Ogden, Utah, the Vanessa-Ann staff is busy designing, packaging, and producing more than 20 hard-bound how-to publications per year.

Although best known for cross-stitch books, The Vanessa-Ann Collection, under the name "Chapelle Limited," has crossed over into almost every "craft" imaginable, from juggling to wood-working, rubber stamping to quilting, knot tying to music boxes.

A staff of 20 employees, as well as many free-lance designers, crafters, and stitchers, spend their days planning, painting, sewing, building, researching, editing, and photographing projects for upcoming books.

Pansy Finial Frame

Note: *Please refer to a book on basic embroidery stitches to complete this project.*

Materials
Finials: 6½" curtain (2)
Plywood: ½" x 3" x 7"
Dowel: ½"-diameter (5¼")
Embroidery ribbon: 4mm yellow (⅜ yd.)
Wire-edge ribbon: ⅝"-wide green ombré, pink ombré, dk. purple ombré , lt. purple ombré (⅜ yd. each)
Acrylic gesso
Acrylic paint: ivory
Antiquing medium: brown
Glass: 5" x 7" (2)
Reverse decoupage glue
Spray sealer: matte finish

General Supplies & Tools
Hot glue gun and glue sticks
Needles: chenille; hand-sewing
Paintbrushes
Router
Scissors: craft, small sharp; fabric
Thread: coordinating

Instructions
1. Make one color copy of Pansy Art on page 122 at a copy center.

2. Using small, sharp craft scissors, cut pansies and greenery from color copied art. Place and arrange art in oval shape on back of one piece of glass, overlapping as necessary.

3. Following manufacturer's instructions, attach art to back of glass with reverse decoupage glue.

4. Using a router, make a ¼" groove down center of plywood base and dowel.

5. Using acrylic gesso and following manufacturer's instructions, seal all wood pieces. Refer to General Instructions for Painting Techniques on page 18. Paint wood pieces as follows: base paint all wood pieces ivory.

6. Following manufacturer's instructions, apply brown antiquing medium to all painted wood pieces.

7. Using matte spray sealer,

spray and seal all painted wood pieces.

8. Refer to Pansy Finial Frame Placement. Using a hot glue gun and glue sticks, attach finials to base.

9. Using fabric scissors, cut four 2¾" lengths from green ombré wire-edge ribbon. Refer to General Instructions for Fold-Over Leaf on page 12. Using a hand-sewing needle and coordinating thread, stitch each ribbon into a fold-over leaf.

10. Refer to General Instructions for Pansy on page 15. Stitch pink, dk. purple, and lt. purple ombré wire-edge ribbons into pansies.

11. Cut three 4½" lengths from yellow embroidery ribbon. Using a chenille needle, stitch a French Knot through center of each pansy.

12. Hot-glue pansies and leaves to front of glass that has been decoupaged.

13. Sandwich photo between glass pieces. Place dowel on top of glass pieces. Place glass in groove in base.

Pansy Finial Frame Placement

Pansy Board

Note: Please refer to a book on basic embroidery stitches to complete this project.

Materials
Drop ceiling tile
Embroidery ribbon: 4mm yellow (1¼ yds.)
Wire-edge ribbon: ⅝"-wide green ombré (⅝ yd.), orange ombré (⅞ yd.), dk. purple ombré (⅝ yd.), lt. purple ombré (⅜ yd.), yellow ombré (⅜ yd.); ⅞"-wide brown ombré (½ yd.), pink/purple ombré (½ yd.), yellow ombré (½ yd.); 1½"-wide green/pink ombré (1¼ yds.)
Acrylic paints: brown, green, ivory, yellow
Hot glue gun and glue sticks
Spray sealer: matte finish
Photo transfer medium

General Supplies & Tools
Craft knife
Needle: chenille; hand-sewing
Paintbrushes

Paper towels
Sponge
Sandpaper: medium grit
Scissors: craft, small sharp; fabric
Thread: coordinating

Instructions

1. Make a color copy of Pansy Art on page 122 at a copy center.

2. Using small, sharp craft scissors, cut desired number and shape of pansies and greenery from color copied art.

3. Using a craft knife, cut ceiling tile to desired size. Using medium grit sandpaper, round all edges of ceiling tile.

4. Following manufacturer's instructions, transfer pansies and greenery to ceiling tile using photo transfer medium.

5. Refer to General Instructions for Painting Techniques on page 18. Wash entire art and rounded edges of ceiling tile with brown acrylic paint.

6. Using a sponge and paper towel, blot ivory acrylic paint around edges of tile, and blend with art. Repeat process using yellow, then green, acrylic paint to create a mottled appearance. Allow to dry and then spray with matte acrylic.

7. Using fabric scissors, cut eight 2¾" lengths from green ombré wire-edge ribbon. Refer to General Instructions for Fold-Over Leaf on page 12. Using a hand-sewing needle and coordinating thread, stitch each ribbon into a fold-over leaf.

8. Cut ⅝"-wide and ⅞"-wide ombré wire-edge ribbons into the following lengths: brown — one 14" length; dk. purple — two 10" lengths; lt. purple — one 10" length; pink/purple — one 14" length; orange —three 10" lengths; yellow — ⅝"-wide, one 10" length, ⅞"-wide one 14" length. Refer to General Instructions for Pansy on page 15. Stitch each ribbon into a pansy.

9. Cut nine 4½" lengths from yellow embroidery ribbon. Using a chenille needle, stitch a French Knot through center of each pansy, except for small yellow pansy.

10. Using a hot glue gun and glue sticks, attach leaves and pansies to tile as shown in Pansy Board Placement or as desired.

11. Tie a 7"-wide bow at center of green/pink ombré wire-edge ribbon. Hot-glue ribbon tails to back of tile for hanger.

Pansy Board Placement

Mini Hearts

Mini Heart—Sun

Note: Please refer to a book on basic embroidery stitches to complete this project.

Materials

Fabric: 9" x 11" white cotton

Embroidery ribbon: 4mm blue (1½ yds.), lt. green (1½ yds.), med. green (2½ yds.), mauve (1½ yds.), orange (2 yds.), yellow (1½ yds.); 7mm dk. red (1½ yds.)

Wire-edge ribbon: 3/8"-wide blue (½ yd.), mauve (1 yd.), pink (⅝ yd.)

Beads: 3mm pearls (15); 4 x 3mm brown (8); 8mm iridescent (4)

Embroidery floss: brown, green

General Supplies & Tools

Embroidery hoop
Needles: beading; chenille;
  embroidery; hand-sewing
Scissors: fabric
Thread: beading; coordinating

Instructions

1. Refer to General
Instructions for Transferring
Art to Fabric on page 9.
Transfer Mini Heart Art on
page 121 to cotton fabric.

2. Place fabric tightly in
embroidery hoop.

3. Using chenille,
embroidery, and beading
needles, embroider fabric
following Sun Stitch Guide
at right.

4. Cut four 8" lengths from
mauve wire-edge ribbon.
Refer to General Instructions
for Spiral Rosetta on page
17. Using a hand-sewing
needle and coordinating
thread, stitch each ribbon
into a spiral rosetta.

5. Cut four 4½" lengths from
blue wire-edge ribbon. Refer
to General Instructions for
Gathered Ruffle Flower on
page 13. Stitch each ribbon
into a gathered ruffle flower.
Using a beading needle and
beading thread, sew pearl

Mini Hearts—Sun Stitch Guide

	Description	Ribbon/Floss	Stitch
1.	Heart	blue	Whipped Running Stitch
2.	Circle	med. green	Whipped Running Stitch
3.	Square Border	mauve	Running Stitch
4.	Stem	green floss (6 strands)	Stem Stitch
5.	Leaf	green floss (3 strands)	Lazy Daisy Stitch
6.	Leaf	lt. green	Lazy Daisy Stitch
7.	Petal	blue	Ribbon Stitch
8.	Rose	yellow	Spider Web Rose
9.	Rose Bud	mauve	French Knot
10.	Rose	mauve	Spider Web Rose Stitch
11.	Butterfly Wing	dk. red	Lazy Daisy Stitch
12.	Antenna	brown floss (4 strands)	Straight Stitch
13.	Sun	orange	Ribbon Stitch
14.	Branch	green floss (3 strands)	Feather Stitch
15.	Leaf	med. green	Lazy Daisy Stitch
16.	Flower Center	iridescent beads	Beading Stitch
17.	Butterfly Body	brown beads	Beading Stitch
18.	Bead	pearl beads	Beading Stitch

Mini Hearts—Sun Stitch Guide

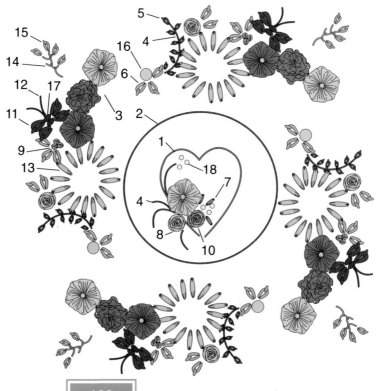

beads in center of flowers using a beading stitch. Repeat process using pink wire-edge ribbon.

6. Refer to Sun Placement on page 102. Using an embroidery needle and coordinating thread, tack rosettas and gathered ruffle flowers to design. Slightly overlap rosettas, flowers, and surrounding needlework.

7. Remove fabric from embroidery hoop.

8. Frame as desired.

Mini Heart—Rabbit

Materials
Fabric: 9" x 11" white cotton
Embroidery ribbon: 4mm
   lt. green (1 yd.),
   med. green (1 yd.), mauve
   (½ yd.), orange (1½ yds.)
   yellow (½ yd.),
Embroidery floss: blue

General Supplies & Tools
Embroidery hoop
Needles: chenille;
   embroidery
Scissors: fabric

Instructions
1. Refer to General Instructions for Transferring Art to Fabric on page 9. Transfer Mini Heart Art on page 121 to cotton fabric.

2. Place fabric tightly in embroidery hoop.

3. Using chenille and embroidery needles, embroider fabric following Rabbit Stitch Guide below.

4. Remove fabric from embroidery hoop.

5. Frame as desired.

Mini Hearts—Rabbit Stitch Guide

	Description	Ribbon/Floss	Stitch
1.	Heart	blue floss (6 strands)	Outline Stitch
2.	Circle	med. green	Whipped Running Stitch
3.	Leaves	lt. green	Leaf Stitch
4.	Leaves	lt. green	Straight Stitch
5.	Rose	yellow	Spider Web Rose
6.	Rose Bud	yellow	French Knot
7.	Rose	mauve	Spider Web Rose
8.	Square Border	orange	Running Stitch

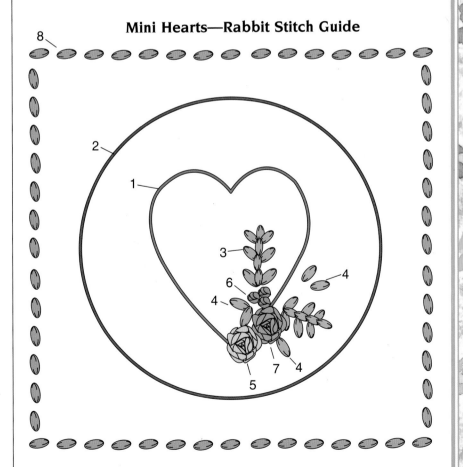

Mini Hearts—Rabbit Stitch Guide

Mini Heart—Sun Placement

Mini Heart—Rabbit Placement

Floral Purse

Note: Please refer to a book on basic embroidery stitches to complete this project.

Materials

Embroidery ribbon: 4mm blue (½ yd.), dk. green (1⅞ yds.), lt. green (1 yd.), pale yellow (1 yd.); 7mm lt. green (2⅔ yds.), med. green (½ yd.), dk. red (1 yd.), gold (½ yd.)

Wire-edge ribbon: 1/2"-wide blue (⅝ yd.), red (⅓ yd.); 1½"-wide mauve (½ yd.)

Embroidery floss: green, gold

Beads: glass, 5mm pink faceted (6); 6mm clear round (28), purple round (7); 8mm purple round (6); 9mm pink faceted (1); 12mm purple round (1); ³⁄₁₆" purple bugle (4); ½" purple oblong (4), pink teardrop (6); 1" purple teardrop (1); seed, metallic pink (approx. 300), purple (17)

Cording: ⅛"-wide mauve (1½ yds.), lt. pink (1½ yds.)

Fabric: white linen (¼ yd.); muslin (¼ yd.)

Stamens: mauve (3)

General Supplies & Tools

Embroidery hoop

Needles: beading; chenille; embroidery; hand-sewing

Pencil

Scissors: fabric

Sewing machine

Thread: beading; coordinating

Instructions

1. Refer to General Instructions for Transferring on page 9. Transfer Pink Floral Art on page 125 to muslin fabric three times for purse front, purse back, and flap.

2. Enlarge Floral Purse Pattern on page 104. Using a pencil, trace purse front, purse back, and flap on white linen fabric. Cut out lining pieces.

3. Trace flap on one block of transferred art.

4. Place purse front portion of printed muslin fabric tightly in embroidery hoop.

5. Using chenille and embroidery needles, embroider purse front following Floral Purse Front Stitch Guide on page 105.

6. Place flap portion of printed muslin fabric tightly in embroidery hoop.

7. Embroider flap following Floral Purse Flap Stitch Guide on page 106.

8. Remove muslin fabric from embroidery hoop.

9. Using fabric scissors, cut out embroidered purse front and flap, and purse back.

10. Cut two 8" lengths and one 6" length from blue wire-edge ribbon. Refer to General Instructions for Boat Leaf on page 10. Using a

Diagram C

12. With right sides together and ½" seam, sew bottom of purse front and purse back together. Press seam open.

13. Using a pencil and beginning and ending at ½" seams, evenly mark intervals for bead spacing on seam as in Diagram D.

Diagram D

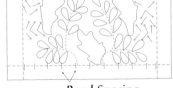

Bead Spacing

hand-sewing needle and coordinating thread, fold and stitch each ribbon into a boat leaf. Tack boat leaves to purse front referring to Floral Purse Placement on page 105.

11. Cut three 2" lengths and two 3" lengths from red wire-edge ribbon. Sew a gather stitch on 2" ribbons as shown in Diagram A. Pull gather to form petals and secure threads. Sew a gather stitch on 3" ribbons as shown in Diagram B. Pull gather to form petals and secure threads. Tack petals

to flap as shown in Diagram C and Floral Purse Placement on page 105.

Diagram A

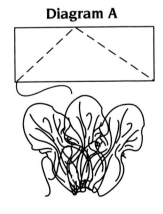

Diagram B

14. Refer to General Instructions for Bead Stringing on page 10. Using a beading needle and beading thread, string beads as shown in Diagram E on page 104. Sew strung beads through bottom seam and knot thread at marked

intervals to attach to purse as shown in Floral Purse Placement on page 105.

Diagram E

15. With rights sides together and ½" seam, sew

sides of purse front and purse back together. Clip corners and turn right side out. Fold top inward ½" and press.

16. With right sides together and ½" seam, sew sides and point of flap lining and flap together. Clip corners and turn right side out. Carefully press edges. With ½" seam, stitch top of flap closed.

17. With right sides together and ½" seam, sew sides and bottom of lining front and lining back together. Clip corners and

turn right side out. Fold top inward ½" and press. Place lining inside purse and even up top edges of lining and purse.

18. Hold cording lengths together as one. Pin cording ends at side seams between lining and purse.

19. Place flap between lining and back of purse, making certain design on flap matches up with design on front of purse. With a ⅛" seam, sew around top of purse.

20. Cut three 5½" lengths from mauve wire-edge ribbon. Fold ribbons as shown in Diagram F. Whip-stitch stamens to ribbons.

Floral Purse Pattern   Enlarge 200%

Bead Spacing

Cut Line

Stitch Line

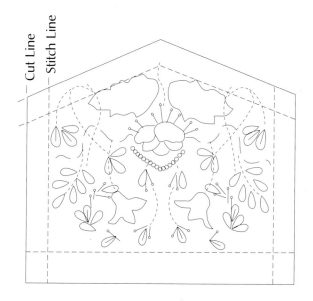

Diagram F

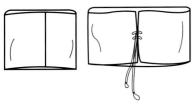

21. Sew a gather stitch on ribbons as shown in Diagram G. Pull gathers and secure threads to form fuchsias.

Diagram G

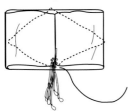

22. Tack fuchsias to flap as shown in Floral Purse Placement.

Floral Purse Placement

Floral Purse Front Stitch Guide

	Description	Ribbon/Floss	Stitch
1.	Flower Stem	gold floss (6 strands)	Stem Stitch
2.	Flower Stem	green floss (6 strands)	Stem Stitch
3.	Leaf Stem	4mm lt. green	Whipped Running Stitch
4.	Leaf	7mm lt. green	Lazy Daisy Stitch
5.	Leaf	pale yellow	Ribbon Stitch

Floral Purse Front Stitch Guide

Floral Purse Flap Stitch Guide

	Description	Ribbon/Floss	Stitch
1.	Leaf Stem	4mm lt. green	Whipped Running Stitch
2.	Leaf	7mm lt. green	Lazy Daisy Stitch
3.	Leaf Stem	dk. green	Whipped Running Stitch
4.	Flower Stem	green floss (6 strands)	Stem Stitch
5.	Flower Stem	gold floss (6 strands)	Stem Stitch
6.	Leaf	dk. green	Lazy Daisy Stitch
7.	Leaf	dk. green	Ribbon Stitch
8.	Leaf	dk. green	Straight Stitch
9.	Rosebud	dk. red	Lazy Daisy Stitch
10.	Rosebud	dk. red	Ribbon Stitch
11.	Leaf	med. green	Ribbon Stitch
12.	Flower	blue	Lazy Daisy Stitch
13.	Flower	blue	Straight Stitch
14.	Garland	gold	Cascade Stitch
15.	Arch	purple seed beads	Beading Stitch

Floral Purse Flap Stitch Guide

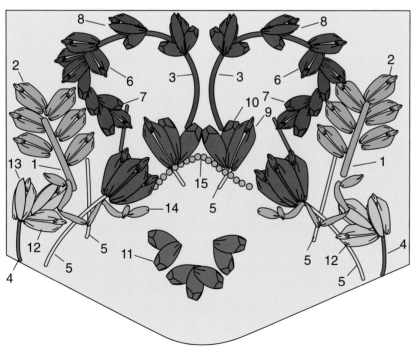

Note: Please refer to a book on basic embroidery stitches to complete this project.

Materials

Fabric: 11" x 17" white woven cotton; 15" x 23" canvas

Embroidery ribbon, 4mm: lt. blue, pale blue, green, dk. green, dusty green, mauve, orange, pink, purple, dusty purple, dk. rose

Embroidery floss: dk. green, lt. yellow

Beads: lt. yellow seed

Acrylic paint: ivory, mauve

Acrylic matte medium

Crackle medium

Gesso

Stretcher frame: 10" x 18"

Watercolor paint: Alazarian Crimson, Brown Madder

General Supplies & Tools

Needles: beading; chenille; embroidery

Paintbrushes

Pencil

Scissors: fabric

Staple gun and staples

Instructions

1. Refer to General Instructions for Transferring on page 9. Transfer Heart Art on pages 122-123 to white cotton fabric. Using fabric scissors and leaving a ½" allowance, cut out hearts.

8. Using ivory acrylic paint, paint on canvas around hearts. Let paint dry. Following manufacturer's instructions, apply crackle medium on canvas around hearts. Let crackle medium dry.

9. Cover work surface before painting canvas. Using a spare piece of canvas for practice, paint canvas with gesso, ivory acrylic paint and crackle medium. Allow canvas to dry after each application.

10. Mix equal amounts of Alazarian Crimson and Brown Madder watercolor paints. Using a large watercolor paintbrush, wet practice canvas. Apply watercolor mixture to canvas. Color should bleed slightly and may come off sides of canvas.

2. Stretch and tightly pull canvas over stretcher frame. Using a staple gun, secure canvas to stretcher frame.

3. Following manufacturer's instructions, apply gesso to top of canvas.

4. Place hearts on canvas following Canvas Hearts Placement on page 109. Using a pencil, lightly trace around hearts.

5. Using a paintbrush, paint a thin layer of acrylic matte

medium on inside area of each traced heart.

6. Set center of fabric hearts in center of traced hearts on canvas. Working outward, gently smooth hearts on canvas, using a paintbrush to gently press out air pockets. Wipe away any matte medium bleeding beyond hearts. Allow to dry.

7. Using beading, chenille, and embroidery needles, embroider hearts following Canvas Hearts Stitch Guide on page 108.

11. When desired look is obtained, wet project canvas around hearts. Apply watercolor mixture to canvas. Allow watercolors to bleed slightly onto edges of hearts as shown in photograph above. Let project dry completely.

12. Using mauve acrylic paint, paint sayings on

Canvas Hearts Stitch Guide

	Description	Ribbon/Floss	Stitch
1.	Heart Outline	lt. blue	Running Stitch
2.	Heart Vine	orange	Fly Stitch
3.	Rose	purple	Stem Stitch Rose
4.	Rose Bud	purple	French Knot
5.	Leaf	green	Ribbon Stitch
6.	Leaf Branch	green	Leaf Stitch
7.	Rose	dk. rose	Stem Stitch Rose
8.	Rose	pink	Stem Stitch Rose
9.	Leaf	dk. green	Ribbon Stitch
10.	Stem	dk. green floss (3 strands)	Stem Stitch
11.	Rose	mauve	Stem Stitch Rose
12.	Forget-Me-Not Bud	pale blue	Loop Stitch
13.	Forget-Me-Not Center	lt. yellow seed bead	Beading Stitch
14.	Forget-Me-Not	lt. blue	Loop Petal Stitch
15.	Forget-Me-Not Center	lt. yellow floss (3 strands)	French Knot
16.	Rose	dusty purple	Stem Stitch Rose
17.	Rose Bud	dusty purple	French Knot
18.	Leaf Branch	dk. green	Leaf Stitch
19.	Rose Bud	pink	French Knot
20.	Rose Bud	dusty green	French Knot

Canvas Hearts Stitch Guide

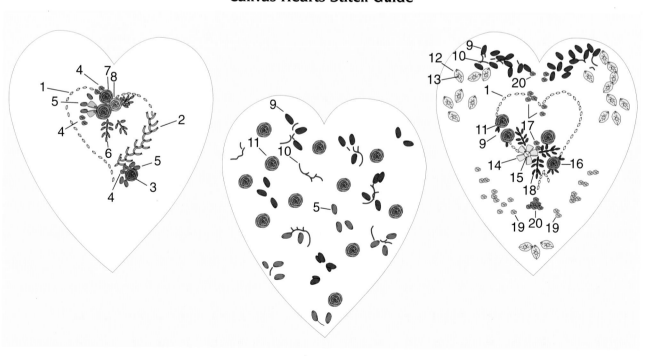

108

pages 125-126 on canvas as in Canvas Hearts Placement.

13. Cut one pink and two pale blue lengths of embroidery ribbon. Tie each in a bow and glue each bow on each heart cascading ribbon tails around each heart.

14. Hang or frame as desired.

Canvas Hearts Placement

Love is...time measured by the heart.

I have called a little flower my messenger to be let it whisper in thine ear all I would say to thee.

But the beating of my own heart was all the sound I heard.

Stocking

Note: Please refer to a book on basic embroidery stitches to complete this project.

Materials
Fabric: muslin (⅓ yd.)
Embroidery ribbon: 4mm brown (2 yds.), dk. brown (2 yds.), green (1½ yds.), dk. green (1½ yds.), red (1½ yds.); 7mm dk. red (2 yds.)
Wire-edge ribbon: ⅜"-wide red (¾ yd.); ⅜"-wide ivory (1 yd.); 2½"-wide ivory with gold edges (½ yd.)
Beads: 3mm round gold (64); ³⁄₁₆" clear bugle (38), gold bugle (78); ⅜" clear oval faceted (14); ⅝" frosted gold heart (5): gold seed (approximately 150)
Embroidery floss: brown
Thread: braided metallic gold

General Supplies & Tools
Embroidery hoop
Needles: beading; chenille; embroidery; hand-sewing
Pencil
Sewing machine
Scissors: fabric
Thread: beading; coordinating

Instructions
1. Refer to General Instructions for Transferring Art to Fabric on page 9. Transfer Poinsettia Art on page 125 to muslin fabric.

2. Enlarge Stocking & Cuff Transfer Pattern on page 111. Using a pencil, trace stocking on printed muslin for stocking front and on plain muslin fabric for stocking back.

3. Place stocking front tightly in embroidery hoop.

4. Using chenille, embroidery, and beading needles, embroider poinsettias following Stocking Stitch Guide on page 112.

5. Remove stocking front from embroidery hoop. Using fabric scissors, cut out stocking front and back.

6. With ¼" seam and right sides together, sew stocking front and stocking back together. Clip curves and turn right side out.

7. Cut three 5" lengths from ivory with gold edges wire-edge ribbon. Turn one end of each ribbon up ¼". Using a hand-sewing needle and coordinating thread, fold and tack ribbon ends as shown in Diagram A on page 110.

109

Diagram A

11. Baste tacked ribbons on left side of stocking cuff. Sew a running stitch with gold metallic thread along three ribbon seams as shown in Diagram D.

Diagram D

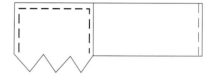

12. Using enlarged Stocking & Cuff Transfer Pattern on opposite page, center and transfer cuff pattern to ivory ribbon, leaving a ½" hem allowance at top.

13. Place stocking cuff tightly in embroidery hoop.

14. Embroider stocking cuff following Cuff Stitch Guide on page 112.

15. Remove stocking cuff from embroidery hoop.

16. With ¼" seam, sew right side of stocking cuff to wrong side of stocking. Turn stocking cuff right side out.

17. Remove basting thread. Sew a running stitch with gold metallic thread across top front of stocking cuff.

9. Cut a 12" x 4" strip of muslin for stocking cuff. Turn one long edge up ¼". Fold turned edge up ¼" and hem.

8. Place wrong sides of two tacked ribbons together. Using metallic gold thread, make a running stitch seam as shown in Diagram B. Repeat process with remaining tacked ribbon.

Diagram B

 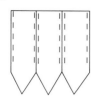

10. Mark center and ¼" seams on stocking cuff as shown in Diagram C.

Diagram C

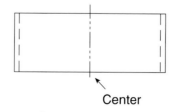

Center

18. Refer to General Instructions for Bead Stringing on page 10. Using a beading needle and beading thread, string beads as shown in Diagram E, stringing clear and gold bugle beads as desired.

Diagram E

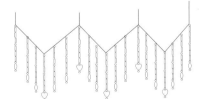

19. Sew bead strings with frosted gold heart beads at two center top and three bottom points of stocking cuff. Sew bead strings with clear oval beads at ½" intervals as shown in Diagram F.

Diagram F

20. Sew 3mm round gold beads along pointed edge of stocking cuff as shown in Diagram G.

Diagram G

21. Cut six 4" lengths from red wire-edge ribbon. Refer to General Instructions for Boat Leaf on page 10. Fold and stitch each ribbon into a boat leaf. Sew leaves together to form a poinsettia. Sew seed beads in center of poinsettia.

22. Refer to General Instructions for Multi-Loop Bow on page 14. Tie ⅜"-wide ivory wire-edge ribbon into a multi-loop bow. Tack bow to top left corner of stocking cuff. Tack poinsettia to center of bow.

Stocking & Cuff Transfer Pattern   Enlarge 190%

Stocking Stitch Guide

	Description	Ribbon/Floss	Stitch
1.	Lg. Poinsettia Leaf	dk. red	Lazy Daisy Stitch
2.	Lg. Poinsettia Leaf	dk. red	Straight Stitch
3.	Lg. Poinsettia Leaf	dk. red	Ribbon Stitch
4.	Small Poinsettia Leaf	red	Lazy Daisy Stitch
5.	Small Poinsettia Leaf	red	Straight Stitch
6.	Small Poinsettia Leaf	red	Ribbon Stitch
7.	Poinsettia Center	gold seed beads	Beading Stitch

Stocking Stitch Guide

Cuff Stitch Guide

Stocking Placement

Cuff Stitch Guide

	Description	Ribbon/Floss	Stitch
1.	Branch	brown floss (6 strands)	Stem Stitch
2.	Pine Needle	green	Straight Stitch
3.	Pine Needle	dk. green	Straight Stitch
4.	Pine Cone	brown and dk. brown	Cretan Stitch

Angel Wreath

Note: Please refer to a book on basic embroidery stitches to complete this project.

Materials

Fabric: 16" square white cotton

Embroidery ribbon: 4mm dk. green (6 yds.), red (2 yds.)

Wire-edge ribbon: ⅜"-wide red (1⅛ yds.); ⅜"-wide white satin (⅝ yd.); 1"-wide pale yellow (1½ yds.)

Beads: red, 5mm-8mm assorted wood, glass, and faceted (20-30)

General Supplies & Tools

Embroidery hoop

Needles: beading; chenille; embroidery; hand-sewing

Scissors: fabric

Thread: coordinating

Instructions

1. Refer to General Instructions for Transferring on page 9. Transfer Angel Art on page 32 to cotton fabric.

2. Place fabric tightly in embroidery hoop. Using embroidery, chenille, and beading needles, embroider fabric following Angel Wreath Stitch Guide on page 114.

3. Tie a 3"-wide bow from red wire-edge ribbon. Cut ribbon ends on a diagonal. Refer to General Instructions for Cascading on page 11. Tack bow in place following Angel Wreath Placement on page 114. Cascade ribbon.

4. Cut six 8½" lengths from pale yellow wire-edge ribbon. Refer to General Instructions for Multiple-Petal Section on page 14. Using a hand-sewing needle and coordinating thread, stitch each ribbon into a multiple-petal section.

5. Cut four 5" lengths from white satin wire-edge ribbon. Refer to General Instructions for Gathered Ruffle Flower on page 13. Stitch each ribbon into a gathered ruffle flower.

6. Tack flowers to design following Angel Wreath Placement.

7. Remove fabric from embroidery hoop. Frame or mount as desired.

Angel Wreath Placement

Angel Wreath Stitch Guide

	Description	Ribbon	Stitch
1.	Pine Needles	dk. green	Twisted Ribbon Stitch
2.	Ribbon	red	Twisted Ribbon Stitch
3.	Berries	beads	Beading Stitch

Angel Wreath Stitch Guide

Cards

Note: Cards used on this project were hand-painted.

Materials

Card: blank, floral motif

Cardstock: 5½" x 3¼" floral motif (1)

Ribbon roses: small (14); large (2); swirl (3)

Wire-edge ribbon: 1"-wide gold mesh (½ yd.)

General Supplies & Tools

Hot glue gun and glue sticks
Paper punch
Scissors: craft

Instructions

1. Referring to Card Placement, randomly hot-glue 11 small, two large, and two swirl ribbon roses to floral motif on card.

2. Cut gold ribbon into two equal lengths. Hold ribbons together as one and tie into a bow. Spread bow loops apart and shape ribbon tails. Cut tails on a diagonal. Hot-glue bow where desired on card.

3. Referring to Tag Placement, randomly hot-glue one swirl and three small ribbon roses to floral motif on cardstock rectangle. Trim two corners. Punch hole.

Angel Finial

Materials

Finial, wooden curtain
Embroidery ribbon: 7 mm green (2 yds.)
Satin ribbon: 1/16"-wide burgundy (1 yd.)
Wire-edge ribbon: 3/8"-wide burgundy (1 1/8 yds.); 5/8"-wide ivory (1/4 yd.); 7/8"-wide pale yellow (3/8 yd.)
Acrylic paints: dk. green, lt. green, red
Ball: wooden, 6 1/2"-diameter
Beads: wooden, 3/8", 3/4"
Cording: 1/8"-wide dk. green (1 1/4 yds.)
Poster board (4 1/2" x 7")
Spray sealer: matte finish

General Supplies & Tools

Gesso
Glue: craft
Hot glue gun and glue sticks
Needle: hand-sewing
Paintbrushes
Pencil
Scissors: craft; fabric
Thread: coordinating

Instructions

1. Make two color copies of Angel Art on page 124 at a copy center.

2. Following manufacturer's instructions, apply gesso to all wood pieces.

Card Placement

Tag Placement

3. Refer to General Instructions for Painting Techniques on page 18. Paint all wood pieces as follows: base —⅜" bead and ball red, ¾" bead and finial dk. green; dry brush — all dk. green painted surfaces lt. green.

4. Using matte spray sealer, spray and seal all painted wood pieces.

5. Using a hot glue gun and glue sticks, glue painted wood pieces together as shown in Angel Finial Placement on opposite page.

6. Using fabric scissors, cut two 12" lengths and one 14" length from dk. green cording. Fold 14" length in half and tie a knot at cut ends. Cut ends off close to knot and hot-glue to top of finial.

7. Cut one 22" length and one 17" length from burgundy wire-edge ribbon. Tie 17" ribbon around top of finial. Tie 22" ribbon into a bow with 4" tails around top of finial. Wrap all ribbon tails around pencil to curl. Remove pencil and let ribbon tails fall down finial.

8. Refer to Oval Pattern on opposite page. Trace two oval patterns onto poster-board. Center and trace oval onto both angel color copies. Using craft scissors, cut along tracing lines on color copies and poster-board. Using craft glue, glue angel color copies onto each oval poster board. To prevent curling while drying, place under a flat, heavy object.

9. Using fabric scissors, cut two 36" lengths from green embroidery ribbon. Refer to General Instructions for Fluting on page 12. Flute and glue one length of ribbon around back outside edge of each oval.

10. Glue 12" lengths of dk. green cording around front outside edge of each oval.

11. Fold remaining dk. green cording in half to form a loop. Center and glue cut ends of loop to top back of one oval. Glue backs of ovals together and allow to dry under flat, heavy object.

12. Cut ivory wire-edge ribbon into two 4½" lengths. Refer to General Instructions for Gathered Ruffle Flower on page 13. Using a hand-sewing needle and coordinating thread, stitch each ribbon into a gathered ruffle flower.

13. Cut two 6½" lengths from pale yellow wire-edge ribbon. Refer to General Instructions for Multiple-Petal Section on page 14. Stitch each ribbon into a multiple-petal section.

14. Glue a yellow and a white flower to top front and back of oval.

15. Cut burgundy satin ribbon into two equal lengths. Attach centers of ribbons to each side of cord loop at top of oval and tie into bows with looping tails. Randomly secure tails to oval with a small amount of glue.

16. Place a small amount of hot glue into bead hole at bottom of finial. Thread cord loop into hole to attach oval to finial.

Angel Finial Placement

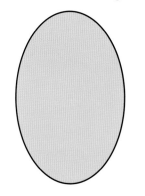

Oval Pattern   Enlarge 260%

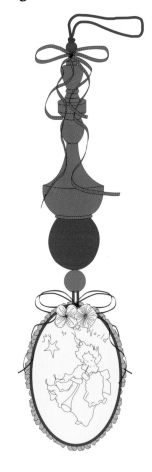

Flower Pots

Materials

Clay pots: as desired
Wire-edge ribbon: ⅜"-wide white taffeta (4⅜ yds.); 1½"-wide – white taffeta (2 yds.); ⅞"-wide orange ombré taffeta (⅜ yds.), green ombré taffeta (3 yds.); ⅞" green ombré taffeta (4½ yds.)
Florist tape: pale green
Moss
Oasis: to fit inside clay pots
Stamens: red/white, pear (9), yellow (9)
Stem wire: 16-18 gauge

General Tools & Supplies

Glue: craft
Needles: hand-sewing
Scissors: fabric
Thread: coordinating
Wire cutters

Instructions

1. Refer to Steps 5-9 for Blossom Vase on page 68 to create branches.

2. Using fabric scissors, cut 1½"-wide wire-edge white ribbon into two 21" lengths. Refer to General Instructions for Stitched Flower on page 17, marking each length into six 3½" intervals.

3. Using wire cutters, cut two 9" pieces of stem wire. Attach red and white stamens to a stem wire.

4. Cut orange ombré wire-edge into two 4" pieces. Refer to General Instructions for Trumpet on page 18. Make each ribbon into a trumpet. Insert stamen in center of orange trumpet. Secure stamens in trumpet with a small amount of glue.

5. Cut ⅞"green ombré wire-edge ribbon into two 12" lengths. Refer to General Instructions for Boat Leaf on page 10. Make each ribbon into a boat leaf.

6. Refer to General Instructions for Narcissus on page 14. Make two narcissus.

7. Arrange apple blossoms branches and two narcissus in clay pots as shown on Flower Pot Placement. Cover oasis with moss.

Flower Pot Placement

Pansy Frame

Materials

Frame: 5" x 7" wood, crest-shaped

Wire-edge ribbon: ⅞"-wide olive green ombré taffeta (1 yd.); ⅞"-wide olive green ombré taffeta (6¾ yds.); 1½"-wide purple taffeta (⅜ yd.), yellow ombré taffeta (½ yd.)

Beads: black oval (2)

Quilt batting: 8"x 8" lightweight

General Supplies & Tools

Hot glue gun and glue sticks
Needles: hand-sewing
Pencil
Scissors: fabric
Thread: coordinating

Instructions

1. Using pencil, trace frame and opening onto quilt batting. Using fabric scissors, cut out frame shape from quilt batting.

2. Using hot glue gun and glue stick, attach quilt batting to front of frame.

3. Using ⅞"-wide olive green ombré wire-edge ribbon, wrap frame completely covering quilt batting.

Secure ribbon ends on back with hot glue.

4. Cut ⅝"-wide olive green ombré wire-edge ribbon into one 5" length and three 9" lengths. Refer to General Instructions for Pulled Petal or Leaf on page 15. Make each ribbon into a pulled leaf.

5. Cut purple wire-edge ribbon in half. Fold each ribbon in half. Refer to General Instructions for

Stitched Flower on page 17. Make each ribbon into a 2-petal stitched flower.

6. Cut yellow ombré wire-edge ribbon into two equal lengths. Mark each ribbon into thirds. Make each ribbon into a stitched flower. Tack first petal to third petal on each flower.

7. Sew a purple stitched flower to each yellow stitched flower to form a pansy.

8. Glue black oval bead to center of each pansy. Glue pansies and leaves onto left side of frame as shown on Pansy Frame Placement.

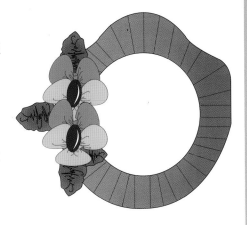

Pansy Frame Placement

Iris Mirror

Materials
Mirror: 18" oval wicker
Sheer ribbon: ⅝"-wide yellow (4½ yds.)
Wire-edge ribbon: ⅝"-wide olive green ombré taffeta (1⅜ yds.); 1½"-wide pink/purple ombré taffeta (1½ yds.), purple/blue taffeta (2⅞ yds.)
Florist tape: dk. green
Florist wire: 16-18 gauge, covered
Moss
Paddle wire: 24-26 gauge
Willow branches or twigs

General Supplies & Tools
Hot glue gun and glue sticks
Needles: hand-sewing
Scissors: fabric
Thread: coordinating

Instructions

1. Using fabric scissors, cut olive green ombré wire-edge ribbon into four equal lengths. Refer to General Instructions for Boat Leaf on page 10. Make each ribbon into a boat leaf.

2. Cut pink/purple ombré wire-edge ribbon into three 8" lengths. Make each ribbon into a petal, using boat leaf technique, and stitching along purple edge of ribbon.

3. Cut remaining pink/purple ombré wire-edge ribbon into three 9" lengths. Refer to General Instructions for Pulled Petal or Leaf on page 15. Pull wire on pink edge of ribbon. Make each ribbon into a pulled petal.

4. Cut purple/blue ombré wire-edge ribbon into six 8" lengths. Refer to General Instructions for Boat Leaf on page 10. Make each ribbon into a petal, using boat leaf technique and stitching along dark purple edge of ribbon.

5. Cut remaining purple/blue ombré wire-edge ribbon into six 9" lengths. Refer to General Instructions for Pulled Petal or Leaf on page

15. Make each ribbon into a pulled petal. Pull wire on light purple edge of ribbon.

6. Cut yellow sheer ribbon into nine 18" lengths. Sew a running stitch down center of each ribbon. Tightly gather each ribbon to 2-3" lengths. Using hot glue gun and glue stick, attach one gathered ribbon to center of each pulled petal as shown in Diagram A.

Diagram A

7. Using wire cutters, cut florist wire into three 9" lengths.

8. Assemble remaining petals into two clusters of three purple petals and one cluster of three pink petals. Glue tip of each petal cluster together. Turn petals outward and fold tips downward as shown in Diagram B. Insert stem wire into center of cluster. Secure base with a small piece of paddle wire.

Diagram B

9. Match colors of petal clusters with three pulled petals to form irises. Position each pulled petal between petals of each cluster as shown in Diagram C.

Diagram C

10. Secure all petals together with small piece of paddle wire. Wrap florist wire with dk. green florist tape, adding leaves to wires.

11. Fold pulled petals downward. Arrange and glue irises onto mirror. Glue moss and twigs to mirror. Refer to Iris Mirror for Placement.

Iris Mirror Placement

Mini Heart Art   Enlarge 150%

Poinsettia Art   Enlarge 110%

Heart Art   Enlarge 115%

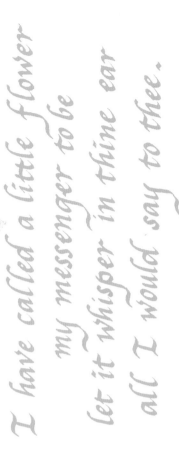

I have called a little flower
my messenger to be
let it whisper in thine ear
all I would say to thee.

Pink Floral Art   Actual Size

Heart Art   Enlarge 110%

But the beating of my own heart was all the sound I heard.

Love is...time measured by the heart.

Metric Equivalency Chart
mm-millimetres cm-centimetres

inches to millimetres and centimetres

inches	mm	cm	inches	cm	inches	cm
⅛	3	0.3	9	22.9	30	76.2
¼	6	0.6	10	25.4	31	78.7
½	13	1.3	12	30.5	33	83.8
⅝	16	1.6	13	33.0	34	86.4
¾	19	1.9	14	35.6	35	88.9
⅞	22	2.2	15	38.1	36	91.4
1	25	2.5	16	40.6	37	94.0
1¼	32	3.2	17	43.2	38	96.5
1½	38	3.8	18	45.7	39	99.1
1¾	44	4.4	19	48.3	40	101.6
2	51	5.1	20	50.8	41	104.1
2½	64	6.4	21	53.3	42	106.7
3	76	7.6	22	55.9	43	109.2
3½	89	8.9	23	58.4	44	111.8
4	102	10.2	24	61.0	45	114.3
4½	114	11.4	25	63.5	46	116.8
5	127	12.7	26	66.0	47	119.4
6	152	15.2	27	68.6	48	121.9
7	178	17.8	28	71.1	49	124.5
8	203	20.3	29	73.7	50	127.0

yards to metres

yards	metres	yards	metres	yards	metres	yards	metres	yards	metres
⅛	0.11	2⅛	1.94	4⅛	3.77	6⅛	5.60	8⅛	7.43
¼	0.23	2¼	2.06	4¼	3.89	6¼	5.72	8¼	7.54
⅜	0.34	2⅜	2.17	4⅜	4.00	6⅜	5.83	8⅜	7.66
½	0.46	2½	2.29	4½	4.11	6½	5.94	8½	7.77
⅝	0.57	2⅝	2.40	4⅝	4.23	6⅝	6.06	8⅝	7.89
¾	0.69	2¾	2.51	4¾	4.34	6¾	6.17	8¾	8.00
⅞	0.80	2⅞	2.63	4⅞	4.46	6⅞	6.29	8⅞	8.12
1	0.91	3	2.74	5	4.57	7	6.40	9	8.23
1⅛	1.03	3⅛	2.86	5⅛	4.69	7⅛	6.52	9⅛	8.34
1¼	1.14	3¼	2.97	5¼	4.80	7¼	6.63	9¼	8.46
1⅜	1.26	3⅜	3.09	5⅜	4.91	7⅜	6.74	9⅜	8.57
1½	1.37	3½	3.20	5½	5.03	7½	6.86	9½	8.69
1⅝	1.49	3⅝	3.31	5⅝	5.14	7⅝	6.97	9⅝	8.80
1¾	1.60	3¾	3.43	5¾	5.26	7¾	7.09	9¾	8.92
1⅞	1.71	3⅞	3.54	5⅞	5.37	7⅞	7.20	9⅞	9.03
2	1.83	4	3.66	6	5.49	8	7.32	10	9.14

INDEX